韓國

撼動世界的嗆泡菜

丹尼爾・圖德——著
胡菀如——譯

Korea

The Impossible Country

by Daniel Tudor

推薦一

韓國大躍進的背景與問題

中韓文化基金會董事長
林秋山 博士

本人自民國四十五年修讀韓文，投身韓國問題研究以來，迄今已逾半個世紀，每以閱讀他人相關論叢為快。聯經出版公司編輯部邀請我撰文推薦英國《經濟學人》駐韓特派記者丹尼爾．圖德（Daniel Tudor）所寫的《韓國：撼動世界的嗆泡菜》（*Korea: The Impossible Country*）一書，乃欣然同意。

韓國有五個不同意涵

作者從政治、經濟、文化等不同角度，綜合說明韓國已從貧窮落後脫穎而出，成為一個工業先進國家，但事實上並非全然。誠如南韓《中央日報》今年八月二十日所載延世大學客座教授朴明林（音譯）撰寫的〈五個韓國〉一文所述：韓國實際上有五個不同意涵：一是能在短時間內成為經濟快速發展及技術進步的工業先進國；二是在文化、藝術、運動等領域表現卓越；

三是在軍事、和平與保安領域有特殊性；四是在人的尊嚴及幸福指標領域備受爭議，它的自殺率及老人貧困狀況均為工業先進國（OECD）之首；五是分裂的北韓之飢餓、貧困、壓抑、獨裁、閉鎖及軍事主義等問題。可見那個大躍進的韓國並非韓國的全貌。

韓國大躍進的背景

今日韓國能脫胎換骨、獲得成功的諸多因素，有其戰略地位的重要性，使列強爭相拉攏；受命運多舛的歷史演變所磨練，例如：一五九二年的壬辰倭亂、一九一九年的抗日復國運動，以及一九五〇年的韓戰，其中死傷之慘重，迄今讓人記憶猶新，使它的國民不得不團結奮鬥以抵抗外敵。

其次是政府的積極態度使然，像李明博時代為爭取核能電廠的輸出，而走訪中東國家、為宣傳三星手機的性能，不惜利用國際會議的場合，大作其秀；最近朴槿惠總統到歐洲及東南亞國家訪問，被稱為sales之旅，其他如外交部也早已擴大為外交通商部，把國際貿易納入外交部的業務中，促使外交人員負起增進國際貿易的責任。

又例如韓國憲法規定：國會議員有清廉之義務，應以國家利益為優先，憑藉良心行使他們的職務；不得濫用其地位與國家、公共團體或企業簽訂契約，或依其處分取得財產上的權利、利益或地位，也不得為他人取得而斡旋之。

此外，韓國勞工的貢獻也很大，他們每週的工作時數高達六十八小時，且其薪資到五十歲時就逐年減少，到六十歲就得退休等規定，都是他國所少見。

朴槿惠總統的對策

不僅如此，根據本書所刊載，韓國的生活滿意度排名世界第一〇二名，幸福感排名倒數第二，只有七%的人自認為「很快樂」。韓國的經濟如此發達，何以有這種現象呢？這是因為韓國貧富相差太懸殊，太多的財富集中在少數財團所致。

針對這種情形，韓國總統朴槿惠去年七月宣布爭取大國黨（現已改組為「新世界黨」）總統候選人提名時表示，她當選後將致力促進經濟民主化，創造就業機會，擴大社會福利，並於當選後立即要求國會編列一兆四千億韓圓作為出生至五歲新生兒的無償保育費；五千二百五十億韓圓作為大學註冊費補助款；一千四百六十八億韓圓作為低所得者的社會保險費；二百五十八億韓圓用來提高士兵薪餉；四百億韓圓作為參戰榮譽津貼，以解決燃眉之急，由此可見大躍進背後所隱藏的問題。

同時，韓國國會也進行法律修訂，把勞工每週工作時數從六十八小時減少為五十二小時，並預訂從二〇一六至一八年間分階段、分類別實施。據報導：資方表示恐將影響整體經濟成長，結果如何？尚不得而知。

韓國大躍進了，我們也要大躍進，但我們追求的是能增進人民幸福的大躍進，本書就是最好的參考，希望人手一冊，熟記力行之。

推薦二

韓國憑什麼崛起？

政治大學韓國語文學系主任
郭秋雯 博士

「韓國真的在很多地方超越台灣了！」
「韓國能，台灣為什麼不能？」
「韓國好像真的進步很多！」
「韓國憑什麼崛起?!」

這四部曲道出了台灣人這十幾年來對韓國崛起的複雜心情，但對韓國人而言，誠如這本書中第26章的章名「輪到我們了」，似乎是該輪到韓國人揚眉吐氣的時候了。

台灣人總會問：「韓國憑什麼崛起?!」

其實韓國的崛起絕非偶然，從朴正熙的「漢江奇蹟」帶動第一階段的經濟起飛、到一九八八年盧泰愚舉辦奧運，打開韓國與外界溝通之門，以及一九九七年國際貨幣基金組織（IMF）接管韓國後，金大中的「文化立國」與「ＩＴ神話」，這些階段都清楚交代了韓國一步一腳印的努力，讀者也可以從書中一窺究竟。

在台灣出版了很多韓國的相關書籍，身為研究韓國的學者，對於寫推薦序要非常留意，之所以會答應推薦，是感受到這本書的深度與公正性，藉由西方人的角度來看韓國，有著不同的眼界。

拜讀這本書時，除了訝異一位旅居韓國十年的特派記者可以這麼深入淺出地介紹韓國之外，對於作者透徹考證韓國歷史的功力也感到相當敬佩。這本書最引人入勝之處在於，不會有看歷史書的枯燥，也不會專注於經濟政治的嚴肅話題，更不會淺碟地介紹當今韓國流行文化，舉凡政治、經濟、文化、風俗、流行等等，都有深刻的探究，而且古今輝映，時空穿插，讀著讀著，彷彿被帶到過往時空，重新閱讀韓國的成長歷程。

台灣對韓國的了解其實很片段，也很兩極，四十歲後半到五十歲以上的台灣人對韓國的印象多半是負面的；三十到四十歲前半的台灣人開始看到韓國的蛻變，但心中仍多有存疑；二十到三十歲的年輕族群經歷了韓流的興盛期，喜歡用韓國產品，對韓國多存正面印象，但男性們仍普遍持負面觀感；至於二十歲以下的青少年，正處於韓國流行音樂K-POP的「新韓流」階段，哈韓的程度不亞於哈韓劇的婆婆媽媽。

但我們真的了解韓國嗎？

哈韓的人這麼多，但哈韓並不代表真正了解韓國。網路上有無數對韓國的評論，但總是少了那麼一點明白與諒解。這兩年在台灣舉辦的韓文能力檢定報考人數都超過四千人，但不代表這些人都了解韓國。事實上，有很多人喜歡學韓文，卻不想多了解韓國，不僅台灣如此，世界許多國家皆然。

在台灣，不敢有太多聲音為韓國的言行做說明，因為只要稍微站在韓國的立場，就容易被抨擊，尤其是像我們學習韓文、研究韓國的人，對於韓國議題，總得格外小心發言。於是很多人選擇沉默，但愈是這樣，真相就愈不明朗，台、韓的心結就愈無法解開。

今天很高興見到一本可以協助台灣人正確了解韓國的好書，我不敢說這本書所描述的內容都能讓大家信服，但作者確實很公正客觀地來剖析韓國。希望藉由西方人看韓國的視野，可以讓台灣人停下腳步、平心靜氣地看待韓國，並試著去了解這個國家，也許有助於釐清我們與韓國種種糾葛的心情。

通曉韓國的人都知道韓國社會處處充滿矛盾，傳統與儒學的枷鎖，讓他們面對世界潮流的變化時感到綁手綁腳，但一九九七年之後，韓國像是經過整型似的脫胎換骨，流行的快速變化讓他們成為戀新狂，不斷地追求新穎與流行似乎成了一種病態的快感，而「變變變」、「快快快」也成為韓國的形容詞。

韓國從過去的傳統與貧窮，到現在的時尚與享樂，這當中的變化快得讓人來不及反應。一直把韓國視為第二故鄉的我，看到這種突然之間的解放與崩塌，不禁憂心缺少了中間的緩衝，沒有連接傳統和現代的那座橋梁，社會會是多麼的兩極和不穩啊！韓國內部的紛擾與壓力恐怕又將因此雪上加霜！

一九九七年之後再崛起的韓國，創造了許多富人，也帶動整個國家的經濟成長，但人民素養與心靈成長還來不及跟進，於是，暴發戶的心態不僅造成韓國內部的隔閡，也為韓國與外界安裝了一顆未爆彈。但誠如這本書提到的，韓國人雖然有許多值得驕傲的地方，他們還是很不快樂，韓國的自殺率是全世界第二，如果韓國人真的認為他們國家的經濟成長已經為世人所讚嘆、他們正居住在許多外國人欣羨的國度裡的話，為何籠罩他們的卻是一片又一片的鬱悶與不幸福感呢？

我們都會覺得韓國人自視甚高，但韓國人卻認為他們很容易對自己不滿意，這是多麼令人驚訝的對照！更令人難過的是，韓國人不懂得如何療癒心中的痛，也不知道要怎麼愛自己，自然也沒有能力去愛別人，他們只能不斷累積壓力，走投無路時只好了斷人生。這也是很極端的作法，他們的生命似乎少了彈性與柔軟。

相信很多人都知道，韓國在一九九七年被國際貨幣基金組織接管時，大家紛紛掏出家中的黃金救助自己的國家，為了幫國家節省外匯，許多有錢人的家長也忍痛將出國留學的孩子喚回國，韓國人的愛國心令人讚嘆。相較之下，當其他國家遇到災難時，他們似乎比較冷處理，不像台灣總是捐款第一名。不過這幾年韓國政府不斷宣導韓國是個有「情」的國家，也持續金援其他較落後的國家，一些知名藝人更是紛紛響應，希望這股熱潮可以帶動韓國人重新看待內心那份收藏著的熱情。如果韓國人可以對外人像對自家人一樣真誠，並且相信外人也會善待他們的話，那麼他們會發現，其實他們可以放下心中的防衛，放心地伸出雙手與人交往，他們必須相信現在是一個合作共生的世界。

作者提到韓國人整日工作，但卻整晚玩樂！

看到這句話時，我噗哧大笑，佩服作者深入且細微的觀察，也願意把這個好玩的現象放入書中。以前常常有學生納悶問說，韓國男人都不用睡覺嗎？那麼晚下班，下班後還去喝酒喝到大半夜，隔天一大早又準時去上班，他們都不睏嗎？後來發現不僅是上班族，大學生也是如此，非得玩到三更半夜不回家！

但他們真的很想這樣嗎？很多人會以為晚上的喝酒玩樂就是交際應酬、擴展人脈，不過也有很多人會以買醉來尋求暫時的壓力解脫，這點與台灣的夜店模式是相似的。然而韓國政府無法像台灣一樣提倡「爸爸回家吃晚餐」，恐怕要歸咎於他們的社會給男人太多壓力！

這本書探討的面向非常多元，除了政治、經濟、歷史風俗、地理文化外，諸如眾所皆知的「面子」、「恨」、「防禦性的民族主義」也多有著墨，還提到目前韓國社會面臨單一民族的瓦解與多元文化的興起等問題，作者以淺顯易懂的筆法將內容變得精彩有趣，這本書可以說是一本能客觀認識韓國的入門書，在此真心推薦。

目次

韓國：撼動世界的嗆泡菜

前言
韓國奇蹟

現在在西方國家的街頭雖然處處可以看到現代（Hyundai）和起亞（Kia）汽車，我們也可以從智慧型手機到夢幻客機等各種產品窺見韓國的科技發展，但人們對南韓的了解還是甚少。即使那些對亞洲文化有興趣的人士，往往也比較重視它周邊更強大或人口更多的鄰國，而忽視了這個有五千萬人口的國家。位於南韓西邊的中國，迫令它進貢好幾個世紀，是個重新崛起的區域霸主；位於韓國東邊的日本，不僅曾經殖民過它，而且數十年來一直是刺激著西方想像力的文化強國；而正北方盤踞著所謂的朝鮮民主主義人民共和國（Democratic People's Republic of Korea），該國的核武器計畫和令人難以置信的君主執政，奪去了南韓在國際媒體上的光彩。

一般人對於南韓的印象通常有頗大的偏見。筆者每到一個非亞洲國家，當地人提出的第一個問題往往是：「韓國人真的都吃狗肉嗎？」像德國牧羊犬這種寵物在首爾街頭閒逛是絕對不安全的想法，極為常見。縱使南韓的人均國內生產毛額（GDP）已達到三萬美元，西方國家依然有許多人以為南韓人民還是像美國電視喜劇《風流軍醫俏護士》（*M*A*S*H*）中所描述的那樣，屬於第三世界的貧窮公民。

其他有關韓國錯誤的刻板印象還包括：韓國人的社會觀念保守；韓國人不但害羞拘謹，也不懂如何休閒娛樂；韓國人過於驕傲，並相信自己是全世界最好的國家；所有的韓國人都盼望南北韓統一；韓國人全都痛恨（或是全都愛慕）美國；韓國人缺乏創意；在做生意方面，不能信賴韓國人，他們很難對付。此外，還有一個對韓國非常重大的誤解：很多人都認為這個國家一直是自由市場和民主的堡壘，但實際上並非如此。

目前有關韓國的英文文獻，在消除這些觀念方面做到的非常少，西方作家通常著重於古老的或是傳統的韓國，將重點放在韓戰或是北韓上。很少書籍呈現出當代南韓的現狀，這有些遺憾，因為南韓已經是國際社會間及當代世界中一個相當重要的國家——不僅在經濟方面如此，在文化和政治方面也是如此。現在是我們多了解這獨特、充滿活力且崛起中的國家的時候了，這本書就是為了在這方面提供一個切入點——也就是為想要了解南韓的人們提供一個起點。

這本書分為五部：第一部是有關韓國人的行為舉止所受的基本影響，例如佛教、儒學、具千年歷史的薩滿教、資本主義以及基督教；第二部討論受到廣泛研究的文化符碼，例如韓國社會中的「情」、「恨」和較少被討論到的「興」（一種純粹的喜悅）的觀念，以及南韓人對於任何新事物的痴迷；第三部談現實生活，包括韓國人如何從事商業和政治活動，以及工作、約會和對教育的痴迷，尤其是學習英語的狂熱；第四部則介紹韓國的電影、流行音樂、飲食和夜生活；第五部說明南韓如何不再是孤立、保守的，而是對全世界開放的國家，並開始擺脫受儒家影響、具性別歧視的過去。本書首先針對韓國的歷史進行簡要地概述，有助於了解各章節的歷史背景。

「不可能的國家」？

五十年前，韓國曾經是一個貧窮、飽受戰爭蹂躪的國家，從殘暴的獨裁政權踉踉蹌蹌地走到混亂的民主之後，又再次走回獨裁統治。很少人指望這個國家能夠存活下來，更不用說轉變成全世界發展中國家在繁榮和穩定方面的模範，並且在流行文化方面具有卓越的成就。簡單說，南韓人民在國家建設方面寫下了百年以來令人最意想不到且印象深刻的故事，光是基於這個原因，他們就值得被稱為「不可能的國家」。

南韓的發展，擁有兩個奇蹟：首先是經常被引用的「**漢江奇蹟**」，也就是在一九六〇、七〇和八〇年代讓該國擺脫貧窮，走上繁榮之路的驚人經濟成長。如今環視首爾，很難相信南韓在一九六〇年的ＧＤＰ低於一百美元，不但天然資源稀少，而且只有最基本的（且遭受戰爭破壞的）基礎建設。第二個奇蹟是**樹立民主**、**法治的典範**。一九八七年以前，南韓備受軍事獨裁政權統治，但如今它具有穩定和民主的領導者。就在新加坡、現今中國等亞洲國家推動結合專制主義與資本主義的政權之際，南韓這個不但重視財富，也注重法治和人民權利的國家，可在這些方面作為亞洲地區的最佳典範。

但是，本書副標題（The Impossible Country）具有另一個較為負面的觀點，我們將在書中討論到這點，雖然南韓人民擁有物質的成功和穩定，他們卻很少對自己感到滿意。這個國家將太多壓力施加在國民身上，要求他們在教育、聲譽、外表和事業等發展方面達到難以符合的標準。南韓在自殺率方面居全球第二高，僅次於立陶宛（Lithuania）。這個問題不但沒有改善，反而愈來愈糟：一九八九到二〇〇九年間，該國的自殺率上升了五倍。因此，南韓的「不可能」

不但展現在令人驚訝的經濟和政治成就，也呈現於它勉強國民實現難以企及的目標之方式。

韓國獨立鬥士金九曾經表示：「我並不希望我們的國家成為世界上最富有、最強大的國家……我們擁有能讓生活豐富的財富就足夠了。」他也希望韓國成為「全世界最美麗的國家」，一個能夠為韓國和他國人民帶來幸福快樂的國家。如果他今天還在世，可能會對眼前的一些情景感到失望。然而，他也不得不承認，這個「不可能的國家」已經具有長足的進步。

韓國歷史簡述

史前時期及古朝鮮時期

直立人（Homo erectus）早在四十萬年前就在朝鮮半島出現過，現代人（Modern humans）已在亞洲東北地區存活了近四萬年。據信，經過考古學家鑑定的當今韓國人祖先，大約是西元前六千年開始從西伯利亞南部及中國東北地區一批又一批陸續過來的。他們是半游牧民族，信奉薩滿教並且講阿爾泰語。

朝鮮半島上第一個國家的建立籠罩著神祕色彩。根據十三世紀編寫的《三國遺事》這部有關韓國古代史事、傳說和民間故事的集冊所敘述，古朝鮮是由半神王檀君在中國堯帝即位五十年時建立的，這相當於西元前二三三三年。據傳說，天帝桓因的兒子桓雄想下凡到人間居住，於是來到太白山（現在稱為長白山）這座朝鮮半島上最高的山脈，並在此建立了「神市」，意指神的城市。有一隻老虎和一隻熊祈求桓雄將牠們變成人，桓雄便指示牠們留在洞穴內一百天，並只能以蒜頭和艾草維生。老虎很快就放棄了，但是熊做到了，結果變成一名女子。桓雄後來娶她為妻，兩人生了兒子檀君。檀君即位後，興建了阿斯達（近現今的平壤）這座城市，並創立了古朝鮮這個國家。

據考古學的證據顯示，朝鮮半島從西元前十一世紀開始就有城邦的存在，這個由自稱為檀君後代的君王們統治的古朝鮮，後來成為這些城邦中最強大且最先進的國家，該國以聯邦結構的方式併吞了其他的城邦。到了西元前第四世紀，它的領土含括了大同江到當今中國的遼河流域一帶。

古朝鮮與中國古代的燕國有敵對關係，並在西元前三百年左右的一場戰役後喪失了北部大片的領土。兩個世紀後，西漢的漢武帝在西元前一〇八年消滅了古朝鮮，並建立了四個郡來統治之前古朝鮮的疆域。後來由於當地人民抵抗，其中的三個郡被撤遷，只剩下樂浪郡。樂浪郡的確切位置至今仍備受爭議，但是到西元三一三年該郡還依然存在，並成為中國文化（尤其是儒家思想及漢字書寫系統）進入朝鮮半島的一個管道。

高句麗，這個興起於今中國東北南部鴨綠江流域的韓族古國，消滅了樂浪郡。到了第五世紀，在疆土和文化方面都甚具野心的高句麗已經將統治範圍擴展到朝鮮半島北部、近乎整個滿洲地區（今中國東北地區）以及內蒙古的一些地區。此外，高句麗不僅在西元三七二年成立了朝鮮半島上第一所儒家學院，並在同年成為該島上第一個信奉佛教的王國。

朝鮮三國和新羅的統一

就在高句麗於朝鮮半島北部增強它的權力時，有兩個國家開始在半島的西南部和東南部興起，它們分別是百濟和新羅。在這個所謂前三國時代，百濟開始併吞半島西南部那些統稱馬韓部落聯盟（第一世紀到第三世紀間）中較弱小的國家。新羅也先在朝鮮半島的東南部征服了辰韓民族部落（第一世紀到第四世紀間），後來又在西元五六二年打敗了位於朝鮮半島南海岸洛東江流域附近的伽倻部落聯盟。

高句麗、百濟和新羅三國都使用相同的語言（古代韓語，亦稱古朝鮮語），也都繼承了在古朝鮮時期從西伯利亞傳入的薩滿教這種宗教傳統，並且也都愈來愈受到中國文化的影響。但是，這三個國家在政治和軍事方面是相互對立的。新羅在兼併了伽倻部落聯盟並於西元六四八年與中國的唐朝結盟之後，便開始掌握優勢。西元六六〇年，新羅在唐朝的協助下征服了百濟，隔年，新羅與唐朝聯軍攻打高句麗，卻被打退。西元六八八年，新羅終於打敗了高句麗，完成統一朝鮮半島的壯舉。

但是，新羅喪失了高句麗之前在中國東北的領土，唐朝與新羅結盟的目的在於最終征服朝鮮，因此在朝鮮統一後，這兩個昔日盟友陷入對立，在西元六七〇年後的十年間打了數場戰役。新羅最後擊退了唐朝，但卻失去了所有大同江以北的土地。這也是韓國一些民族主義歷史學家有時會感慨新羅與唐朝結盟的原因，新羅的將領金庾信是統率該國統一朝鮮的大將，在南韓可以看到為了紀念他所建立的雕像，但據北韓的叛逃者們指出，金將軍因為背負著喪失高句麗土地的責任，在北韓備受撻伐。

一直到西元八世紀中葉左右，新羅王朝讓朝鮮進入了一段繁榮及和平的時期，它不僅將佛教奉為國教，還在西元六八二年開設了國家的儒家學院，以鼓勵儒學發展。此外，儘管該國曾經在西元六七〇年後的十年間與唐朝發生過戰爭，卻還是能夠與它重建良好的關係。那時唐朝不但是全世界最先進的國家，也是東亞地區最強大的國家。

新羅的衰滅和高麗的崛起

在三國統一之前，新羅初期是由朴、金、昔三個相互競爭的氏族輪流統治，金氏家族隨著新羅的發展而取得優勢，並設立了君主政體。此外，他們以所謂的「骨品制度」（sacred bone）為基礎，採用等級嚴格的社會結構，其中「聖骨」屬最高等級，只包括具王室血統的家族，在該等級之下的「真骨」等級，則包括比較不屬於王室的貴族和朴、昔這兩個氏族的成員，而在真骨等級之下還有六個等級。

屬於六頭品等級的人們可以做到政府副部長的階層，但無法升到更高的官位；五頭品和四頭品等級的人們可以擔任層級較低的文職官員。人們對於一頭品、二頭品和三頭品的了解甚少，只知道他們屬於一般百姓。這是一個完全世襲的體制，因此，新羅可以算是一個沒有社會地位流動性的國家。

那些屬於六頭品等級的人士，通常是飽讀詩書且有抱負的知識分子，他們感受到該嚴苛體制的限制，於是到了西元第八世紀便開始進行反抗。農民們也因為稅賦過重，在西元八八九年開始起義，除此以外，一直被壓制的地方性衝突又開始浮現。於是，新羅開始崩解，原為新羅將領的甄萱在西元九〇〇年建立了獨立的後百濟，一年之後，新羅貴族出身的弓裔也建立了後高句麗，到了九〇一年，朝鮮半島又形成三國鼎立的局面。

到了九一八年，後高句麗已經成為三國中最強盛的國家，但是弓裔逐漸變成一位病態多疑的暴君，後來連自己的妻子和兩個兒子都殘殺，並宣稱自己是佛。他的四位將軍密謀將其暗殺，並推戴弓裔的首要大臣王建為新的君王。王建便成為高麗太祖，並將國號改為高麗，這也就是韓國的英文名稱「Korea」的由來。

高麗太祖於西元九三五年降服了國力衰弱的新羅，並在翌年打敗了後百濟。於是，韓國民族在這個新的王朝統治下再次統一。太祖一心施以德政，並授予向他降服的君王土地和頭銜，這其中也包括敬順王這位新羅的最後一任君王，但太祖並沒有對他所藐視的後百濟施以同等的待遇。善於外交的太祖與中國的宋朝維持著良好的關係，並收復一些高句麗滅亡時於中國喪失的土地，繼而擴大了韓國的領土。在此同時，高麗也更加的漢化，比方說，高麗這時採用了中國的科舉制度，也就是以歷史、儒家經典以及儒家倫理等知識作為選用官吏的基礎，而這種考試制度一直沿用到一八九四年。

按理而言，科舉制度原本表示百姓不論出身都可以在政府官僚體系中升至任何官職，但實際上，高麗的社會並沒有真正的流動性。社會階級的建立是以職業為基礎，並由世襲相傳來維持。工匠階級出身的子女也將成為工匠，農民階級出身的子女不能擔任政府中的職位。屠夫、藝人以及從事其他行業的人們被貴族階級看作賤民的最低等級，他們被迫居住在遠離其他社會階層的貧民區。

儒家思想在高麗的倫理體系及政治意識型態方面，愈來愈占主導的地位，但該國在精神生活方面依然受到佛教的支配。高麗助長了韓國佛教步入黃金時代，該王朝興建了許多寺廟，並創作如高麗《大藏經》等偉大的作品，這個在八萬多塊木板上雕刻得完美無缺的《大藏經》，迄今仍是現存佛教文獻中最完整的文集。但後來，在該國官僚階層中主要為儒家學者的那些菁英們，對於佛教徒所聚積的權力感到不耐，便試圖降低宗教在國內的地位。佛教和儒學在韓國已經和平共處了好幾個世紀，但是到了西元十四世紀以後便不再如此。

征服中國的蒙古軍在忽必烈統帥下建立了元朝，並在西元一二三一到一二五八年間多次入侵韓國。高麗被迫向蒙古強大的可汗們進貢，該國的君王娶蒙古公主為妻，繼而有了許多擁有韓國與蒙古各半血統的君主。蒙古的可汗們一直稱霸到一三五〇年代，那時他們的勢力基本上已經削弱了高麗王國的穩定性。但蒙古的統治也帶來了無數的文化交流，並塑造了朝鮮半島的歷史。許多韓國的菁英都曾經拜訪過蒙古人建立的元朝首都北京，有些人甚至被囚禁於此，例如，學者安珦就是在此接觸了宋明理學，並將有關該學術思想的文獻帶回韓國。這個儒學學派後來成為韓國的執政哲學，迄今仍影響著韓國的社會。

西元一三七〇到一三八〇年代，李成桂這位頗具才華的將軍，終於將蒙古的駐軍逐出韓國北部，並在同時擊退了侵略東海岸的日本海盜。他成了高麗朝廷中一個派系的領袖，主張與中國的明朝結盟，並對大蒙古國——其控制的中國已搖搖欲墜——採取敵對的態度。一三八八年，李成桂奉派出兵攻打明軍，但他反而對高麗的領袖發動政變，並在一三九二年宣布自己為朝鮮王朝的開國君王，他的後嗣李氏王室對韓國的統治一直持續到一九一〇年。

朝鮮國

朝鮮國遠離佛教之後，將宋明理學立為正式的國家思想體系，這種作法所造成的一個關鍵變化，就是降低婦女的地位。在高麗王朝期間，婦女有平等的繼承權，可被指定為戶長，但在朝鮮國，這種情況就改變了。薩滿教這個韓國的本土宗教，此時也受到邊緣化：該宗教的巫師被貶為賤民——其中也包括奴隸——這個最低的社會階級。

「兩班」是朝鮮王朝中最高的社會階級，這個階級的人士是靠科舉考試才能獲得這地位，因為他們考中科舉所獲授的土地和頭銜可傳三代。在兩班和賤民之間還有「中人」這個包括如醫生這類專業人士的中產階級，以及占全國人口一半以上的一般勞動者（通常指農民）所屬的常民階級。

朝鮮的世宗大王（在位期間為西元一四一八—一四五〇年）是朝鮮王朝早期政績最輝煌的君王，他將韓國北部的疆域擴展到大約現今的北韓和中國邊界附近，並加以鞏固。在他統治期間，朝鮮王朝在農業生產、文學、醫學和科學方面都有長足的進步。此外，世宗也對韓國字母「諺文」的創造有巨大貢獻，在這之前，韓國人僅使用漢字，但由於漢字過於複雜且為數繁多，對於沒有太多機會接受教育的大眾來說很難掌握。世宗的這些成就讓他成為韓國歷史上唯一在身後被譽為「大王」的君王。

雖然朝鮮王朝早期有很大的進步，到了十五世紀後期，朝廷中開始鬥爭，削弱了國家的勢力。西元一五九二年，由於日本豐臣秀吉將軍企圖利用朝鮮半島作為征服中國明朝的墊腳石，日本對韓國發動壬辰倭亂。韓國借助中國軍力，並使用李舜臣將軍的鐵甲「龜船」，終於在一五九八年擊退日本，而李將軍打退日本海軍的戰績，也讓他成為韓國最偉大的民族英雄之一。但這場戰爭讓韓國付出慘痛的代價，據估計，日本這次入侵導致韓國幾十萬人死亡，三分之一的農業用地無法使用，造成該國的貧困和饑荒。

因此，韓國以相當衰弱的姿態踏入第十七世紀，並開始對滿族人所統治的中國清朝進貢，一直持續到一八九五年。朝鮮王朝社會嚴格的等級制度也在這段時期開始衰滅。許多兩班貴族的財富在日本入侵後損失重大，但屬於專業階級的中人卻在此時逐漸崛起，一些中人階級人士藉由貿易這種原本被兩班階級不屑一顧的方式賺進大量財富，為了提升自己的社會地位，許多中人便開始「買進」兩班階級。這種作法膨脹了官方的菁英階級，並對朝鮮王朝的等級制度帶來巨大的影響。這是造成金海市金氏（這些以前屬於兩班階級的家族）如今得以有上百萬成員的因素，也說明了如金、李、朴及崔等姓氏在韓國極為普遍的原因，這四個姓氏的總人口占該國人口的半數。

朝鮮王朝晚期不但充斥著暴亂與內部分化，也受到愈來愈多外來的影響，十八世紀後期，基督教——主要是由在中國接觸該宗教的韓國人所引進——儘管受到對其具有敵意的政府所反對，還是開始吸引信仰的群眾。一連串受到人民支持的農民暴動，如一八一一年由洪景來領導的農民運動，以及日益壯大的東學運動，在該世紀末期為朝鮮王朝帶來了嚴峻的挑戰。一些如安東金氏這般具有強大勢力的家族，不僅將統治朝鮮的李氏家族權勢削弱成有名無實的傀儡，也透過貪腐和明目張膽的盜竊方式消耗了國家資源。

就在以上的因素削弱該國實力的同時，外國勢力也開始在朝鮮半島上施展影響力，並強迫進行貿易。雖然韓國曾經嘗試遵循孤立主義政策——因此有「隱士王國」的稱號——法國、英國、美國及俄羅斯都在一八〇〇年代後期未經允許進入韓國海域，有時甚至導致暴力衝突。日本在一八六八年明治維新後復興，它也對這個大約在三百年前擊退他們的國家具有某些企圖，並在一八七六年以西方國家首先採用的炮艦外交手段，迫使韓國簽訂《江華條約》，強迫韓國與日本展開貿易交易。

中國，韓國長久以來尊奉為「大哥」的國家，為了爭取控制韓國，在一八九四到一八九五年間與日本開戰。日本的勝利終止了中國在朝鮮半島上的影響力，並正式結束了以兩班、中人、常民及賤民等級為基礎的朝鮮社會結構。日本對韓國施以一段殘酷的殖民統治後，最終在一九一〇年簽訂了授予日本「整個韓國主權權利」的《日韓合併條約》。

近代韓國

一九一〇到一九四五年間是韓國歷史上的最低點，這個常被入侵的國家，第一次受到外國勢力完全的控制，日本派總督來統治韓國，而總督則透過警察和軍力維持秩序，並嚴厲懲罰異議者。不幸的是，日本的控制行為，除了由日本行政官掌權外，還受到許多韓國人的協助，包括接受總督薪資的前朝鮮王國官員、地主，以及來自較低階級的那些幫警察工作或做線民的人等。

特別是在一九三〇到四〇年代早期，日本以十分殘酷的手段管轄韓國，被迫淪為性奴隸的婦女多達二十萬人，男子則被當作強制勞工。所有的人都必須使用日本姓名、說日語和敬拜神社。此外，在日本追求工業化時帶來了經濟成長，尤其是在韓國北部，但受益者大多是日本人或是與其合作的韓國人。

一九四五年日本帝國戰敗，韓國因此重獲自由，但這份喜悅卻是短暫的。美國和蘇聯這兩個勝利的盟國，原本只是暫時性地（並未與韓國商量）占領並劃分韓國（以北緯三十八度線為界，以南的領土由美國管理，以北的領域由蘇聯負責），這兩國的初衷原本是為了將韓國重建為一個自由、獨立的國家，新成立的聯合國也為了舉辦韓國新政府的選舉草擬了計畫。但莫斯科對這項計畫持有異議，於是，在史達林的指導下，北部成立了一個由韓國獨立鬥士金日成領導的新政權；在南部，美國軍方則支持一位堅決反共且受過美國教育的候選人李承晚，他後來統治南韓長達十五年，一直持續到一九六〇年。

上述的兩個超級強國很快就從盟友轉變成敵國。在一九四八年，美國支持的南部在以蘇聯為後盾的北部抵制下舉行選舉，李承晚是這個過程中的最終勝利者，他率先頒布憲法，創立大韓民國（Republic of Korea，簡稱南韓），然後在該年八月十五日當選為該國總統，並從美國軍方正式取得權力。同年九月九日，朝鮮民主主義人民共和國（簡稱北韓）也宣告成立，以金日成為最高領導人。這兩個獨立國家正式成立，導致韓國陷入完全分裂的狀態。

無論是南韓或是北韓，都認為這種分裂狀態不能長期持續下去，雙方都曾越過北緯三十八度線襲擊對方，並進行小規模的戰鬥。一九五〇年六月二十五日北韓展開了全面入侵，金日成的部隊節節勝利，到了八月就幾乎控制整個朝鮮半島，只剩下位於東南部的海港城市釜山周圍的一小部分。

一九五〇年九月十五日，美國麥克阿瑟將軍接受聯合國軍隊的指令，率領總數四萬名的美軍和南韓軍隊，在朝鮮半島西海岸的仁川市登陸。九月二十五日，該部隊收復了首爾，並開始進攻北韓，目標是打到中國邊界。一九四九年起便接受共產統治的中國，為了支持金日成，在十月二十五日派遣二十萬大軍渡過鴨綠江進入韓國，從此，南韓和聯合國盟軍與北韓和中國盟軍，雙方陷入僵持不下的戰鬥局面。

一九五三年七月二十七日，雙方被迫簽署停火協議，在這三年戰火中估計約有三百萬人喪命，其中約有二百五十萬人是韓國人，當時南北韓總計人口僅有三千萬。此外，朝鮮半島上的基礎建設——道路、橋梁等公共設施——大都被摧毀。半島上近半數的房屋毀壞，迫使那些從戰爭中生存下來的數百萬人民，陷入極度貧困的生活。

南韓在殘破和貧困的環境中誕生，即使在一九五〇年代末期，該國的ＧＤＰ遠低於一百美元，平均壽命為五十四歲。該國的政治情勢也相當慘淡：當時李承晚所領導的專制、腐敗的政權，是透過暴力來維護權力，更別談提升人民的生活水準。

然而，近半世紀來，韓國卻以某種方式，克服了悲慘的歷史所帶來的沉重壓力，創造令人佩服的「韓國奇蹟」，這是一個迅速取得經濟、政治、文化及藝術上卓越成就的成功故事。光是這些進步就非常值得我們注意，而造就這些進步的人民和文化的整體故事，也應該更廣為人知。

| 第一部 |

社會基石

1 薩滿教與靈性世界

紅黃藍三原色隨著她不斷地旋轉而變得模糊不清，出神的她被鐃鈸和擊鼓的聲響帶領著。她用唱歌和跳舞作為與靈性世界溝通的方式，進入一個近乎恍惚的境界，與那已離世的靈魂對話。作為一名韓國巫師是她的天賦，也是對她的詛咒。她主持的祭儀會持續一整天，這可能是為了安撫邪惡的神靈、淨化往生不久的死者靈魂，也可能是祈求神明賜予豐收或是企業的成功，她屬於來自西伯利亞那四萬年歷史的傳統。這個又稱為巫俗的薩滿教（Shamanism），在朝鮮半島上的歷史比韓國存在的時間更為長久。

雖然巫俗是古老的，看起來與當今的南韓——這個富裕、科技先進且日益全球化的國家——相距甚遠，但它已經與韓國的社會相互交織，並依然對這些理性的城市人具有影響力。

什麼是韓國薩滿教？它有多普遍？

巫俗是一套具有不同教派和迷信的習俗，以信奉靈性的自然世界為基礎，目的是作為神靈與人們之間的橋梁。通常，一般信徒會求助巫俗希望帶來好運、祛除邪靈，或是進一步了解自己的命運。這個宗教的巫師們可以遵循許多不同的神與靈，通常依據各種不同的因素來選擇，其中包括巫師本身的性格，以及來自哪個地區。根據有二十多年資歷的巫師賢珠（她的職業用名）等多人所述，巫俗的中心思想僅僅是「相信大自然」。她解釋說：自然界的一切——無論是一個人、一頭動物、一棵樹，甚至是一顆石頭——都具有靈性。巫俗提供一種與這些靈性溝通的方式，並可能使用祂們來獲取一些世間的好處。

由於每名巫師都追隨不同的神靈，所以他們擁有的是一種泛靈信仰。研究學者們記載了上萬名韓國巫師所膜拜的神明，但實際上可能還有更多。每名巫師都有自己追隨的神明——賢珠的神明是一位中國古代高僧。也有一些巫師會追隨耶穌基督，此外，自從麥克阿瑟將軍在韓戰期間英勇登陸仁川後，有的巫師甚至會膜拜他。

同樣的，由於這個宗教沒有一套整體的規則，也沒有經書或正統的教條，它那以舞蹈、歌唱及咒語為儀式的祭典——例如祈求豐收的首爾儀式——是在地方上受到認可和傳播，而巫師學到的則是適用於自己家鄉的祭典和儀式。此外，據賢珠表示，由於這些巫師都相信「自己的神明是最高明的」，所以通常很難彼此合作。雖然每名巫師都是受到具有上千年歷史的薩滿教所引導，特定的派別卻因地區而各有不同。除此以外，主要還是要根據巫師的老師、自身所尊奉的神明，以及本身的性格而定。

巫俗其實是非常具有實用性的，因為人們藉由它與靈性世界溝通，作為一種解決問題的方法。巫師則是一般韓國人與另一個世界之間的媒介者，並為尋求諮詢、想了解自己未來或需要某種輔導的人，與可以提供這些需求的神靈牽線。比方說，賢珠告訴我，根據神靈的勸告，筆者應該避免藍色，更具體地說，就是筆者在三十四歲這一年不要買藍色的車。但是她並沒有像牧師或是神父一般地傳授道德忠告，他們沒有巫俗十誡（但賢珠有她自己的規矩，例如必須避免說謊或說出欠考慮的言論，她自己取的名字就具有「小心自己的言談」的意思）。

信奉巫俗的人並不自稱是信奉者。在韓國，人們在必須做出重大決定或是遭遇困境需要建議時就會去找巫師，在罹患疾病或是面臨悲慘的事情時也會去找巫師。那些去尋求諮詢的人通常對巫師所信奉的神明的特性或是所舉行的儀式的意義都不太清楚，而他們去找巫師大概就像西方人去找心理醫生一般：在需要的時候，將巫師當作諮詢師。

巫俗被視為「女性化」的原因，並不在於大多數的巫師為女性，而是與韓國的歷史有關。在朝鮮王朝期間（一三九二—一八九七年），宋明理學曾經是這國家的主流思想，這個哲學派系具有家長式的統治性質，並且主張女性在公共生活方面應被邊緣化。那些提倡唯理主義和社會秩序的宋明理學家認為，巫俗是情緒化和玄奧的，並將它視為女性化，這可能正好與該教的巫師主要為女性的慣例不謀而合。於是，宋明理學壓抑巫俗，並將巫師貶黜到賤民這個最低的社會階級。儘管如此，薩滿教的巫師們依然為各個階級的顧客服務，包括卑微的農民和高貴的王室。在一個由男性主宰、缺乏靈性且拘泥形式的時代，人們必須為他們個性的另一面尋找一個出口，而巫俗正好可以提供這個出口。朝鮮王朝後期的明成皇后，就聘用了兩名巫師作為私人顧問。

在當代的韓國，儘管科學唯理主義出現，基督教也在韓國快速成長，巫俗仍然蓬勃地發展。據《紐約時報》報導，韓國目前大約有三十萬名執業的巫師，其中許多巫師是因為它已經成為一項非常賺錢的生意而投入。一名廣受歡迎的巫師如果大力推薦顧客採用昂貴的祭典，就有機會變得非常富裕。有些巫師甚至能夠在主流大報上刊登廣告，僱用幾名學徒和助手，並購置數個房地產。然而，由於數以百萬計的韓國人願意為這種精神性的諮詢付費，這的確會助長一些假冒和欺詐的行為。按賢珠的敘述，這也為巫術世界帶來了「內戰」。她表示，真正的巫師是不會因此而致富的。

成為巫師的過程

成巫的過程可從兩種方式開始，第一種是世襲巫，也就是由家中長輩賦予晚輩承襲巫師的身分，這類巫師又分為「新邦」和「堂谷」兩種，通常分布於漢江以南。「新邦」與神靈並沒有直接的接觸，但是他們具有讓神靈與他人溝通的能力；「堂谷」則可能沒有一位特定的神明作為他的導師，這兩種巫師都沒有自己的神龕或神殿。

第二種入巫的方式為降神巫，這其中就沒有世襲的關係存在，這個過程以「神病」的方式開始，神病可以各種不同的症狀顯現，例如：精力衰退、出現幻覺、聽到某些聲音或失眠等等，一名患有神病的婦女就表示自己擁有與神靈溝通的能力。其實，這種能力被看成是一種詛咒而不是一種福氣，但這也和命運有關，賢珠表示：如果她能有其他選擇就不會當巫師，她的生活很孤獨，不符合擁有家庭的條件。她一直未婚，並且對於往後沒有人會參加她的葬禮而感到悲哀，這是因為人們有一種迷信，認為與巫師敵對的惡靈會在她的守靈夜出現，以及她沒有家人的緣故。

那些被斷定適合接受降神巫通靈而成為巫師的人選，必須接受一種特別的儀式——入巫。入巫指的是入巫者會被一位神靈附體，而這位神靈（例如，賢珠的神靈是一位中國僧侶）會支配該名巫師，並自此成為她的精神導師。這個入巫儀式能夠治癒神病，並且顯示入巫者從普通人成為巫師的轉變。

主持入巫儀式的巫師後來很可能成為新入巫師的師父，這名徒弟雖然可以保留著自己的神靈，卻還是與這位較資深的巫師在靈性上形成一種類似母女的師徒關係，不但會學習她的咒語和歌曲，也會在她的祭典中做一些資淺巫師的工作。這階段可能會持續好幾年，按巫師的師父要求有多嚴格而定，在這段時間實習巫師可能還必須做一些基本的家務。

但是，巫俗的世界並不是那麼一致。賢珠表示，雖然在她入巫的階段曾經有幾位神靈來拜訪，她的身體卻從來沒有出現任何神病的症狀，她的故事相當特別：在她三十二歲時耶穌基督的神靈首先來找她，接著是一位日本武士的神靈，然後是一位中國僧侶的神靈。每一位神靈都要求她接受祂們帶她入巫，後來她隨著自己的直覺選擇了中國的僧侶。在這之後，這位中國僧侶的神靈讓她接受了一連串的測驗，例如反覆地在空中飛躍，每次持續六小時。在這個為期數個月的階段，她還必須拒絕不停懇求她的日本武士，為了安撫他，她每天還要多花六個小時鞠躬。

由於賢珠從未出現神病的症狀，很難找到巫齡較長的巫師願意為她進行入巫儀式，身邊的人都認為她確實瘋了。她記得自己不尋常的行為，導致成為街坊閒話的對象。但在誠心地向幾位巫師描述自己的故事後，一位從業已久的巫師終於願意收她為徒，這便是賢珠巫師加入韓國這個最古老傳統的因緣。

巫師的生活

如今，由於舊型社會結構消失，巫師已不再像朝鮮王朝時期一般，因為階級的背景而受到排斥。但由於人們認為巫師具有靈力，許多人對他們感到害怕，以致對其避而遠之。巫師對於一般人而言，是有麻煩時才會去拜訪的人，其他時候都應該避免接觸。作家或是人類學家如果想拜訪巫師，很可能會被友人告誡要小心謹慎。

巫師會穿著代表她職業的彩色長袍應邀主持祭儀，並以跳舞和吟唱的方式與神靈溝通。她可能會在這種祭典中表演「踩刀鋒」，這是最精彩絕妙的一種表演。這時巫師進入出神或恍惚的境界，赤腳踩在刀鋒上卻不會被割傷，為的是顯示神的力量並恫嚇惡靈。其他巫師也會有不同的神力，據說，賢珠能夠舉起一頭牛，然後將牠掛在長釘上，藉此顯示神靈賦予她的力量。

巫師也會在顧客的住家或公司主持較小型的儀式，比方說，剛開業的公司可能會請巫師來主持祭典，召喚神靈為他們帶來好運。儀式包括將紙鈔放在祭祀用的神豬豬蹄之間（豬象徵金錢和財富），或是在豬蹄上放置鱈魚乾等。有時在祭典結束很久之後還可以看到這些魚乾，因為人們相信只要它留在原處，就會帶來好運。

巫俗中最常見的服務項目是占卜，這是一種一對一的靈性諮詢。如果某人有什麼特殊的疑惑，像是「我什麼時候可以找到有緣人？」或是「我是否應該自己創業？」等等，便可能會去找巫師，請靈性世界的神為其指點迷津。對許多巫師來說，占卜是建議顧客後續服務的開端，例如隨後進行一場祭儀。但對於賢珠而言，祭儀「只是針對有錢人」。由於祭儀十分昂貴——光是一場祭典就可能索費八百萬韓圓（約七千五百美元，兩萬多台幣）甚至更貴——她從來不推薦顧客在非必要的情況下使用祭典，總是帶他們到山上去祈禱。賢珠的工作大部分是傾聽人們的問題，然後給予指導，如同一位諮詢師。

如今，許多韓國的菁英也會請巫師舉行祭儀，就像十九世紀時的明成皇后一樣。據傳，韓國財閥家族（主導全國經濟的家族經營大企業）的成員就會為了各種目的花錢辦祭儀，從祈求事業成功到私人事務皆有。此外，還有期望選舉獲勝的政治人物。賢珠曾經有政商名流的顧客，她看到其中一位最富有的顧客在未來出現衣衫襤褸的景象，便預言他將來會破產。

泛靈論和山神

巫俗含括的範圍相當廣泛，很難確切地將它視為某種宗教和行為的系統。然而自古以來，**韓國巫俗基本上屬於一種泛靈論的形式。在泛靈論中，大自然的萬物都與人類一樣具有靈性和生命力**，甚至連西方人認為無生命的事物也是如此，例如石頭、樹木等等。

巫俗認為有一些大自然的實體會比其他實體更有力量，比方說，一些樹齡高達幾百年的松樹會有它們自己的性格或個性。一棵具有強大靈力的樹，可以成為個人的庇護者或是一個村莊的保護者，不但可為人們帶來好運，還可作為鄰舍聚會的中心，以前村莊的長老們就習慣聚在這些樹下討論某些重要的決策。但這些受人尊敬的生物在受到不合理的對待時，也是會發脾氣的；據說，南韓金堤市有一棵樹，任何人即使摘下它一片葉子，都會導致全家走厄運，而巫師會透過祭儀來安撫生氣的樹。

動物可能也會扮演一種靈性的角色。在韓國創世神話中占有重要地位的老虎，也是韓國具代表性的動物，據說老虎曾經是山神們的使者，本身也是靈性保佑者。韓國蘊藏最多泛靈論的精靈，通常出現在山區。朝鮮半島上七〇%都屬山岳地形，所以「白頭山」、「智異山」這些高大的山峰，自然在韓國人民心中占有重要的地位，「漢拏山」更是如此。在這裡，攀登這些高山一直被視為一種接近靈性世界的方式，因此在這些海拔高的地區有深厚的薩滿教傳統。

韓國的山嶽沒有靈力的排名系統，各個巫師會有她自認為祥瑞的山峰。但是，有某些山嶽比較被看重。例如，位於濟州島的「漢拏山」，是南韓的第一高峰，並以蘊含神祕的薩滿文化聞名，據說山上生長一種在薩滿儀式中會使用到的迷幻魔菇而馳名。漢拏山如此受到本地人的崇敬，以致一九〇一年德國新聞工作者根特（Siegfried Genthe）到訪時，當地的郡長曾經警告他：「你絕對不可以爬漢拏山。」當地的人們相信這樣做會惹怒山神，而招來報復，例如出現災難性的氣候和作物歉收等。

首爾的「仁王山」是巫俗祭儀和其他儀式活動的熱門地點，而這些儀式多到地方當局必須豎立招牌加以勸阻，這是因為「國師堂」這個韓國王室的薩滿教神殿就位於山腰上，而國師堂是以前從「南山」這座受巫師們喜愛的山（包括住在那裡的賢珠）遷移過來的。據說，國師堂內奉祀著建立朝鮮王朝的朝鮮太祖的神靈，由於它是一座王室神殿，從前是禁止外人進入的，如今已完全對外開放，每日到此修練巫術的巫師們都會勤加看管和照料。韓國境內有許多開放的神殿，並且像國師堂一樣通常都位於山上，但規模大小和維修狀況就各有不同。巫師們可以私自供奉神殿或神龕，例如，賢珠在自家就有一個用來供奉她的中國僧侶的神龕。

對於不知情的人來說，國師堂好像一座小型的佛寺，但實際上人們幾乎天天都可以看到巫師們在此進行祭儀，如切割動物內臟（用以取代非法的活祭）、念咒和舞蹈等等。國師堂附近的一家小雜貨店裡，除了販賣汽水和報紙外，也賣薩滿教祭儀中常用到的一種鱈魚乾。

仁王山和國師堂神殿就在南韓的總統府青瓦台（一棟青藍色的建築）附近，青瓦台則位於「景福宮」這座朝鮮王朝所建的主要王宮的後方。離韓國首都政權中心不遠的這座山嶽，是該國薩滿教最盛行的地方，但知道這個事實的人並不如一般人想像的那麼廣泛，這也確實證明了巫俗在韓國社會中自相矛盾的地位，也就是說，雖然**巫俗是神祕且非主流的活動，卻依然是韓國文化中不可缺少的一部分**。

深遠的影響

「神道」是明治時期成為日本國家思想體系工具的一套泛靈論信仰，它在祭儀方面已經被標準化。但巫俗與日本的神道不同，它的祭儀依然五花八門。巫俗中無數的神明被巫師和帶其入門的老師依各自的性格膜拜，雖然有極少數相當普遍被供奉的神明，例如「七星神」（有關長壽）、「龍王神」（航海及捕魚）以及「屋梁神」（家庭繁榮），但大眾也不是以完全相同的方式膜拜這些神明。

這種隨順自然和可塑性，充分呈現於「山神」這個廣受大眾膜拜之神明的特性上。雖然每座山嶽都各有有供奉的神明，人們也可以同時膜拜這位全面性的山神。這位山神通常被描述成一位留著長鬍子的老人，身邊常常有一隻老虎跟隨他，但有時候也被形容為一名女子。由於巫俗中的神明有男有女，而且某些山嶽也被看成是陰性（例如「雞龍山」），所以這並沒有任何不妥。

在韓國某些主要的佛教寺廟中，可以看到一些山神的圖像，這證明了這個國家在宗教信仰方面具有融合的特性。佛教自從第四世紀傳入韓國後就與薩滿教相互融合，如今許多佛教徒在遇到困境或是不幸時，都會去請教薩滿教的巫師。我與賢珠第一次約好的訪談必須延期，因為那時剛好是在佛陀生日的前幾天，她的許多佛教徒們會趁這段時間來請教她一些有關命運的問題。在「仁王山」有一座被稱為「禪岩」的岩石，對佛教徒來說相當重要，這塊岩石離國師堂很近，而當地的巫師也認為它具有靈力。

甚至連輕視薩滿教為「胡扯的把戲」的一些韓國基督徒，也在他們的行為上顯示某些源於巫俗的影響。比方說，基督徒有在山上舉行祈禱會的傳統。此外，在韓國基督教中這種「上帝要你富有」的物質主義，也比在亞洲其他基督教中更為盛行。這可能與薩滿教到現在依然具有的實際性和唯物主義有關，在商店開幕時主持巫俗儀式，與向上帝祈禱顧客大排長龍，兩者並沒有太大的差別。

巫俗授予韓國最重要的禮物，或許是它的實際性和靈活性。它沒有一套戒律，也沒有一套固定的常規或是神明的分等，並且包容和促進實用主義。信徒為了達到自己的目的，可以針對一個問題請教不同的巫師，然後加以整合。賢珠甚至勸告信徒們「不要太相信（巫俗）」，避免陷入沉溺，就像毒品一樣，如果使用太多就會對信奉者有害，畢竟巫俗真正的宗旨應該是助人。賢珠還可能會質疑自己的能力，承認並非她所有的預言都是正確的，並開玩笑說如果她百謀皆中，那就應該會很有錢了。據她所說，人們對巫俗最常見的誤解是：以為巫師神通廣大、無所不曉。

巫俗的這些特性——靈活性、實用性、豁達地解答人們的疑惑，以及包容接受其他宗教，深深影響著韓國的宗教以及文化。欣然接受各種不同的宗教及文化的意願，顯然是這個國家最幸運的資產之一。

2 佛教思想的影響

一般人或許以為，外來的宗教很難與在地的信仰相互找到平衡，甚至會彼此產生敵意，但是佛教在韓國的情況並非如此。佛教在西元三七二年傳入韓國後，便輕易地融入了當地的宗教環境，這一點可讓我們看到薩滿教的隨順自然，以及佛教在哲學方面的開放性。

如今，韓國婦女們可以到佛教寺廟許願求子，並在面臨棘手的抉擇時，尋求薩滿教巫師的指點。這座佛寺很可能坐落在群山之中，寺廟內掛著一幅山神的畫像。同時接受這兩種宗教的韓國人，雖然知道這樣的作法在哲學方面有些矛盾，但是他們通常不會在意，因為對他們來說，這只是一個在必要時刻務實的道理。

佛教的發展

佛教起源於印度，據說是以西元前第五世紀生於迦毗羅衛國（今屬尼泊爾）的悉達多・喬達摩（佛號釋迦牟尼）所創立的教義為基礎。大約八百年後，佛教經由中國傳入朝鮮半島，那時韓國尚未統一，整個半島由高句麗、百濟和新羅三國鼎立。高句麗位於半島的最北端，其領土曾經擴展到今日的中國東北地區。西元三七二年，一位名叫順道的中國僧侶帶著佛經和佛像到高句麗，使該國成為這三國中最早接觸佛法的國家。

到了西元三八四年，佛教已經由高句麗傳入百濟的朝廷，後來又從百濟傳入了日本（當時百濟與日本在貿易及文化方面有廣泛的交流，六世紀中期到日本傳教的僧侶們曾帶著佛經及佛像到該島國）。高句麗和百濟兩國，都是由王室最先開始信奉這個新教，大多數的人民仍繼續信奉薩滿教。雖然新羅國後來在韓國全境推廣佛教方面做出最多貢獻，該國的權貴對佛教最初卻表示反感。

新羅國朝廷是在一名殉教者犧牲後，才接納佛教。西元五二七年，新羅一位官員異次頓向法興王（五一四－五四〇年在位）宣布自己為佛教徒，並懇求該君王將佛教立為國教。雖然法興王本身研習佛法，他的許多大臣卻對此表示強烈反對。於是，異次頓自請斬首殉教，在這個請求受到駁回之後，他便故意當眾汙辱政府官吏，以迫使他們對他施以懲罰。他那時預言自己被斬首時，所流的血會是白色的。據說結果真是如此，新羅朝廷為此感到震驚，繼而將佛教定為國教。

在法興王之後繼位的真興王（五四〇年－五七六年在位）創立了「花郎」這支菁英部隊，成員同時學習佛學及儒學的教義。西元六六八年，真興王舉兵戰勝高句麗和百濟，享有統一三國的盛名，花郎這支菁英部隊扮演關鍵性的角色。新羅的國教也隨著該國朝廷對整個韓國的統治，而成為朝鮮半島的主要信仰。

如今，新羅的故都慶州市仍保有許多佛教寺廟及文物，如同一座活生生的博物館。該國為了發揚國教，將大量的勞力與資源投入佛國寺等處，以及在西元七七四年新羅鼎盛期間所完成的石窟庵佛像等建築。佛國寺的名稱來自於新羅國的別名「佛國」，至今依然是韓國規模最大且最壯觀的寺院之一。

直到西元九一八年新羅王國衰亡，高麗王朝創建後，佛教在韓國進入全盛時期。高麗王朝開國君主王建（高麗太祖）身為虔誠的佛教徒，並且深信高麗之所以建國，實應感謝「眾多佛祖的保佑」。於是，高麗國也將佛教納為國教，並耗費巨資舉行佛教慶典儀式、在全國各處興建寺廟，以及聘用愈來愈多的僧侶。高麗《大藏經》的兩個刻本也是在這段時期完成的，其中一個版本在蒙古軍入侵時被摧毀，另一個雕刻在八萬一千二百五十八塊木頭上的版本，現存放在伽耶山海印寺，自一二五九年完成後，一直是世界上最寶貴的佛教文物之一。

但是，到了高麗王朝末期，佛教的名聲已經大為下降，並且陷於貪腐的泥淖中。當僧侶可以獲得免稅之類的特權，導致僧侶和假冒僧侶的人數不斷增長，其代價甚為高昂。僧院的勢力因此變得極為強大，免稅的待遇和國家的支持，賦予他們能力來積聚財富、土地使用權和影響力，一些僧院甚至僱用由僧侶組成的專屬軍隊。

在新羅和高麗王朝期間，薩滿教也持續蓬勃地發展。人們並不覺得巫俗以泛靈論為基礎向大自然膜拜與國教有任何牴觸，反而覺得兩者可以融合，韓國佛教廟宇裡放著山神和七星神的神像，就是很好的證明。在那段時期，鄉村裡的村民總是可以一邊信佛，一邊去找巫師祈求神明為他們帶來豐收。因此，儘管薩滿教不具任何官方地位，該宗教的巫師只要工作表現獲得肯定，就可以受到尊敬。

衰落的歲月

一三九二年，李成桂推翻高麗王朝後，創建了朝鮮王朝。雖然身為佛教徒，他所建立的朝鮮國卻在這方面徹底改變方向。宋明理學不是一種宗教，而是一種針對社會秩序及和諧生活的道德規範，宋明理學後來成為朝鮮國的主要思想體系。當時的儒學倡導者們（包括李成桂最忠誠的擁護者鄭道傳），認為佛教不僅腐敗且脫離正道，希望對它有所抑制。

於是，佛教在朝鮮王朝漫長的歲月中衰落，僧侶們受到國家體制的壓抑，而被推擠到社會的邊緣。縱然這期間有幾位君主依然是佛教徒，他們還是受到周圍傑出的儒家官僚階層的驅使。一五九二到一五九八年日本入侵韓國期間，一些如西山大師（他率領一支由五千名僧兵所組成的軍隊）的佛教徒在抗戰時所扮演的角色，為他們贏得某些肯定，但是，佛教在朝鮮王朝的六百多年間一路走下坡，變得和薩滿教一樣，開始與山為鄰。朝鮮王朝早期的幾位君王曾經下令摧毀城鎮及鄉間的廟宇，偏遠的山間便成了佛教自然的庇護所。

佛教和薩滿教一樣，變成屬於常民及賤民信仰的宗教，這兩種來自社會最低階層的百姓，在全國人口中至少占七〇％，卻是該國最弱勢的人口。此外，佛教也成為該國各階層婦女所信奉的宗教，朝鮮國當時的社會是由男人執政，任何有地位或野心的男人不願公開承認自己是佛教徒，因為如此會損害政府官員對他的評價。佛教與薩滿教因為被邊緣化而變得空前團結，而信奉其中一種宗教的人通常也會信奉另一種宗教。然而，用以治理朝鮮國社會四百年的《經國大典》（國家行政大法典）於一四八五年頒布後，任何在薩滿廟舉行宗教儀式的人，都會受到鞭打一百下的懲罰。

乏力的復甦

日本經過多年的努力後，終於在一九一〇年將韓國變成它的殖民地。當時佛教在日本比較受到重視，一些日本殖民者開始在韓國推動佛教，並興建寺廟。歷經朝鮮王朝幾個世紀的禁令後，佛教徒再度在城鎮中活躍起來。但是，這些讓佛教下山的殖民者，修持方法與韓國本地的佛教不太一樣，比方說，韓國的主要佛教宗派「曹溪宗」的僧侶都必須遵守禁慾的戒律，日本的僧侶卻不須如此。這導致時而引發暴力衝突，其中當然存有一些民族主義色彩的宿仇，而這宿仇一直到一九五〇年代日本被打敗後還存在。日本殖民期間，將許多掠奪的韓國佛教文物運回日本，削減了韓國佛教的文化資產，造成韓國人民對日本長久的怨恨。

一九四〇年代晚期，韓國分裂成南、北韓之後，採取共產主義的北韓正式宣布拋棄所有宗教，南韓則受到美國影響，開始接納基督教的新教派，並在戰後迅速發展。儘管如此，佛教與韓國人民的日常生活依然息息相關。在一九六一到一九七九年間擔任南韓總統的軍事強人朴正熙，曾經在一九六九年下令，針對佛國寺這類年久失修的廟宇進行修復。

如今，南韓有二三％的人口自視為佛教徒，佛教的信奉人口稍微低於基督教，其影響力也比較小。根據南韓二〇〇五年人口普查顯示，基督徒占全國人口二九・二％，並且在政府機關和私人企業的高層職位所占比例較高。值得注意的是，按估計約有四〇％的南韓人完全沒有宗教信仰。但是，韓國依然需要佛教，每當我們參訪精心修復的寺廟時，看到信徒們全神貫注地祈禱和冥想，便可了解。

佛教對韓國的影響

佛法指出，貪、瞋、痴「三毒」讓人世充滿了痛苦，這三毒是因果的根源，導致世人陷入無盡的輪迴及苦海，解脫的辦法就是遵循佛陀所教導的「八正道」，包括「正思惟」、「正業」等等，也就是無我和走近開悟之道的思維及行為方式，最終目的在於達到「正覺」，解脫生死輪迴，了悟空無的境界，繼而脫離苦海。

韓國佛教遵循的是佛教兩大宗派中的大乘佛教，大乘佛教在宗教思想上較為「自由」和「普世」，甚至較可變通且更具相對性，因為大乘思想接受「世俗諦」的相對性真理，也就是說，凡事的對或錯是基於它在精神上是否為正向的，在客觀上的對與錯就不是那麼重要。從這個觀點來看，只要其他信仰是在協助信奉者走在他必須走的道路上，就可以被接受。這個宗派認為「佛」並不只是一個普通的人，而且針對不同的目的可有不同的佛，比方說，針對治療、教育或是慈悲都有特定的佛。實際上，在大乘佛教中佛的數量有無限之多，該宗派在採用相對性的觀念以及具有無數半神性質的佛這些方面，在某些程度上與薩滿教類似，因為薩滿教的信徒可就個人所需向不同的神、靈膜拜。

儘管薩滿教和佛教持有不同的哲學，這兩個宗教系統的實際性與開放性使它們在精神方面相互兼容。迄今，韓國不但對各種不同的信仰有極大的包容性，且具有某種天賦，能將這些信仰結合成外人或許認為不合邏輯的組合。

大乘佛教也有菩薩這個觀念，菩薩是一位發願自度度人的開悟者，為了度化眾生，祂必須修有「六度」滿相，也就是持有布施、持戒、忍辱、精進、禪定及智慧，六度的實踐不但重視自身修持，也助長無私及利他之心。

佛教另一個影響韓國社會及文化的重要因素，就是僧伽。僧伽本具「集群」或「團體」的意思，用以形容佛教的比丘或比丘尼所組成的僧團，或指在靈修方面具有較高智慧的佛門弟子。僧伽中的持修者在精進修行方面相互扶持，並不是只管各自的修行。

韓國人可為友誼做出極大的自我犧牲，對於團體結構也有強烈的忠誠度。例如，韓國人或許覺得有義務對於同校畢業的校友、或同軍事單位出來的同袍伸出援手，即使他們之間的友誼並不深厚，這與韓國「情」的精神有密切的關係，我們將在第七章進一步探討，而在韓國「情」這個觀念的發展，與僧伽的團體意識以及菩薩的無私之心有很大的關係。

根據亞洲社會心理學會會長金義哲指出，僧伽的觀念也擴展和影響到商業的管理方式。僧伽集體和持續精益求精的努力精神，確實呈現於南韓的三星或日本的豐田這類公司的企業管理哲學。西方商學院的學生會學到日本的「改善」這個詞彙，意指在商業流程上不斷且漸進地進行修正，這個重要的精進觀念明顯地展現了佛教的影響。此外，集體的重要性也呈現於韓國的企業中，一家公司的進步或是成功都會被視為集體努力的表現，而不只是公司負責人個人的功績。在韓國與在美國不同的一點是，韓國沒有任何持有九位數股票期權紅利、且星光閃爍的執行長。

我們如果仔細觀察三星的產品，就會發現這些產品不是真正的創新，不像蘋果這類注重「個人化」的美國公司所設計生產的產品。但是，三星擅長將他人的創意改善到接近完美的地步，而這個將他人產品變得更完美的能力，來自於全神貫注地持續改善，這點和日本一樣，是受到佛教思維的影響。

克服障礙

據金義哲博士所言，**韓國在克服障礙方面的超強毅力，應歸功於佛教**。依照佛教的教義，世人可經由開悟來脫離自身的因果，這可藉由持續的自我改善和修持來達成。印度教教導人們接受命運，但是**佛教較深層的教導是以改進自我的方式來超越命運**。韓國人所繼承的佛教思想（以及儒家思想）讓他們不斷地試圖改善自己的條件和情況，學習並不是在獲得大學文憑後就終止，中年人會參與職業訓練以求在工作方面有更優秀的表現，許多年紀較長的人甚至會開始學習外語。在韓戰期間，雖然將近三分之一的韓國人無家可歸，但是在他們強烈的求知毅力驅使下，大學在山上搭起帳篷，讓學生在煤氣燈下接受教育。

韓國人的個性讓他們在面對新的宗教或思想時，一般採取包容甚至接納的態度，另外也讓他們在**遇到災難和不幸時不願放棄**，**相信自己有能力克服所有困境**。事實上也的確如此，這個國家僅在兩個世代就超越了戰爭和貧窮所帶來的可怕景況，並建立了一個富有、穩定的民主國家，這的確是該民族心態的最佳寫照。佛教或許不是韓國奇蹟的主要因素，但是，**佛教確實賦予韓國人民相信自己具有創造奇蹟的能力——進而真正創造了奇蹟**。

在韓國文化中對於不斷改善的渴望來自於佛教，但是韓國人通常採取的改善方法，也就是努力不懈地追求新知，則是受到另一個外來信仰體系的影響，那就是：儒學。

3 儒學的影響

影響韓國社會三個主要的古老哲學和宗教思想中，儒學是最後一個傳入韓國的。雖然另外兩種宗教（薩滿教與佛教）彼此建立了融合互補的關係，儒學在它的發展高峰期，卻給予這兩者的傳統宗教及思想體系非常少的空間。後來集儒學大成的宋明理學學派成了朝鮮王朝（一三九二—一九一〇年）的主流思想體系，宋明理學發展出的社會階層制度、對年齡及性別的偏見、對父母的恭敬以及對教育的重視，在韓國社會留下深刻的影響。

儒學是什麼？

儒學不算是宗教，而是一種道德哲學，出自於中國思想家孔子（西元前五五八—四七一年）的教義。儒家哲學不僅對中國有巨大的影響，對韓國、日本、越南及其他東亞國家也有很大的影響力。它的核心是一種信念，認為人可以透過培育和建立道德行為而改進，透過大家共同的努力，履行某些義務後便可以建立一個和諧的社會。

儒學有以下幾個重要的中心思想，首先，談「仁」，也就是仁民愛物，推己及人。對領導者來說，仁具有重要的含義，如果一位君主無法行使「仁道」，例如以殘暴的手段對待臣民，他便會喪失統率臣民的天令，臣民也可能起而違抗他的命令；如果他能仁民愛物，百姓就會將他的命令當成法令。

接著，談「禮」，也就是遵從習俗、適當的禮節以及符合社會道德的行為。經由遵從社會禮儀（例如哀悼死者，甚至是喝茶的方式）人們學習到彼此尊重，並以維護社會和諧的方式為人處事。從這個角度來看，禮的基本理論與威克姆（William of Wykeham，1324-1404，溫徹斯特主教）的格言「觀其待人，而知其人」（Manners maketh man.）類似。但是，禮也涉及一種等級制度：在儒學中，那些精通禮的人被視為特別具有智慧的人。理想的社會便是由這些智者來治理，而該智者又可委派其他智者擔任他的顧問和管理者。這種觀念是實行國家考試制度的起源，也是中國從西元六〇五到一九一一年間用來篩選公務員的制度。按理論來說，精通禮的統治者讓人聯想到蘇格拉底所指的哲學家國王，這些國王也以智慧和公正的方式來治理國家。

再來，談「忠」，也就是對家庭、夫妻、君主及朋友等應盡忠。尤其重視家庭關係中的「孝悌」，要求子女們要對父母和祖先有崇高的尊重和敬意，在儒家思想中，「孝悌」是非常重要及崇高的品德。其中細節包括：在祭儀中禮敬祖先；不發怨言地完成父母的願望，包括父母為子女選擇的職業和配偶；那些忤逆父母的人會受到社會嚴厲的譴責和懲罰。

在儒學思想中，人與人之間的關係有一定的規範。這包括五種關係：君主與臣民、父母與子女、長輩與晚輩、丈夫與妻子以及同儕友人之間的關係，其中只有朋友之間的關係是雙方平等的，其他的關係都是前者在上，後者在下。在上者應以盡責和仁愛的態度對待在下者，而在下者對待在上者應該忠心和服從。儒學思想家相信按照這些規則運行，就能創造安樂和諧、井然有序的社會。

韓國的儒學

韓國人最早是在中國漢武帝設置樂浪郡這段時期接觸儒學思想，儒家思想對韓國的影響與佛教一樣，都是在三國時期開始擴展。高句麗、新羅和百濟三國的菁英都必須涉獵中國經典，而儒學思想的文獻在這種學習教育中占很重要的部分。那時佛學與儒學並沒有相互排斥：前者與玄學有關，後者則重視個人在世俗世界的行為舉止與社會中其他成員的關係，當時優秀的學者必須對兩者都有深入的學習理解。新羅這個以佛教為國教的國家，在西元六八二年就成立了儒家學院。

到了高麗王朝（西元九一八到一三九二年），儒學扮演的角色愈來愈重要，高麗光宗（九四九—九七五年在位）開始採行科舉制度，高麗成宗（九八一—九九七年在位）設立國子監（儒家學府），是朝鮮半島上的最高學府。但是，儒學日益增長的重要性，並沒有侵犯到佛學；這個地位穩固的國教，以穩定的狀態持續成長著，高麗《大藏經》的創作、以及僧院不斷增長的權力，就是最好的證明。

佛學與儒學有某種程度的共同性，這兩個思想體系都非常重視助人以及無私的行為。自我改進也是兩個體系中重要的道德規範。在朝鮮王朝之前，這兩個思想體系就普遍被一般民眾混用很久了，我們可以從「花郎」的創立看到這種融合，這是一個在新羅王朝時期（第六到第十世紀）由年輕戰士所組成的菁英部隊。

這些花郎主要選自貴族階級中品德端正的青少年，他們除了接受馬術、射箭、武術和智能的訓練外，還被灌輸以佛學和儒學為基礎的道德規範。他們雖然被當作一支佛教的軍隊，並且由圓光法師這位佛教高僧授與道德規範，圓光法師給予他們的頭兩項規範就是「事君以忠」及「敬愛雙親及師長」，這種教導完全是以儒學為基礎。

一直到宋明理學在高麗王朝後期興起後，佛學才與儒學開始出現衝突。宋明理學是由中國思想家朱熹（一一三〇—一二〇〇年）創立的學派，重視禮儀和教育，宋明理學的學者們相信，所有事物都可以經由理性來判斷與理解，而學習這種理解方式是人們的義務與責任。

朱熹曾經飽讀佛經，並且提倡追求知識的最高境界，在此境界中，思想家與其他的人事物沒有分別的界限。這種「對理解的突破」與佛教徒追求的「覺悟」道理相通。但朱熹畢竟是一位理性務實的思想家，他對於佛教的態度最終採取排斥與批判，他與他的弟子試圖降低佛教對社會的影響力。

一位韓國學者安珦，在一二八六年到中國研讀朱熹的著作後，便決定將其抄錄帶回韓國，宋明理學就此開始影響韓國的知識分子。由於那時韓國已經設有儒家學院，當時的學者普遍都能夠接受他的理念。此外，那時佛教僧院擁有過多的權力導致腐敗，這些因素促使朱熹的理學思想廣被知識分子接納。

雖然一般民眾和大多數的社會菁英依然信奉佛教，社會中卻出現一些具有很大權勢的抗衡者，例如，李成桂（推翻高麗、創立朝鮮王朝的朝鮮太祖）最親信的臣子鄭道傳就是其中最顯著的一位。李成桂在一三九二年推翻高麗、建立新王朝時，非常重用鄭道傳，賜給他多個掌管行政部門的官位，包括教育、稅收政策、外交和國防等，因此外界盛傳他才是真正的掌權者。鄭道傳建立「中央集權制」，將首都從開城遷移到首爾，並以宋明理學來代替佛教，作為國家運行的根本。

鄭道傳採用宋明理學的教義來重整韓國社會，這表示國家官員是由上等階層的人士組成，也就是通過科舉考試舉用人才。在官員之下是專業階層，然後是普通的勞工階層。從前那些強勢的佛教僧侶被排斥在外，他們和樂師、賣淫者以及其他被視為危害社會的人，同樣被列為賤民，這個階層的人們被迫遠離主流社會生活，也不可以參加科舉考試等活動，以致無法提升自己的社會地位。

朝鮮王朝早期幾位君主仍保留他們信仰的佛教，例如，朝鮮太祖和世宗大王（一四一八－一四五〇年在位）都是佛教徒，並且相信用儒學思考社會問題，和以佛教思考玄學問題，兩者之間並沒有衝突。但是他們受到當時擁有強大勢力的文官們的壓力，這些文官倡導宋明理學，而不是早期比較具有包容性的儒學。

薩滿教的教徒們也遭受宋明理學家的攻擊，並且被降到賤民的階層。但一般民眾在日常生活中還是需要巫師和佛教僧侶，來協助他們解決心中的疑惑和麻煩。此外，巫俗展現充滿音樂、舞蹈和情感豐富、多彩多姿的儀式，讓人們感受到喜悅，找到內心的慰藉。這是理性、強調責任的宋明理學無法賦予的。在整個朝鮮時期，貴族階層和一般階層的成員都會求助佛教和薩滿教，以滿足心靈的需求；十九世紀晚期的明成皇后，不但是一位虔誠的佛教徒，也聘請兩位巫師為顧問。根據十九世紀旅韓的美國傳教士赫伯特（Homer B. Hulbert）敘述：「**一位全能的韓國人在日常生活中是儒學家，在進行哲學思考時是佛教徒，在遇到麻煩疑惑時則成為神靈的膜拜者。**」

儒學對韓國的影響

由於宋明理學曾經是朝鮮王朝（一直持續到一九一〇年的政權）的國家思想體系，多年來在許多方面對韓國人的人際互動等關係造成影響。宋明理學對韓國文化最大的影響，或許是講究五種人倫關係中的等級觀念。

就君臣之間的關係而言，臣子對君主必須絕對地忠誠，但如果君主沒有以仁愛回應，就應該被移除。支持李成桂政變的宋明理學家們，就是用這個論點為他推翻高麗王朝辯護，李成桂相信高麗王朝的君主讓百姓感到絕望。如今韓國各官方部門依然維繫這種以仁愛回報忠誠的互惠關係：很少見到揭發行為，因為這違反部屬對上司的忠誠。典型的韓國上司也比非儒學社會中的上司更展現家長風範，他通常會關心員工的私人生活，並覺得自己必須經常請員工們吃飯。

在家中是由父親掌權，妻子和子女必須服從父親的命令，而父親則必須是公正的領導者和生活的供給者。在宋明理學的制度中，男性比女性占優勢，也可以說是「重男輕女」，對於生過孩子的婦女，是以「某某人的母親」來稱呼。在父親過世的家庭中，是由長子而不是母親來承接家長的權力與責任。這是受到朝鮮王朝後期的「三從」觀念所影響：女兒必須服從父親，妻子必須順從丈夫，而寡婦則必須聽從兒子。此外，婦女沒有任何繼承權（在朝鮮王朝之前，婦女在繼承財產和貴族頭銜方面都有平等權利），也並被禁止接受教育。政府機關發印的書冊訓令，婦女必須待在家裡，少干涉公共事務，以避免成為惡女（指不守婦道的婦女）。也就是「男主外，女主內」，婦女的職責是維持一個良好的家庭，並在偶爾外出時遮蓋自己的面容。

遮蓋面容是十七世紀上流社會婦女普遍的作法，到了十九世紀，大多數的韓國婦女都有此習慣。

十六世紀的申師任堂是李栗谷（韓國著名的儒學家和政府官員）的母親，至今仍被視為儒家婦女的典範。二〇〇七年，韓國銀行將她的肖像印製在五萬韓圓的紙幣上（該國最大面額的紙幣，李栗谷的肖像被放在五千韓圓的紙鈔上，另一位儒學思想家退溪則被放在一千韓圓的紙幣上）。據《洛杉磯時報》一篇文章指出，這是因為申師任堂具有「慈母般的慈愛和忠順」，一位銀行官員則讚美她是「韓國歷史中母親的最佳典範」。超過十二個韓國婦女團體為此提出抗議，她們指出這種作法會強化婦女卑躬屈膝的陳舊印象，並且認為婦女只有為子女或丈夫效力才值得肯定。如果韓國被指控具有性別歧視，宋明理學則是始作俑者。

輩分和稱謂

長輩與晚輩之間的關係也十分被重視。在韓國，兩個人首次見面，最常先被問「你幾歲？」，一旦確定誰的年紀較長，年紀較小的一方就必須對年長者表示敬意。頭銜可以用來強調這種等級，例如：年紀較小的男子會稱呼較年長的男性友人為兄，年紀較小的女子則稱呼較年長的女性友人為姐。在不同性別之間的友誼關係，年紀較長的男性被女性稱為哥哥（Oppa），較長的女性則被男性稱呼為姐姐（Nuna），較年輕的男、女則均以Dongsaeng（弟弟或妹妹都用同一個詞）相互稱呼。

照慣例，年輕人如果和同性別的長輩外出飲食，他必須邊小啜飲料邊將頭轉開，以表示敬意。此外，不論這位長輩談話的內容如何，他都必須排除己見，專心傾聽並附和這位長輩。如今，由於宋明理學的影響力日減，上述這些舉止已不再嚴格要求與執行。然而，年紀較小的人還是會對年長者抱持尊敬的態度，當然，年紀較長的人還是會付帳請客。

韓語也會以其他方式反映出輩分關係。韓語以各種不同情況所要求的尊重程度為基礎，而有各種不同等級的語詞。非敬語是最基本的語詞，僅在朋友和社會地位相當的人們之間使用。除了非敬語之外，還有尊敬語，這其中有六個表示尊敬程度的語詞。在尊敬語中最常聽到的句型是準尊敬階，這些句子會以haeyo為詞尾的動詞作為句子的結尾。另一種卑階句型的句子以handa 為句子結尾，並大多用於報紙和書籍。尊敬階的句型更顯示尊敬，且句子以hamnida作為句子的結尾，這種句型主要用於顧客和電視新聞節目中。一位男性對於兄長或許可以使用以haeyo做詞尾的句子，如今甚至可用非敬語的句子；對於長輩或是備受尊敬的人則必須用以hamnida結尾的句子，公司的董事長可能也必須使用以hamnida結尾的句子。一般來說，子女與父母說話會用以haeyo 為詞尾的句型，但現在也有許多人用非敬語與父母談話。

家庭和祖先

儒學認為家庭凝聚力最為重要，一個人不僅要讓在世的親人感受到尊重，也應對去世的家人抱持虔誠的心意。祭祀是在過世親人的忌日紀念他們的儀式，茶禮則是一種在每年「秋夕」和「舊正」（新年）這兩個國定假日特別舉行的祭祀，目的在於提醒人們重視家庭和家族的關係。人們在這些傳統的儀式中，將供奉的食物放在為祭祀而準備的神龕上，然後全家人在神龕前鞠躬致意。傳統的祭祀食物除了松片這種米製餅以外，還包括各式各樣的蔬菜、魚和湯等等，人們也會因往生者的喜好擺出不同的供品。二〇一一年韓國一家報紙刊登了一張祭祀供桌上放有披薩的照片，當這家人被問到為什麼擺放如此非傳統的食物，他們的回答很簡單：「我們的父親喜歡吃披薩。」

祭祀讓許多人以為韓國人崇奉他們的祖先，或是以為儒學是一種有獨特儀式的宗教。早期有些韓國基督徒曾經因為拒絕進行祭祀儀式而抗爭犧牲生命，現在有些基督徒不做祭祀，而基督教新教派的信徒甚至可能遵循自己的「追悼禮拜」來替代祭祀儀式。然而，朱熹並不相信逝者的靈魂真的存在，他將祭祀視為一種讓人們對祖先表示尊敬和紀念的機會。因此，進行祭祀的目的，在於維持孝悌精神，同時也促進儒學中的禮教。

在儒學思想中，強調個人對祖先要有敬意，對父母要有虧欠之心，這種虧欠是永遠還不清的，因為要是沒有父母，自己就不可能存在。基於這一點，人的一生都應該牢記自己對父母的虧欠，並盡全力來償還。因此，子女不能任意與自己心儀的人結婚，而應該與父母滿意的人結婚。子女在選擇科系和職業方面也是如此，比如說，子女不能追隨自己的夢想當一位藝術家或是音樂家，而應當選擇薪資高且穩定的工作，才能在父母年老時予以奉養，並為子女建立一個有保障的養育環境，因為傳宗接代也是人們必須履行的責任。

如今韓國儒學對於親子關係的影響已逐漸式微，子女們除了有更自由的選擇權外，也比以前更可能與自己心愛的人結婚，並且也會與父母爭論。另外，許多人也將祭祀視為一種包袱。此外，在男女性別方面，在過去一個世代內，女性已經獲得平等的教育機會，女性在公共生活中所負的責任雖然仍與男性相距甚遠，卻還是大幅地提升。人們尊敬長者的傳統也正在衰退，有些接觸過韓國儒學文化的外國旅客表示，在首爾搭地鐵時，有時看到虛弱的老人等不到年輕人願意讓位，他們為此感到驚訝。

教育

但是，如果我們假設南韓會擺脫儒家思想的影響力，那就錯了。儒家思想除了對韓國的企業文化和語言產生持久和深遠的影響外，也可以在韓國人執著的教育領域中感受到儒學的影響力。南韓是以追求考試成績和進入頂尖大學這兩方面的病態執著而聞名，除了受到儒學中透過教育進行自我改善這條訓誡的影響外，留傳上千年歷史的公務員考試制度也是重要因素之一。從朝鮮王朝初期到日本入侵期間（一五九二—一五九八年），通過科舉考試是唯一能夠提升社會地位的方法。實際上，那時考試成功的機會受到人為操控，那些原本社會地位很高的家庭往往受益。儘管如此，對於有才智卻生於貧窮家庭的人來說，參加考試是讓自己獲取成就的機會。通過考試的人可獲得兩班（貴族）的地位和土地，並可傳承三代。於是，透過考試爭取榮耀和保障，這不僅是為了個人，也是為了子孫著想（除非一連三代都沒有家人通過考試，這對已獲兩班地位的家庭來說是不可能的事）。

兩班貴族的體系，雖然已經隨著朝鮮王朝衰落及一九一〇年向日本投降而步入歷史，人們依舊相信教育和考試的力量，並認為這是改善一個人命運的方法。自從韓國分裂，並導致一九五〇到一九五三年間的韓戰之後，南韓曾一度成為相當平權的社會。那時，除了那些與李承晚總統的貪腐政權成為親密盟友的人士以外，其他的南韓人民都在貧窮中團結奮鬥。當時，這個國家只剩下被炸毀的基礎建設以及相當稀少的自然資源，並承受著ＧＤＰ為全球最低國家之一的窘境。

於是，教育再度成為向前邁進的主要方法，南韓窮途末路的狀況，讓政府了解到唯一真正的資源就是國民的集體智慧，這如同儒家思想所顯示，不但能藉由教育來提升，也應該藉由教育來提升。於是，之後歷屆政府都遵循同一項政策，讓全民不論出身、貧富和男女，都可以接受教育。直到一九八〇年代，對於一名生長於小村莊的窮困年輕人來說，改善自己命運的辦法便是握緊那條教育的生命線，日以繼夜地苦讀，以求考入首爾國立大學、高麗大學或是延世大學（這三所大學被統稱為韓國的「一片天大學」，簡稱ＳＫＹ），並且順利畢業獲得學位。例如拿到醫學學位的人，在首爾可以成為一名高薪的醫師，不但可以養活自己，還可以照顧父母和兄弟姐妹。對於當時貧窮的韓國來說，這種成就與在朝鮮時代考中科舉一般榮耀。

甚至如今，ＳＫＹ大學的學位也被視為邁入最佳工作的機會、最好的人際網絡和最優秀的配偶人選的一張門票。ＳＫＹ大學的聲望與美國的長春藤盟校（Ivy League）或是英國的牛橋大學（Oxbridge，牛津及劍橋兩所大學的合稱）類似，甚至更有權威。在韓國的大企業，十位執行長中有七位是從ＳＫＹ大學畢業的，而十位法官中也有八位持有ＳＫＹ大學的文憑。要進入ＳＫＹ大學必須通過大學修學能力測驗的嚴酷考試，這個為期整天的考試是針對高三學生舉行。有關父母和老師給予考生過多壓力的案例不勝枚舉，考生們通常早上六點以前起床，整天念書，只在吃飯時稍作休息，一直到半夜十二點才上床睡覺。有些父母在子女參加大學修學能力測驗之前的幾年，就開始施加壓力，首爾的江南地區就以補習班出名，這些提供課後輔導的補習班收費極為昂貴，典型的江南母親則不論子女年齡大小，一律逼迫他們從早到晚上這類的補習班。

ＳＫＹ大學的教授們幾乎位在社會階級的最高層。在南韓，優秀的大學教授很容易從政、從商或是成為公共知識分子，媒體非常歡迎這些教授的發言，不論他們的言論與他們研究的領域是否相關。於是，「教授」的頭銜廣受歡迎，有時甚至會發生支付數十萬元的賄賂款，以獲得終身教職的醜聞。

如今，韓國高層的公務員考試稱為高考。雖然私人企業提供薪酬更高的工作，意謂公務員的職位已不再像以往那麼誘人，但在政府高層工作依然具有比較高的社會地位，以及幾乎打不破的鐵飯碗。在一九四九年對全民開放的高考，對於那些為了爭取四十一分之一的錄取機會，而堅忍苦讀的人來說，這是一個公平的競爭方式。在公職考試補習班附近出現一些考生宿舍，為那些準備參加高考或律師資格考試之類的人，提供便宜的住宿及熟食。住在補習班附近，可以節省通勤時間，有更多的時間念書。有一些宿舍聚集的地區被稱為「考試村」，在考試村中的生活雖然黯淡無光，但通過考試以後即會帶來安定的一生，並受到他人的尊敬。

4 基督教的影響

在南韓任何一個城鎮的山丘上眺望，就會看到一個令人訝異的景象，尤其是在夜晚：紅色的霓虹十字架四處閃爍，十字架在這裡是如此普遍，連一些流行歌曲都會提到這種現象。基督教與這個國家接觸的時間比較短，但是它所缺乏的歷史已被它的吸引力彌補了。除了菲律賓和東帝汶以外（這兩國以前都是信奉基督教的西方殖民地），按加入的人口比例來算，南韓是亞洲基督徒數量最多的國家。在有了這麼多的信奉者之後，基督教也從一個被取締的教派變成擁有眾多信徒的宗教。

天主教的傳入

今天基督教超越了佛教，成為韓國最普遍的宗教，但它曾經有一個緩慢和艱難的發跡過程。第一位為人所知的韓國基督教徒是日本武將小西行長的妻子茱莉亞，小西行長是在一五九〇年代日本發動壬辰倭亂時入侵韓國的，年輕的茱莉亞在韓國受洗，最後偕同丈夫回到日本。在這之後，有些人嘗試將基督教介紹到韓國，但都沒有成功。一位名為塞斯佩德斯（Gregorious de Cespedes）的傳教士曾經向入侵的日本人布道，但他不能向韓國人布道。

一六〇三年，韓國使臣李光鐘從北京帶回利瑪竇（天主教派遣到中國的傳教士）撰寫的文獻，這些文獻開始受到知識分子的關注，但並沒有被接受。研讀利瑪竇著作的人士大多是儒家學者，他們是出自於對知識的好奇，但最終還是拒絕接受基督教對世界的觀點。

到了十八世紀後期，天主教才開始獲得穩固的立足點。朝鮮英祖是一位嚴厲的儒學者，他在江原道、黃海道這些地區發現了天主教的信徒之後，就在一七五八年宣布這個宗教不合法。儘管如此，一七八四年一位名叫李承薰的韓國青年跟隨父親前往北京，回到首爾後就開始違反禁令積極勸人信仰天主教，並創立韓國第一個天主教團體，教友間互稱「信友」。韓國天主教早期的發展與亞洲其他國家不同，該宗教不是由傳教士直接傳入（他們將教義傳入中國和日本，但在十七及十八世紀數度嘗試，都無法傳入韓國），而是透過在中國接觸過天主教的韓國人回國後布道，這是一種草根性的運動，很少外國人參與。

將自己的房子借給李承薰作為臨時教會的金範禹，在一七八六年被政府官員逮捕後被折磨致死，成了韓國天主教第一位殉教者。此後，李承薰教會的成員們便違抗北京主教，開始充當未經任命的神父，包括丁若鏞（一七六二—一八三六年）這位被稱為「茶山」的重要學者和哲學家。一七九五年，主教終於從中國派遣周文謨這位真正的神父到達韓國，協助這個當時有四千名成員的團體。周文謨成功潛入了韓國，並由韓國天主教徒提供藏身之處，成為韓國第一位外國神父。

李承薰及周文謨後來在一八〇一年的辛酉迫害事件中被斬首，據說要不是「茶山」放棄他的信仰，這個整肅行動原本也會奪走他的性命，總共有三百名教友在這個迫害事件中被處決。天主教被當時的政權視為一種威脅，有以下幾個原因。這個外來的宗教堅稱在上帝眼裡所有人都生而平等，這無疑威脅到社會秩序，並違反宋明理學的信條，也就是要求人民要絕對服從社會地位較高的人，尤其是服從君王。許多天主教徒也拒絕參加祭祖，因為他們相信這是在膜拜祖先，也就是在崇拜偶像。李承薰教會的成員黃嗣永寫了一封信，希望西方國家的軍隊到韓國幫助當地的天主教徒，這封被攔截的書信顯示天主教對當時的政權造成威脅，因而導致當時攝政的貞純王后在一八〇一年下令捕捉、斬首。

韓國那時的天主教徒約有一萬名。韓國當局在那之後，陸續於一八一五年、一八二七年以及一八六六到一八七一年間對他們進行肅清，造成天主教徒產生一種孤立和膽怯的心態，如今韓國的天主教徒依然受到這種心態的影響。在一八七〇和八〇年代之前，這個宗教一直是祕密進行的。後來由於韓國政府希望與西方政權有更良好的關係，因此改善了對該宗教壓抑的政策。到了一八八二年，韓國有一萬二千五百名天主教徒，僅比一八〇〇年多一點；但到了一九一〇年韓國被日本併吞時，天主教徒的人數增加到七萬三千名。

美國基督教新教徒及日本的殖民者

第一批到韓國的基督教新教（Protestant）傳教士，包括在一八八四年來自美國循道會（Methodist）的艾倫（Horace Allen）、在一八八五年抵達長老會（Presbyterians）的阿賓傑勒（Henry Appenzeller）及安德伍德（Horace Underwood）。但他們到韓國之前，這裡早就有新教徒了：那時住在中國滿州地區（現中國東北地區）的蘇格蘭長老會傳教士羅約翰（John Ross）在一八八二年完成了《新約聖經》的韓文翻譯，一些住在韓國西北部的人們受到這本《聖經》的影響而改信了基督教。

這本《聖經》被翻譯成韓國的諺文，也就是世宗大王在十五世紀中期創建的韓國字母。該諺文含有二十四個基本字母，主要是為了讓普通人能夠學習一套簡易的書寫系統，這與複雜的韓文漢字不同，在這之前韓國人只有漢字，而且只有社會菁英才精通。儒學和佛教經典都是以漢字書寫，但西方的傳教士為確保譯成韓文的基督教經典必須讓所有人都看得懂，這也是基督教傳播到基層的一個重要因素。

艾倫、安德伍德以及阿賓傑勒到了韓國不久，就開始成立醫院、學校以及大學，為韓國的發展提供了硬體設施。到了一八九〇年，他們三人創建了許多學校，包括：培材男子高級中學、梨花女子學院以及後來的延世大學。基督教新教會曾經一度成為韓國最大的教育提供者，然而，這些教育機構不僅在傳播基督教新教方面扮演關鍵角色，也讓人們相信美國的基督教新教派不僅帶動進步和現代化，也為韓國人帶來很大的利益。因此，雖然基督教新教到韓國的時間比天主教晚了很多年，卻成為韓國最普遍的基督教派，到了一九一〇年，它擁有十萬名教徒。

一九一〇年是韓國歷史上最痛苦、艱難時期的開端。朝鮮王國在上個世紀持續衰退，主要由於宮廷內鬥不斷，以及在該世紀晚期受到日本、俄羅斯這些想吞併它的領土的外國勢力所操作。這讓韓國變得非常脆弱，日本在朝鮮半島上的影響力持續增長多年之後，在一九一〇年八月二十二日與韓國總理李完用簽訂了《日韓併合條約》（當時拒絕簽約的朝鮮純宗並不在場），因此便展開日本對韓國三十五年的殘暴殖民統治，直到一九四五年日本帝國戰敗後才結束。

日本統治時期對所有韓國人來說是艱苦的，但這卻是韓國基督教最光榮的時期。幾乎從一開始，這個新來的宗教就被視為抗日戰爭的一員。在一九一二年，有一百二十四人被控共謀策畫刺殺日本總督寺內正毅，其中有九十八名為基督徒。後來有六人被定罪，這或許會讓人以為日本當局在設法打壓這個西方宗教。這事件使人們產生日本的統治與基督教相互對立的印象，而那些按照日本政策設立並與基督教學校競爭的學校又強化了這種印象。這些新設的學校以日本這個侵略國的語言授課，並且禁止任何有關宗教方面的活動。

一九一九年三月一日，三十三名獨立運動者在首爾泰和館這個宴會場所聚集，為了通過由詩人萬海及史學家崔南善等人起草的「韓國獨立宣言」。他們是受到美國總統威爾遜（Woodrow Wilson）一場有關民族自決的演說鼓舞的，並激起了一股希望，認為美國可能會來援助韓國反抗這些日本占領者。這些參與者共同在宣言上簽名，然後將其中一份交給日本總督，並與警方聯繫告知他們的行動。他們這種極為勇敢的舉動激起了一場抗爭運動，帶動兩百萬名韓國人走上街頭。但隨後日本的鎮壓行動造成了七千五百人死亡，也向全世界展現了日本統治韓國的真實面貌。

雖然當時新教徒的人口不超過全國的二％，獨立宣言的三十三位簽署者中有十六位是新教徒，在公布獨立宣言和群體抗爭之後，被逮捕的人口中有二○％是新教徒。日本的報復既迅速又血腥，四十七間教會被燒毀，數以千計的基督徒不是被殺，就是被監禁和施以酷刑。但這些獨立運動者的行動並非徒勞無功，整個事件最後迫使日本總督辭職，他的繼任者後來用民兵代替軍警，並容許少許的新聞自由。

反抗日本人的基督徒中大多是新教徒，而不是天主教徒。這可能是由於天主教在韓國的艱辛歷史，造成他們謹慎和孤立的心態。有些新教徒也不覺得與壓迫者戰鬥具有任何價值，在一九二〇及三〇年代，韓國基督教新教派浮現兩個派系：一個是傾向進行反對日本的運動，並在神學上較為自由的一派；另一個是比較專注於純粹與教會工作相關的事物，較少關注政治的保守派。大概是因為與嚴厲的壓迫者對抗相當艱辛，這段期間加入後者的人數比前者來得多。

美國的影響和繁榮時代

日本帝國深感威脅的不僅是韓國基督徒的信仰力量，還包括這宗教是來自西方文化、且深受西方文化影響的事實。隨著韓國的解放、分裂，到南韓的誕生，基督教各派藉由西方的根源受益，基督教新教更是如此。基督教新教被視為美國人的宗教，而韓國的菁英們相信，如果要成功，就應該效仿美國人。大韓民國第一任總統李承晚就是從哈佛畢業、能說英語的親美人士，他以西方的方式稱呼自己——即先名後姓。他本人是循道會的教徒，他的自由黨中有三九％的政治人士是基督徒。

美國人被視為現代化、有進取心和富裕的，他們的宗教也被如此看待。據二〇〇四年一份研究指出，四二％的韓國人相信基督教新教是「韓國現代化的最佳利器」。第二次世界大戰和韓戰結束後，美國對韓國提供了軍事協助和許多支援，而韓國政府則不阻礙這個美國宗教在國內繼續散播。美軍的確是韓國人改信基督教的主要因素之一，但除此以外，南韓在韓戰後的重建時期也曾經接受許多基督教的捐助，這也促進了這個信仰的正面形象。

在整個一九六〇、七〇和八〇年代，韓國信仰基督教的人數激增，如今常聽到人們說：「我的祖父母是佛教徒，但我是基督徒。」在一九五八年，南韓的基督教新教徒人數大約有八十萬人；到了一九六八年，人數上升到接近兩百萬；一九七八年的人數則超過五百萬；如今新教徒的人數已高達一千一百萬人。韓國新教徒對他們的信仰也是充滿熱忱的；一九九五年韓國政府的一份調查發現，韓國新教徒中有八〇%的人一星期至少上教會一次，其中有四〇%的人一星期至少上教會兩次以上。現在韓國的天主教徒也有三百萬人，這將韓國基督徒人數提高到總人口的四分之一以上。

韓國的基督教新教大多趨向保守，但其中也有一些比較屬於自由派的布道者。在一九八〇年代，如基督教青年捍衛民主聯盟（Federation of Christian Youth for the Defense of Democracy）等團體展開了一些運動，強烈反對右翼軍事獨裁者全斗煥，如今也有一些重要的中間偏左的布道者，如身為前國家部長及聖公會牧師的李在禎。但是，屬於中間偏右的新教徒人數更多。韓國基督教總聯合會（Christian Council of Korea）就是由一些保守的新教會領導者主持的，該聯合會有時會推動對北韓採取強硬政策或是自由市場政策這類運動。身為右翼的李明博總統在二〇〇七年總統競選活動時，大量借助新教會遊說集團，一些超級大教堂的牧師也公開請求教徒們為他的競選祈禱。

韓國左翼黨派譴責該國新教的右派是個過於政治化的保守社會團體。二〇〇四年，韓國一群保守的教會領導以美國基督教福音派電視節目主持人羅伯遜（Pat Robertson）所創立的基督教聯盟（Christian Coalition）為模範，組織了一個基督教政黨，並以反對同性結婚和墮胎為主旨。

在二〇〇一年首爾市長競選活動期間，金蘭教會的牧師金弘道在布道時提到中間偏左的候選人朴元淳，他問道：「如果一個屬於撒旦和惡魔的人成了首爾市長，我們該怎麼辦？」另一個由Sarangjeil長老教會的牧師全光勛（音譯）所領導的團體，在二〇一一年宣布了一個創建反對隔離教會和國家政黨的計畫，但全牧師後來失去人民對他的信任，因為他表示將把家裡少於五個小孩的家長送進監獄，藉這種辦法來解決韓國低生育率問題。

新教被視為一個親資本主義的宗教，這可能是由於該教會與美國過去的關係，因為美國與採共產主義的北韓是對立的。但韓國所有大公司的執行長中有四二%是新教徒，大型的新教會被一些人批評是建立商業人際網絡以及進行交易的地方，在首爾富裕的江南地區的所望教會，是許多企業主管和保守派的政客喜歡加入的教會，該教會長老職分的競爭相當激烈，因為這個職分在建立關係方面有極好的機會。李明博總統本身也是這個教會的教友，儘管他在一九九四年角逐該教會長老時，已身為國會委員及現代工程建設公司的執行長，卻還是落選。後來他自願當停車場管理員，他的妻子同時在教會的廚房做飯，之後他才在第二次競選中當選。

但這層關係並不保證新教的右派是支持李明博的。創立屬於五旬節派的汝矣島純福音教會的趙鏞基，具有相當大的權勢，在二〇一一年，韓國政府針對允許在國內開發伊斯蘭債券市場而提出伊斯蘭金融法案時，他出面干預，並指責李明博忘記是新教的遊說集團讓他當選總統的。趙鏞基也曾經提出警告，指伊斯蘭的金融可能為「恐怖分子」提供資金，又在幾週後宣稱，日本在二〇一一年發生的地震和海嘯，都是因為該國缺乏基督信仰的結果。

韓國的基督教

新教在韓國為了配合當地文化已經有所改變，某些教會的人數即可證明。據金氏世界紀錄大全顯示，首爾的汝矣島純福音教會是具有世界最多會眾的教會。據說，大約有十五萬人到該教會的大聖殿做禮拜，但該教會的信徒據稱已達一百萬人，由於該教會以如同加盟的方式建立了一種遍布各地的附屬教會。馬克（非其真名）牧師在首爾主持了一家具有七萬五千名信徒的較小型教會，他認為這種集體化和加盟性的信仰，部分歸因於韓國人偏好密切的團隊關係。他另指出，這種要求一致性的文化，在宗教方面還會造成其他影響，韓國基督教有「相互指責」的傾向，也就是對於那些以不同方式信奉他們宗教的人，採取教條式的、無法容忍的態度，他表示：「你要是稍微有一點不同的看法，他們就會利用這一點說你是一個異教徒。」有點諷刺的是，他自己的教會正遭到過度「以聖經為中心」的批評。

一般來說，韓國的基督教徒對於巫俗有反感，但基督教的崇拜方式在某些方面依然受到薩滿教這個在韓國根深柢固、崇拜萬靈宗教的影響。有些教會具有明顯的唯物主義，這也與薩滿教相同。汝矣島純福音教會敦促信徒拒絕相信「物質的財富等於罪惡這樣錯誤的想法」，比方說，該教會在一個著名的布道中傳達「一名貧窮的基督徒不是一名好的基督徒」的訊息。一些韓國基督教徒（尤其是新教徒）認為他們的基督教信仰將會以某種方式幫助他們變得富有，這種想法一點也不令人驚訝，可能是因為新教在韓國被視為一種「促進現代化的宗教」，以及許多商界和政界菁英都信仰新教。

據馬克牧師指出，薩滿教或許為基督教鋪了路，讓他們在韓國如此受歡迎。薩滿教用如仁王山、智異山和長白山的山峰和靈性的關聯，與《出埃及記》中摩西接受十誡的西奈山所代表精神的重要性相互輝映。在韓國各處有數以百計的小「祈禱院」坐落在山上，教會的子弟們可以到這些地方做長期精進祈禱。馬克牧師教會的創建人曾經在智異山的一個洞穴中待了三年半，這期間他研讀《聖經》一千多遍。他所讀的經書是外來宗教，但他選擇的地點對一個韓國人來說卻是最傳統的地方。

狂熱的教徒

韓國新教最醒目的一點，大概就是它的狂熱。據馬克牧師觀察後表示：「韓國人民曾經有過相當困苦的歷史，因此許多人相信更加努力祈禱可以帶來協助。」基督教和佛教或是儒學不同，因為信仰者可以獲得救贖。自從新教傳入韓國後，這個國家遭受了貧窮、戰爭、殖民以及分裂等苦痛。在日治期間，新教徒是最堅決的一群反抗者。南韓成立以後，新教在人民心中成為與新資本主義制度有關的宗教，這也被人們視為脫離貧窮的途徑。鑒於這一切，新教教徒們對他們的宗教有如此強烈的堅持，或許就不足為奇了。

新教教會在一九九五年有八〇%的信徒每週上一次教會，遠超過天主教徒上教會及佛教徒去寺廟的人數。此外，大約有一〇%的韓國新教徒參加清晨的祈禱。另外，新教還有數千個細胞小組，也就是新教徒組成的小團體聚在一起進行更多的祈禱，這些聚會通常是在星期五。大多數的信徒也會捐款給教會，平均捐出他們收入的十分之一，一名韓國的新教徒曾經表示：「如果你要在這裡與一位新教徒結婚，這十分之一的捐款絕對要在踏入禮堂之前就先談好。」

一九九七年，蓋洛普（Gallup）研究公司針對韓國新教徒的狂熱度進行調查，發現這些新教徒中有五二％曾經「感受到聖靈降臨的恩典」，六八％「確切知道自己會得救」，六九％相信「世界末日即將來臨」。根據《重生：在韓國的福音主義》（*Born Again: Evangelicalism in Korea*）作者提姆西．李（Timothy S. Lee）所述，韓國新教的各派系中，只有聖公會、信義宗以及長老會中一個在神學上較為自由的派系屬於非福音派。據他所言，在一九九〇年代晚期至少有七五％的韓國新教徒「堅持福音信仰」。

韓國目前僅次於美國，是世界第二大傳教士被派到國外傳教的國家。在二〇〇六年，大約有一萬五千名南韓的新教徒從事傳教工作。新教的傳教士曾經在阿富汗和伊拉克等地傳教時被綁架，這些傳教士的作法不僅明顯為自己帶來風險，也不利於南韓政府的形象及防衛政策，但該國政府還是無法阻止這些團體到如此危險的區域。二〇〇七年七月十九日，二十三名傳教士在阿富汗的堪達哈（Kandahar）與喀布爾（Kabul）之間的路上被綁架，其中二十一名倖存者最後終於被釋放，據說南韓政府為此支付了塔利班（Taliban）組織兩千萬美元的贖金。

天主教徒的狂熱比較沒有這麼明顯，韓國天主教主教團（Catholic Bishops' Conference of Korea）指出，在一萬五千名新教徒到海外從事傳教工作的同年，只有六百三十四名天主教徒出國傳教。即使在韓國境內，天主教徒通常也不會勸人信仰他們的宗教，寧可等到他人表示有興趣參加他們的教會。韓國新教徒剛好相反，對他們來說，力勸那些不是新教徒的友人與他們一起上教會是相當普遍的事。有些福音派的團體甚至會在街頭上攔下路人，首爾街頭到處都有布道者，其中大多是年紀較長的男士和婦女，他們有時候會用擴音器向路人慷慨激昂地勸說，並且會攜帶寫著「耶穌，天國——不信，地獄」的標語。

新教與天主教在教徒與其他宗教之間的關係上，也有所不同。佛教徒有時候會抱怨他們的宗教受到新教徒的攻擊，在一九八〇及九〇年代期間，一些狂熱的新教團體曾經進入佛教寺廟進行破壞，甚至縱火。一九八四年首爾三角山無量寺的佛畫被畫上十字架，另外還有雕像被斧頭砍毀。

社會網絡

傳統上，韓國社會比較重視團體而不是個人，教會提供信徒在靈性方面的需求，但是也以提供從屬關係及網絡來回應人們歸屬的需要。即使不是特別虔誠的人也可能因為他們的朋友上教會而跟著一起去，對於許多中年婦女來說，這不僅是一個聚會地點，也是一個支援團體。由於韓國的社會——直到最近這一代成人之前，婦女大多被排除在公共活動之外，教會讓她們感受到自己參與超出家庭範圍的事務。

在海外的韓國人，也包括那些原本在韓國從未上過教會的人，常常會以到韓國教會做禮拜的方式，找到與自己相同國籍的朋友。據《美亞裔的宗教》（*Religions in Asian America*）作者閔丙甲及金治坤（音譯）在書中指出，超過七〇%的韓裔美國人會定期上教會，這個上教會的比率比在韓國國內多出好幾倍，主要原因在於教會所扮演的社會角色，也就是成為生活在非韓國文化的韓國人的社區活動中心。

但還是會有一些人錯過教會所提供的集體聚會。南韓具有全世界最高的上網率（以及最快的寬頻速度）是眾所皆知的，或許令我們意想不到的是網路文化對於教會出席率的影響，因為現在有許多教會可以用虛擬方式參與，信徒只要坐在自己的電腦螢幕前就可以跟著線上直播節目一起唱聖歌。韓國人在經濟合作與發展組織（OECD，以下簡稱經合組織）國家中的工作時間最長，年輕人中的教會成員實際上也正在減少，面對如此情況，即使這個韓國最強勢的宗教也必須適應社會的變化，並採取新的措施。

5 具韓國面貌的資本主義

很多人都說北韓採共產主義，南韓採資本主義，但是這些詞彙到底具有什麼意義呢？北韓當局常常對街頭市場採取睜一隻眼閉一隻眼的態度，並且也鼓勵有意尋求廉價勞動力以賺取利潤的外國合作夥伴投資。在南韓，資本主義仍在發展，但是它有一些相當獨特的性質，是以儒學這類古老的影響和財閥系統這種產業發展的獨特手段為基礎。

朴正熙的變革

據朴正熙總統的一名長期顧問金東進（非其真名）指出，南韓在一九五〇年代曾經是「地球上最貧窮、最不可能的國家」。韓戰造成南韓三分之一的人口無家可歸，孤兒在街頭徘徊尋找食物，GDP遠低於一百美元，當時的政府完全依靠外國援助，其中主要還是來自美國。然而，在政治方面也好不到哪兒去，那時李承晚總統的政權不僅血腥、壓迫人民，也相當腐敗。

一九六〇年，李承晚因為學生的抗議被迫流亡夏威夷，南韓在韓國總理張勉及總統尹潽善的政府領導下，經歷了短暫的民主實驗。不幸的是，那時該國正處於動亂時期——除了嚴重的黨派之爭、貨幣危機外，還有共產主義者的煽動——而這些領導者都無法控制整個局勢。韓勝周（音譯）曾經是反對李承晚的抗議者，他躲過了槍殺他一百多名同伴的子彈，最終在一九九〇年成為內閣部長。他回憶說：「那時我們覺得國家就要垮了。」

在這種情勢下，當時身為陸軍將軍的朴正熙抓住了時機。他在一九六一年五月十六日奪取政權，並迅速展開變革，這些變革後來讓南韓變成一個富裕的國家。朴將軍（即朴總統）無疑是曾經對這個國家有最大影響的人，好壞都有。他的獨裁統治，讓他至今依然是一位頗具爭議性的人物，但是他對韓國經濟方面的貢獻，是不容被忽視的。

朴將軍並不是蘭德作風*的自由市場支持者，實際上，早在他上台以前，曾經因為參與共產組織，差一點遭受處決。他在一九六一年接收政權後，立刻圍捕商人並對他們進行公開的侮辱，比如強迫他們掛著「我是一隻腐敗的豬」的標語牌遊街示眾。但他這麼做並非沒有道理；在一九五〇年代，接近李承晚政府的企業家能夠迅速地增長，因為他們可以用超低的價錢，購買被日本企業遺棄的資產。一家公司一但開始生產某種產品，政府就會阻止海外進口與其競爭的商品，藉由這種貿易保護政策，受惠企業包括現今仍是韓國最大的商業集團——三星。

三星集團創始人李秉喆，是一九五〇年代南韓最成功的企業家，朴將軍發動政變的時候他人在日本。新政權指控李秉喆占有全國不法所得的五分之一，曾經進行非法的政治獻金及逃稅等行為。不知道他是如何被說服回到韓國的，但他一回國就立刻被囚禁。然而，有天賦善於遊說他人的李秉喆找到辦法與朴正熙達成協議，他願意將自己大部分的財富「捐獻」給國家，並

*編按：蘭德（Ayn Rand, 1905-1982），俄裔美國哲學家、小說家，主張個人主義的概念、理性的利己主義，以及徹底自由放任的資本主義。

運用他的影響力來說服其他企業家遵循朴正熙正在規畫的經濟政策。朴正熙接受這個提議，李秉喆也成為韓國產業聯合會（Federation of Korean Industries）的首長，這個組織至今還代表韓國一些最大公司企業的利益。朴正熙的目的在於追求工業發展，以求南韓能比北韓更強壯，並讓國民脫離貧窮。在與李秉喆的談判中，朴正熙領悟到如果這些「貪腐的豬」的組織專長可以按照他想要的方式應用，他們就可以成為達到目標的利器。

朴正熙心裡抱著這個想法，向十八名傑出的企業家提出了他們無法拒絕的協議：參與他的發展計畫或是進監獄。這些企業領導者除了從事麵粉加工業和水泥製造業的大韓企業，以及棉花紡織業的三湖公司創始人以外，還包括李秉喆。他們全部都以逃稅和支付回扣的罪名被處以巨額的罰款，這些罰款再由政府投資到朴正熙選擇的公司開發項目上。朴正熙政府的第一個五年經濟計畫為：一九六二到一九六七年的工業建設，把焦點放在肥料生產、水泥、化學、煉油及紡織等領域，奠定了工業發展的基礎。

在這之後，參加這些計畫的公司逐漸增加，在李承晚執政時期還在念書的金宇中，在一九六七年創辦大宇實業，可能由於他的父親曾經是朴總統的老師，所以能夠加入這些計畫。大宇實業原本是一家紡織企業，但後來為了配合政府的經濟計畫，也開始製造電子產品、汽車和船隻等。其實，金宇中是在違反自己意願下（受到朴正熙逼迫）進入造船業的，但大宇造船海洋工程有限公司目前的年收入超過一百億美元。

雖然這些都是韓國最大的公司，當時他們缺乏進入造船和汽車製造業等資本密集型產業所需的資金。但是，由於那時韓國政府收到許多外來資金，變得相當富裕，這其中除了美國政府所給的貸款以及參加越戰所獲得的報酬之外，還有日本殖民時期對韓國掠劫所做的軟貸款和賠償。於是，政府就可以透過國家銀行提供資金給它偏好的公司，其利率遠低於當時公開市場所提供的二五％到三〇％的利率。一九六四年，韓國銀行所有貸款資金的四〇％僅被九家企業團體分用。

由於政府和商業的關係密切，貪腐的情況還是存在。當時在貸款時支付高層官員回扣是很普遍的事，這些回扣有時高達貸款的一〇％。因此，身為總統幕僚長的李厚洛能夠聚斂傳說高達四千萬美元的非法財富。優秀的政治人物與經濟菁英之間形成一種互惠關係：公司企業獲得低利率的貸款後可以擴展，而官員們則拿到他們的佣金。當時的激勵機制都是讓公司企業盡量借款，然後用借來的資金進行擴展。整個一九六〇年代，兩百名以上員工的韓國製造廠商平均所持的資本結構，當中有一七・三％的資產淨值，以及八二・七％的負債。

儘管如此，朴總統本人並沒有貪腐，他強大的領導能力及清廉正直的為人，確保了整個體系沒有陷入混亂和崩潰。此外，他所激勵的一項重要改變，引導韓國企業發展到世界一流的地步。在一九五〇年代，韓國的大型企業都在從事取代進口商品的事業，這段時期，韓國政府禁止進口貨物，並允許國內廠商製造被管制的貨品（通常效力非常差），然後在國內市場銷售。朴總統所做的轉變是指示這些公司也要進行出口，因此韓國的企業也必須學會在國際舞台上競爭。韓國政府依然維持高額的進口關稅，以確保韓國製造的產品在國內保有優勢，在國外可以與人競爭，培植三星、樂喜金星（簡稱樂金或ＬＧ）等集團成為高效率的企業。

並非所有政府扶持的企業都能成功，雖然韓國經濟奇蹟的確是國家與產業合作的結果，但是仍有失敗或破產的可能。尤其是在早期，破產可能比想像中來得更容易。開豐企業曾經是一九六〇年代韓國五大企業之一，但到了七〇年代中期就銷聲匿跡；東明公司在七〇年代早期曾經是全世界最大的膠合板銷售商，也在八〇年代倒閉。但從八〇年代開始，韓國一些名列前茅的大公司變得比較平穩。一九八三到二〇〇〇年間只有兩家企業集團失去原本在前十名的地位，整體來說，這可能是因為目前韓國大型的公司企業及韓國整體經濟都比較穩定，也可能是因為現在的政府干涉較少。

在朴正熙指揮下發展的龐大企業集團，被稱為大企業集團或是財閥。韓國「財閥」這詞彙源自中文，專指「金融集團」。韓國財閥的模式是由十九世紀日本明治時期的財閥集團垂直整合而成，差別在於韓國財閥更為集中化，並且不能擁有銀行。由國家控制銀行，等於是讓朴總統掌控財政大權。

從韓國消費者的角度來看，樂天集團（Lotte）可能是最無所不在的財閥，該集團在一九四八年由居住於日本的韓國人辛格浩創立，在一九六七年，樂天以糖果點心事業進入韓國，這是在受朴總統所賜而擴展之前。我們今天還是可以買到樂天巧克力棒，實際上，樂天集團是韓國巧克力、餅乾及其他零食的主要製造商，人們可以在許多大型的樂天百貨公司內買到它製造的巧克力；分布在樂天百貨公司或是樂天戲院內的安琦麗諾（Angel-in-us）咖啡店和儂特利（Lotteria）速食餐廳，這兩家商店也都屬於樂天集團。人們可能住在樂天大廈，並購買樂天保險來為住家投保，也可以去樂天瑪特（LotteMart）購物。樂天集團有超過六十家子公司，僱用超過六萬名員工，其中還包括一家信用卡公司，但沒有跨業銀行。

財閥的運作方式

當時南韓財閥形式下的資本主義，與辭典中資本主義的含意有很大的差異，至今依然有些不同。不僅那時的產業受到國家指揮，財閥團體也因為受到儒家文化影響而具有嚴格的階層化及官僚化。公司必須對待員工如子女，員工則必須將公司的老闆或董事長當作父親般看待，並絕對效忠。這是一種讓人聯想到儒學中父子關係的家長式管理制度。這些公司會在員工生日或是國定節日時贈送禮物或禮金，如同父母對待子女一般。當員工的近親家屬去世時，公司也會在喪葬費用上表達心意。這些財閥的領導權也是由家族掌控。那些企業或公司老闆的兒子們會迅速升遷，然後接管一家子公司，成果最好的最終即可繼承父親在整個集團的董事地位，現今主要的財閥都是由創始人的子孫或是姻親所經營。從這方面來看，無怪乎外國記者經常開玩笑地將這些財閥與北韓做比較，這個自稱為社會主義的國家，目前正由第三代的君主統治。

從一九六〇年代開始，財閥所給的工資偏低，也不允許成立工會。那時，大家的共識是「同舟共濟」，每個人為國家經濟發展這個共同目標而努力。政府常以宣傳標語勉勵人民努力工作，以達到既定的出口目標。財閥老闆通常只擁有自己公司企業中很小的一部分，其他大部分都屬於銀行或是國家。為了保護國內的新興企業，某些重要產業的進口關稅仍舊很高。

韓國的經濟被這些章魚式企業（每家企業都有許多子公司）掌控到這般地步，以至於資本主義強調的競爭力，在韓國國內市場完全不存在。這些財閥必須具有國際規模的競爭力，他們在這方面完成了壯舉。但是，如果你是那時的韓國消費者，在市場上通常只有這些財閥製造的產品可以選購，而它們往往是從別處抄襲而來、違反智慧財產權的產品。

此外，這些受到政府支持的公司握有強大的權力，也意味著南韓缺乏創業文化。對於一名有才能的年輕人來說，最具吸引力的工作除了醫生、律師外，大概就是公職，或是在三星電子、現代汽車等大公司，謀個初階職位。要出現一位真正白手起家的「韓國版比爾蓋茲」，可能性幾乎等於零，即使是當今，只要你觀察韓國最大企業的韓國綜合股價指數（Kospi-100 index，相當於美國道瓊或英國富時〔FTSE〕指數），就會發現這些企業中絕大多數還是財閥。三星集團是這其中最大的企業，在出口方面占南韓全國的二〇%。

在韓國年收入得以達到一兆韓圓（大約九億美元）的非財閥企業不超過十家，這些都是以科技和網路為主的公司，包括數位電視機上盒製造商Humax、naver.com搜尋引擎公司ＮＨＮ，以及網路遊戲公司NCSoft等。事實證明，網際網路是個特別公平的競爭平台，因為它提供一個商業領域，據一位年輕企業家指出，在這個商業領域中「某個拿著智慧手機的孩子」與財閥相比，並不一定處於劣勢。

不應該與財閥競爭，仍是韓國人普遍存在的想法。如今這些財閥已不再受到政府的財務支援，但由於過去的優勢所帶來的龐大規模，使得與它們對抗成為一種相當愚蠢的嘗試。對於有雄心壯志的創業者來說，他的目標應該是將自家產品賣給財閥或是另尋藍海（一片尚未被探索及開拓的領域），就像NCSoft和ＮＨＮ所做的方式。如果沒有辦法做到這點，就可以往國際市場所提供的機會走，例如：首爾大學工程科學系的一群學生，在酒吧內進行一段腦力激盪談話後，共同創立Humax這家公司，它們的產品主要銷售到海外，因而加入了兆圓俱樂部。

現代集團創始人：鄭周永

朴正熙當年大大獎勵能如期實現他的期望的公司，例如，那些能在設定的時間及預算內興建指定的道路、醫院或是橋梁的公司。據了解內幕的人士指出，在這方面最成功的就是李秉喆帶領的三星集團、鄭周永領導的現代集團，這兩家公司迄今仍是最具優勢的財閥。這些公司原本就比較有生產力，加上政府大力獎勵，讓它們在一開始就領先一步。

現今的商學院學生或許都了解三星集團，但對現代集團創始人鄭周永的故事所知不多。鄭周永生於江原道省通州（現屬北韓）的農村貧戶，他有不屈不饒、堅定不移的信念及決心，在這些方面足以為年輕人的典範。他的故事可以說就是南韓的故事：他白手起家，憑自己的能力克服所有困難，並接受世界級的挑戰，但還是有得到朴正熙的協助，他們兩位因為對國家發展有共同信念而結下深厚的情誼。他英文版及韓文版的自傳可在網上免費閱讀，相當值得推薦給任何對南韓發展有興趣的人士。

據朴正熙當時的顧問金東進描述，鄭周永絕對說到做到。朴正熙常會在建國會議中詳述某個複雜的大工程，然後問鄭周永：「你可以做到嗎？」鄭周永總是回答：「可以，我當然可以做到。」之後金東進就會問鄭周永：「你真的了解總統要你做什麼嗎？」鄭周永會回答：「不了解，但我還是肯定可以做到。」這個答覆可以解釋南韓能在戰後迅速復原及發展的原因。這可能與佛教中克服及拒絕接受個人命運的教義有關，也可能與儒家思想中的榮譽和不斷接受挑戰有關。

金東進講述鄭周永另一個相當耐人尋味的故事，金東進在一次訪問中反問：「你想他為什麼在自己的蔚山造船廠建造了六、七、八個乾塢，而別家造船廠卻只有一、兩個乾塢？」這不是因為鄭周永認為自己需要這些乾塢，而是因為朴總統非常重視造船業，所以他總是給鄭周永更多資金來建造更多乾塢，即使不需要也要建造。鄭周永當然想把這些錢用在別的地方，於是他學會如何以最便宜的方式來建造乾塢，然後把剩下的資金用在實際的工程上。

這些故事透露出鄭周永的個性，但也揭露了政府強令財閥發展所引起的一些負面情況。試想一下，如果是在你的國家，一位擁有特權的人士收到政府提供的資金，卻不把這些資金運用在原本承諾的項目上。這不但聽起來很離譜，也可能引發醜聞和令一些官員被革職。

但鄭周永還是有足夠的能力，將這些資源發揮到極致。如今，現代公司在全球僱用的員工高達數十萬。他的企業與三星、樂金及樂天等企業，至少是創造南韓都市化的重要推手，因為它們吸引鄉村的農業勞動者到城市來。在一九六〇年，首爾的人口約為二百四十萬人，如今則成為全球數一數二的超級城市之一，在市區範圍內居住著一千萬人，而居住在都會區的人口則高達二千四百萬人，幾乎占全國人口的一半。這些財閥改變了城市景觀以及人們的生活方式，現在有些城市甚至屬於財閥，例如：為了現代集團員工居住及工作所發展的蔚山廣域市，目前的居住人口超過了一百萬。

在一九六〇和七〇年代期間，韓國政府與財閥所制定的協議只適合那個階段。切合該時代的運作系統，並不適用在眼前這種大型和現代的經濟，儘管有一些利弊得失，但還是讓南韓在經濟成長方面，交出漂亮的成績單。擺脫了貧窮後，韓國在一九六四年的外銷出口為一億美元，到一九七七年則增加到一百億美元，在同一時期的ＧＤＰ則由一百二十美元上升到一千零四十美元。這種協議絕對具有偏袒性，並且按金東進的說法，「容易導致一定程度的貪腐」，但那也是該時代很務實的解決問題方式，它結合當權者的權力與企業利潤激勵辦法，然後運用儒家思想，激勵每個員工為公司、為董事長努力工作，而這些董事長們再為朴正熙總統效勞。

朴正熙之後

自一九六〇和七〇年代之後有多少改變呢？以法律的角度來看，幾乎所有的事物都改變了。軍事獨裁者全斗煥在八〇年代採取了經濟自由化政策，在韓國經濟企畫院（幾乎完全被朴正熙忽視）中一群接受過美國訓練的新自由主義顧問，對當時的經濟政策有重大的影響力。他們屏棄了朴正熙政府那種定量化目標（例如產品出口到達多少美元的目標），開始降低進口關稅，並將銀行股份出售給民間投資團體。

但是，全斗煥並非完全不干涉任何事務，他至少會為了私人的目標而努力。據《紐約時報》（一九九八年三月二十五日）指出，在一九八四年屬於韓國前十大財閥之一的三湖企業董事長趙崩谷（音譯），在別人勸說他送給全斗煥一座高爾夫球場或是旅館後，拒絕支付超出七十萬美元以上的賄賂費用。於是，全斗煥便把三湖企業交給它的競爭對手大林產業（與全斗煥有良好的關係）作為報復，並沒收他個人財產，最後這位董事長只好逃離韓國。

一九九七年亞洲金融危機爆發後，韓國僅在一年內就有二十五家財閥破產，包括汽車製造商起亞公司（後來被現代汽車併購）。韓國的經濟危機主要是數十年來企業借貸成癮造成的結果，這種情況從一九六〇年代就可見端倪，最終走到絕境。曾經占南韓ＧＤＰ一〇％的大宇實業，也在一九九九年因嚴重負債而倒閉，儘管創始人金宇中曾經以做假帳的方式盡力維持公司的營運，還是落得倒閉的下場。在一九九八年一月上台執政的金大中總統，大力推行改革，並制定法令以改善公司治理、保護少數股東權利，以及打擊政客與財閥之間的貪腐。

近年來，韓國仍持續降低進口關稅及貿易保護政策的法律限制，尤其是針對那些與韓國已經簽署自由貿易協定的國家。這表示那些財閥現在必須在自家的後院與外國公司競爭，例如，二〇一〇年蘋果公司在韓國銷售了大約二百萬支iPhone，儘管三星電子也製造了非常類似的產品。但值得慶幸的是，三星電子推出的Galaxy S型手機具有強大的競爭力，獲得全球消費者的肯定，遠遠彌補了蘋果公司登陸韓國時對它所造成的損失。

儘管南韓採取經濟自由化，儒家思想也逐漸式微，在法律上也有一些變革，但韓國財閥的董事長們在國內還是很吃得開，例如三星、現代、樂天及樂金等集團，仍掌握眾多資金、政治影響力，並且有能力支配媒體，以致他們依然擁有強大的權力。它們在這些產業中的優勢也絲毫無損；南韓證券交易所上市的前五十名公司中，只有三個不是財閥（或是前身為國有企業），這其中包括ＮＨＮ、NCSoft以及新韓銀行（一九八二年由日本朝鮮族在南韓重組設立的一家歷史悠久的銀行）。

這些財閥經常利用它們具優勢的市場勢力來壓榨供應商和消費者，將產品銷售給財閥的小公司埋怨，這些財閥會直接告訴他們應該出售的價格，這些價格無疑能讓這些供應商生存，但利潤不足以讓他們擴展。在針對顧客方面，這些財閥操縱價格如同加上一種額外的銷售稅，由於消費產品的市場僅由少數幾家公司支配，很容易發生商家相互勾結的情形，二〇一二年一月，三星電子與樂金電子因長期合作哄抬電腦及家電產品價格，而被處以罰款，可惜的是，總罰款約四千兩百萬美元，僅占它們非法獲利中的一小部分而已。

那個舊時代的運作系統所遺留下來的餘毒，大概就是那些財閥的董事長們做任何事幾乎都不會受到懲罰的特權。在遇到如光復節（八月十五日）這種節日時，南韓都會有總統特赦的慣例，本著寬恕的精神，數以千計被定的刑責（通常是違反交通罪行）會被註銷。在特赦中也大多會寬恕財閥董事長的行賄、逃稅，甚至暴力犯罪。韓華集團的金升淵曾經因為兒子遭受攻擊而報仇，被判定犯下綁架並以鐵棒毆打酒店工作人員（一群打手在旁協助）的罪刑。他在二〇〇八年獲得特赦，在同一時間被寬恕的還有ＳＫ集團的崔泰源，他因為做了高達十億美元假帳而被定罪。

赦免這些人的理由總是說韓國經濟需要他們，或是負面形象對韓國企業在國際競爭上有不良的影響。然而，改善韓國企業形象的最佳辦法，當然是讓這些犯罪的人服滿刑期，進而嚇阻犯罪行為。近年來南韓在經濟、民主以及採用規則支配社會方面已有長足的改進，但全球許多投資人似乎並沒有發覺到這些進步，部分原因在於這種對企業犯罪者特赦的作法，會讓人認為該國社會不公正。

希望這種文化在未來有所改變，韓國社會也在鼓勵年輕人創業方面做更多努力。沒有人希望看到如三星電子（南韓的旗艦廠商，並以半導體、手機、電腦製造領域領先全球，為韓國最大的出口創匯企業）這樣的集團衰退，但一個先進的經濟體，必須廣納意見，有更自由、更多的競爭，並且有更強的創造力，最重要的是，讓那些有才能的人有機會創立可接受世界市場挑戰的企業。

一般來說，韓國當今的財閥企業都是製造全球性產品的高效能公司，例如：三星電視、現代汽車、樂金電冰箱等。長期來看，南韓必須找到方法來鼓勵新一代創業者，讓他們加入當今的新興行業，而不是向強大的勢力鞠躬行禮。

6 民主：超越亞洲的價值

「漢江奇蹟」被用來描述南韓自一九六〇年代起沸騰的經濟發展。但這個國家實際上做到了兩個奇蹟，第二個奇蹟指的是，過去四分之一世紀所進行的政治轉型。據「經濟學人智庫」（Economist Intelligence Unit）指出，南韓在很短的時間內，就從軍事獨裁轉變為在全球民主指數排名第二十的國家，並在亞洲國家中名列第一。

南韓從未獲得它應得的榮耀，因為北韓問題、中國成長以及日本文化勢力奪取了它的光彩。但是，在政治層面上，這個國家正在成為亞洲的模範。在這個地區有一些國家具有成功的經濟體，卻有專制的政體，如新加坡和中國。只有日本可以在民主發展方面與南韓媲美，但是在日本自由和公平的選舉下，掩飾了一個僵化且很難真正改革的官僚系統。

在一九九〇年代一場針對所謂的亞洲價值的辯論中，當時的新加坡總理李光耀表示，民主是一種西方觀念，並不適合在儒學影響下、專制文化中成長的亞洲人。亞洲價值這個概念來自新加坡的李光耀，以及馬來西亞首相馬哈地・穆罕默德。對馬來西亞來說，這個概念在那時被視為團結華人與馬來伊斯蘭教徒的辦法，也是持續一黨執政的理由。長期推動民主運動並在後來成為南韓總統的金大中，是他們在這個辯論中的對手之一，他立即回應說：「文化不是我們的命運，民主才是。」

在看到亞洲普遍缺乏民主現象之後，我們再提出南韓為何這麼堅決地擁抱民主這個問題，就顯得十分恰當。而存在於韓國民族性及歷史中的一些因素，或許可以為我們提供一些答案，包括韓國人對教育的渴望。韓國諺文字母的發明，不僅大幅提升全民的識字能力，也賦予一般人民表達反抗的機會，以及展現該國人民特有的、強烈的民族傳統。

教育機會及識字能力

南韓建國以後，大力推廣全民教育，在一九四五年，該國只有五％的人口接受過中學及高等教育，但到了一九九〇年代超過了九〇％。歷屆政府將教育視為國家發展的必備條件，並遵循教育平等政策，大幅增加全國學校數量，而家長們也都非常支持。韓國社會在某些方面相當菁英化，長久以來非常重視商場和政治上的「人脈關係」。但這個社會也鄙視無知，因此十分重視一般民眾的識字能力和基本知識。

韓國對於學習的重視當然可以歸功於儒家思想，但在識字能力方面還有一位創造韓國文字的英雄。在朝鮮時代早期，世宗大王（一四一八—一四五〇年在位）下令創造諺文字母，是韓國歷史上最能促進社會平等的政策之一。世宗被尊為韓國最偉大的君王之一，建立許多豐功偉業，消除文盲是其中最重要的功績。

外國遊客對於韓文是那麼易於學習感到訝異，而原因在於世宗那時特意將它設計得簡單易懂。在諺文發明之前，韓國人原本使用漢字，這些字又多又複雜，只有屬於兩班貴族、不須花很多時間從事勞力生產的那些「文人君子」，才有時間充分學習。世宗違反許多菁英的意願，創造一套一般百姓容易學習的識字及書寫系統。他請學者創造的字母極為簡易，當時有句話說：「聰穎的人一個早上就可以學成，愚昧的人在十天內也可以學會。」

諺文產生的影響相當大，以致後來的燕山君在人們使用這些文字反抗他的時候，曾經下令禁用，但難以真正禁絕。後來，使用諺文來撰寫宗教文獻，對基督教的傳播幫助很大，這個宗教宣稱，在上帝眼裡所有人都是平等的，這與儒家思想強調每個人都必須知道自己應屬的位置（本分），有很大的差別。如今，在韓國幾乎沒有文盲。韓國與一些國家不同的地方在於，該國所有對政治有興趣的人都有表達自己觀點的權力。此外，他們也從開放的教育制度中受惠，該制度不但提供他們基本的公民教育常識，也讓他們學到如政治理論、政治歷史以及公共行政等的知識。

抗議的文化

韓國有個相當活躍的抗議傳統，有時可能會有些過火，就像仁川的農民為了反對在該地區設立軍事基地，於二〇〇七年五月在國防部外面將一隻活豬五馬分屍。不過，尚且將這種過度行為放在一旁不談，在與亞洲大多數的國家相較之下，韓國人民在表達他們看法方面的確還是比較開放、強烈、喧鬧，人數也更多。曾經擔任人權律師的首爾市長朴元淳，也是韓國第一家慈善二手連鎖店「美麗商店」的創始人。他很驕傲地指出，以前對君王不滿的學者們會不顧後果地加入所謂的「斧頭抗議」，如此稱呼是因為參與這種抗議的人士，他們的頭保證會被斧頭砍下來。他指出，「你看，中國示威者在天安門事件之後，他們就放棄了……韓國的民主運動人士會持續下去……」直到軍政府豎起白旗。

美國作家歐魯克（P. J. O'Rourke）在一九八七年到韓國採訪民主運動，他在親眼目睹許多抗議事件之後，對於韓國抗議者的堅持和毅力表示震驚。他在〈首爾兄弟〉（Seoul Brothers）這篇文章中描述，在九老區辦公大樓暴動期間，警察「發射一波又一波的催淚彈，一次二十顆，扔進五樓窗戶……這些學生在混亂中依然佇立，就已經證明了他們的韓國性格，但他們不只是站立堅持，還打得像一群英雄好漢。」

即使到了今天，這種傳統還是像以往那麼的強烈。儘管南韓人民現在必須起而抗議的事情比較少，如今在光化門或是汝矣島（分別為政府行政單位及國會議事堂所在地）還是可以看見抗議的人們。從工會會員到反北韓的退伍老兵，他們會傾巢而出，手裡舉著標語，高喊口號，並且唱著不搭調的歡樂歌曲。雖然許多人會抱怨這種抗議文化，南韓這個年輕的民主國家所具備的特色在於，它慓悍的國民會讓任何執政者了解，他們不可能為所欲為而不受懲罰。

朝鮮後期的叛亂者

韓國朝鮮王朝早期在人們心中的印象，猶如「清晨般寧靜的大地」，但到了十九世紀，這片土地卻起了變化。各個強勢的家族與宮廷臣子間的內鬥不斷，致使朝廷不安穩且相當脆弱。後來，朝廷變得更加衰弱也產生分裂，一般百姓對於嚴酷的等級制度產生反感。歐洲大陸在經歷變革的這段時期，韓國也正面臨不斷湧現的農民起義，起因除了賦稅過重以外，也包括他們對兩班貴族靠農民勞力過富裕生活的廣泛抵制。

朝鮮王朝平安道（今屬北韓）的貧苦青年洪景來，據傳可能出身於「沒落兩班」或只是一名普通士兵，他早在一八一一年組織了一支農民軍隊，並且占領了北部許多地區。朝鮮王朝的軍力一直到隔年四月才殺了洪景來並擊潰他的義軍，但此時全國各地已受到他的鼓舞而興起了類似的運動。一八六二年，慶尚道晉州一位學者柳繼春領導農民起義，反抗當時對該地區有管轄權的軍事將領白樂莘，白樂莘靠著腐敗的文官協助，不斷吞沒農民收入。這些起義者放火燒毀官府，並殺害地方官員。朝廷當局被迫修改軍事、土地以及糧食政策，以降低地方官吏的舞弊行為。

到了該世紀末期，全國各地都出現類似的小規模起義，其中包括全羅道、慶尚道、濟州、咸鏡道以及平安道這些省分。隨之而來的是一八九四年的東學農民運動，東學意指「向東方學習」，是一八六〇年代由崔濟愚傳布的一種本土性宗教形成運動。崔濟愚傳播的是一種綜合儒學與佛教的哲學，並加入當今或許可稱作民主社會主義的元素；他提倡人人平等、民主以及人權。這種主義與歐洲社會主義不同的地方在於，它與政治理論無關。崔濟愚相信神的存在，也就是一種完美的狀態，但這是一種每個人都具有的特性，而不是在某個不屬於人間的境界。既然所有人都擁有這個特質，那麼所有男女都應該平等，不論他們是農民或是兩班貴族。此外，崔濟愚也極具民族主義，並且排外。那時基督教在亞洲的擴展令他擔憂，於是他想要限制外來的影響，以抵制這個西方宗教的入侵。

崔濟愚的哲學並非沒有矛盾，但他提倡的運動受到農民歡迎，為他們帶來希望。雖然崔濟愚在一八六四年被逮捕後遭受處決，東學教在繼承者崔時亨的努力下，以地下組織的方式繼續發展。到了一八九二年，東學教的信徒分別組成游擊隊，並開始針對商人、地主、政府官員及外國人等進行突擊，強奪他們的財產後分發給貧民。

一八九四年的前半年，這個大多由農民組成的部隊勢力逐漸強大，同年五月，東學教控制了西南部這個原本就具有叛亂歷史的全羅道首府全州，主要是受到當地貪官汙吏的作為所激起。他們也開始向首爾前進，一路擊潰國家的駐軍，並將主要目標制定為：「行軍到首爾並肅清政府」。

由於朝鮮王朝本身過於脆弱，無法制伏這些叛軍，王朝中的一個小派系便向中國求援。當時的清廷派遣三千名清兵進入朝鮮，阻止東學軍隊前進，讓雙方停火談判。但日本在這之前就已經在韓國施展過它的勢力，並懷有併吞的意圖。日本對於中國清兵踏入朝鮮感到憤怒，於是派遣八千名日本兵入侵韓國作為報復，他們侵占王宮，並將朝廷高層官員換成親日人士。這導致了中國與日本之間的對峙，繼而成為一八九四到一八九五年中日甲午戰爭的導火線。

到了一八九四年十月，東學軍隊又開始從全羅道基地向北往首爾進軍，但在公州市（距離首爾約八十英里）附近的牛禁峙與日本軍隊交戰。日本軍隊擁有大砲，與東學教的民兵相比占了很大優勢，這些民兵只有劍、弓箭和少許的火槍。東學教的民兵在一八九四年十一月十日被徹底擊潰。

然而，東學教民兵的反抗並非完全徒勞無功。那時受到日本影響的朝鮮王朝開始進行甲午改革（一八九四—一八九六年），包括：廢除等級制度、必須以沿才授職的方式任用政府官員，以及允許寡婦再婚等等。東學教對於這些改革的影響程度仍是個具爭議性的問題，但它對這些改革是絕對有貢獻的。

一九〇五年，東學教的第三任教主孫秉熙，將東學教發展成一個正規的宗教，並改名為天道教。孫秉熙後來因為參與一九一九年一月獨立宣言起草運動，而成為韓國人民心目中的英雄。天道教在思想文化上比東學教更多元，因為它在東學教固有的傳統文化上又多加了基督教文化，但它的核心還是主張所有人類都是平等的。這個宗教至今依然存在，據說大約有一百萬名信徒。韓國的宗教是相互融合的，而天道教可能是韓國所有宗教中最融合的宗教。

南韓早期政權：李承晚獨裁式民主

在一九四五年日本帝國戰敗後，韓國終於重獲獨立。但是，到了一九四八年，該國又面臨國土的分裂，分成親蘇聯的北韓及親美的南韓。這兩個最終形成的南、北政權，都屬於專制主義，但各有不同的作風。在北部，由史達林協助的金日成，在各方面都採取獨裁統治。該政權不但從不允許任何異議，而且除了金氏家族以外，沒有人可以建立任何民間政治團體。在南部，一九四八年以前一直受到美國軍方管轄的南韓，設立了民主機構並舉行選舉，那時採取獨裁統治的總統必須維持民主的表象。在南韓專制統治時期最黑暗的日子裡，一直會有堅決且眾所周知的反對人士存在，在民主時代當選總統的金泳三和金大中，原本都是反對黨的領導人。

身為皇室李氏家族後裔的李承晚，曾經在一九一九到一九二五年間擔任在上海成立的大韓民國臨時政府的臨時總統。在戰後初期，他是幾位南韓領導者候選人中最具優勢的一位。擁有哈佛大學學位的李承晚，也非常憎恨共產主義，這些都是美國軍政府選擇支持他的原因。一九四八年五月，他在聯合國監督下進行的韓國國會議員選舉中贏得一席，國會之後又選他擔任這個新共和國的第一任總統。李承晚在同年八月十五日的交接儀式中，正式從美國軍方獲得了行政權力。

在一九四八年由韓國公民選舉產生的國會，制定並通過了新憲法，結合美國的行政體系（行政權、立法權與司法權三權分立，並將行政權賦予總統，雖然總統是由國會選出而不是由人民直選）與一院制的立法機構，該機構有一名內閣首長與國務總理，被稱為韓國國會（National Assembly），是由韓國公民行使他們的普選權選舉產生。這個體系對韓國人民來說是新的接觸；他們不是在君主專制下成長，就是受到日本總督的統治。然而，這個民主開放初期與日本撤出韓國所留下的缺口，引發韓國人民的政治覺醒。在一九四七年國會選舉之前，總共出現三百四十多個登記的政黨。

儘管如此，李承晚還是破壞了南韓當時尚未經過考驗的民主體系，實際上以獨裁方式統治南韓。他在一九四八年頒布的「國家保安法」中，將對於共產主義或是北韓的讚揚視為非法，但他也利用這個法令來處決、監禁或威嚇他的對立者。到了一九四九年，因為這條新法令而遭受逮捕的人數高達三萬人。北韓在一九五〇年六月二十五日發動入侵南韓，導致發生韓戰（一九五〇到五三年間），讓反共主義深植南韓人民心中，成為南韓的明確意識型態。李承晚的軍隊也曾經在濟州島上，以反共主義的名義肆意屠殺數以千計的人民，其中包括婦女與兒童。除了李承晚以外，後來的朴正熙及全斗煥總統，都曾經利用共產主義的威脅為理由，來打壓政治對立者。

一九五二年，李承晚提出從原本的國會選舉總統改由全民投票選舉總統的提案，但國會議員以一百四十三票對十九票否決了他的提案，到了他四年任期快滿的時候，連任的機會相當渺茫，於是他宣布戒嚴令，並處決那些不支持他的人作為威脅。當然，他的提案接著就通過了。他在一九五四年重施故技，廢除總統連任的限制，打算讓自己能夠終身擔任總統一職。

整個一九五〇年代，李承晚的自由黨透過買票以及僱用打手脅迫選民的方式，連續贏得國會選舉。這些活動的資金都是經由貪腐的手段獲得，任何希望事業興隆的商人都必須賄賂他的自由黨。在經過殖民時期和韓戰的混亂，李承晚鞏固了他的獨裁政權。但韓國的國會體系必須拉攏美國，因為南韓的預算大多來自美國的金援，一方面必須迫使他扮演一位半民主人士，一方面准許反對黨的存在，儘管這些政黨的數量相當稀少。

李承晚的對手必須付出極大的代價。一九四九年，總統參選人金九（他因長期抗日而被譽為英雄）被安斗熙這位軍官暗殺，安斗熙在法庭上表示這是他個人的行為，但事實上他只服刑一年，出獄後又重返軍隊，並被升為上校，這顯示他是奉命行事，而許多人懷疑這是李承晚的手下金昌龍下的命令。

一九五〇年代中後期，身為李承晚政治對手的曹奉岩則是另一位犧牲者。雖然李承晚需要一位政治對手來維持他身為民主政治人物的幌子，但曹奉岩受到太多人民愛戴；他在一九五六年的總統選舉中，以提倡歐洲式的社會民主為政見，獲得了三〇%的選票。他在一九五八年因涉嫌與北韓同盟而接受審判，雖然被判無罪，但後來司法受到政府施壓，在二度受審時判他有罪，然後在一九五九年將他處決。

盼不到的民主：朴正熙和四月革命

李承晚的統治後來沒有持續太久（一九四八－一九六〇年），在一九六〇年三月的總統選舉中明顯作票，引發學生們的抗議。在南韓南部馬山市的一場示威遊行後，一位名叫金宙悅（音譯）的年輕抗議者，被發現頭顱被手榴彈擊中而死亡。這個事件震驚了全國，並成為四月革命的導火線。同年四月十九日，學生們從高麗大學步行到總統府青瓦台，軍人向這些學生開槍，造成兩百人死亡。之後示威的陣容擴大，到了四月二十五日，警察和軍人開始違抗開槍的命令。李承晚最後被迫流亡美國夏威夷，並在五年之後過世。

但是，獨裁政權的時代並沒有就此結束，南韓在透過民選的張勉總理執政下，享受到短暫的民主，到了一九六一年五月，朴正熙將軍發動政變，奪下政權。朴正熙和李承晚一樣受到美國的約束；甘迺迪政府對他施加壓力，要他放棄軍方職位，做一位無軍職的領導者。他遵照之後，在一九六三年贏得了第一次參選的總統職位。據信，這是一次公平的選舉，後來因為經濟政策十分成功，一九六七年他以些微的差距再度獲選。

一九六九年，朴正熙施壓國會修憲，讓他自己得以繼續第三任期。但此時，他的聲望已開始下降，即使在選舉舞弊下，在一九七一年的總統選舉中，他僅以八％的差距險勝對手金大中，他們的得票率分別為五三％及四五％。朴正熙無疑是害怕喪失控制權，於是決定在一九七二年十月暫停憲法、解散國會，並宣布戒嚴令。接著，他又頒布了「維新憲法」，該憲法理論上賦予總統六年一任且不限次數的任期，以一個支持他的選舉人團來代替總統民選，並授予總統具有委派國會中三分之一議員的權力，以確保自己在國會中擁有絕大多數席位的支持。這些改革藉由一種作票式的全民公投通過。

面對這樣的情況，民間開始醞釀一種抗議運動，尤其是在優秀的首爾國立大學、高麗大學以及延世大學的學生們之間。據曾經身為抗議者的現任首爾市長朴元淳表示，那些反政權的學生們組成了許多小組織和「地下組織」，並使用複雜的暗語系統與其他相似的小組彼此傳達訊息，以安排一些快閃式的抗議，他們在這些抗議中表達自己的觀點後，迅速解散，各自脫身。在一九七四到七五年期間，朴正熙特別針對學生頒布了一連串極具壓迫性的命令。這其中包括：批評維新憲法被定為違法、軍隊有進入大學的權力，以及禁止學生參與政治活動等等。那些被發現參與政治活動的人（例如朴元淳），都被關進監獄並被退學。那時在韓國大學就讀或是工作的人們都會提到，他們開始習慣催淚瓦斯的氣味，以及坦克車在學校大門的景象。

朴正熙並不像李承晚，被學生逼迫下台。他是在一九七九年十月二十六日的一場宴會酒席中，被南韓中央情報部部長金載圭槍殺身亡，金部長是他信任的戰友，也是前陸軍士官學校的同學。金載圭的槍殺行動是否經過計畫，至今仍有爭議，有些人認為這是由於當時朴正熙和總統警衛室室長車智澈批評金載圭缺乏鎮壓抗議者的意願，金載圭未經思考，立即做出的反應。另一些人認為這是一個企圖終結南韓獨裁政權的預謀行動。二〇一一年，金載圭被逮捕後，在軍事監獄與他律師談話的錄音帶曝光，這段談話顯示金載圭策畫這場暗殺已經有一段時間，原因在於，自從維新憲法頒布後，他對朴正熙感到非常失望。

從獨裁統治到民主

金載圭在最後將他判處死刑的審判中聲明，他槍殺朴正熙「是為了這個國家的民主」。如果實行民主是他的意圖，他會對接下來的局勢感到失望。朴正熙被暗殺後，總理崔圭夏成為代理總統。但是，全斗煥這位頗具野心和投機的軍官，利用手段將自己放在一個能掌控實權的位置。他強制南韓中央情報部中大多數的高級官員每天向他報到兩次，讓他實際掌控情報，接著在一九七九年十二月，藉由一心會這個由他領導的祕密菁英軍官團隊的協助，開始發動政變，在未獲得崔圭夏的批准下逮捕陸軍參謀總長。一九八〇年初，他將自己擢升到中將職位，並正式接管南韓中央情報部。他在同年五月宣布戒嚴令，六月解散國會，並在整個過程中成為國家實際的領導人。崔圭夏辭職後，全斗煥利用選舉人團的辦法，在同年九月一日宣布自己成為南韓總統，並提出一個新憲法來代替朴正熙的憲法，這個憲法雖然不如舊的憲法一般專制，但還是賦予全斗煥廣泛的權力。

由於缺乏任何合法性，全斗煥主要是透過暴力來維持他的統治。他在一九八〇年五月宣布的戒嚴令，引起全羅道最大的城市光州市的居民群起抗議，全斗煥派軍隊到該市屠殺了數百名市民。在這之後，他試圖掌控局勢的方式就比較狡猾。他透過「3S政策」——「色情」（sex）、「銀幕」（screen）和「體育」（sports）——降低電影中色情的審查標準、將全國電視節目變成彩色，並試著將全國人民的焦點轉向在一九八八年舉行的首爾奧運會。全斗煥與朴正熙不同的是，他極為腐敗，並私吞了數億美元。光州事件以及他的貪汙，導致他成為韓國人民最痛恨的總統。在筆者所進行的一次訪談中，一位商人將朴正熙描述為「我們曾經有過最好的領導者」，在提到全斗煥時，就直接用「那個混蛋」來形容。

全斗煥的政黨在一九八五年韓國國會選舉中只獲得三五％的選票，卻自稱得到國會中絕大多數的席位。如此公然舞弊的選舉更激起韓國人民對於真正民主的訴求，而且後來顯示，全斗煥雖然按照憲法只給自己一任七年的總統任期，實際上卻是想要將權力交給內定的接班人，也就是同屬一心會成員的盧泰愚，而不想在一九八七年舉行公平的總統選舉。於是，這段期間對於全斗煥統治的反抗活動開始擴大。全斗煥能夠處理大學生們持續的示威，但是當教會成員和一般勞工也加入學生的陣容時，情勢就開始逆轉了。

一九八七年五月，學生運動青年朴忠哲（音譯）在四個月前被虐待致死的事實被揭發。這件事激起了民憤，到了同年六月，反對全斗煥統治的示威人數高達上百萬人。六月十九日，全斗煥下令動員軍隊，但三小時後卻改變心意。六月二十九日，全斗煥的門生盧泰愚提出一個歷史性的宣告，表示將採用公平自由的選舉並制定新的憲法。如同朴元淳所說：「他們兩個（全斗煥和盧泰愚）所做的最大貢獻，就是知道他們的時間到了。」民主的承諾終於要實現了。

令人歡喜的結局

身為全斗煥好友和同袍的盧泰愚，在一九八七年十二月總統大選中獲勝，這個結果令韓國人民萬分失望。長期投入民主運動的金大中和金泳三都決定參選，以致將偏向改革的選民選票分割成二七％和二八％，讓盧泰愚僅以三六％的選票獲勝。這是一次公平的選舉，沒有選舉人團或是其他的選舉操縱方式；盧泰愚的當選僅是反映韓國人民對這三位主要候選人之間所做的選擇。盧泰愚本人在任期間遵守了新的體系，並在一九九二年金泳三贏得總統大選時，順利完成權力移交。五年之後，在金大中當選之際，這兩位平民總統之間的權力移交被社運人士視為關鍵時刻。這個前所未有的首例作法一直持續至今，其後的權力移交均相當順利，各方都遵守這個交接過程。

盧泰愚和全斗煥兩人都在一九九六年八月因叛國、叛亂和貪汙被判刑，這顯示韓國民主發展到什麼地步。他們兩人都被罰數億美元並被判處死刑。後來，金泳三總統與那時的總統當選人金大中，在一九九七年十二月經過討論後，特赦這兩名軍人，以示國家的團結。如今，全斗煥和盧泰愚在首爾延禧洞離彼此不遠的住所，接受戒備森嚴的隔離來度過餘生。諷刺的是，他們的住所與金大中（他曾經判處全斗煥死刑）在東橋洞附近所選的退休住處，也相距不遠。金大中成為他們兩位的鄰居，這個想法好像有些奇怪，但在金大中的努力下所展開的和平政治時期中，看起來又似乎很適當。

| 第二部 |

文化符碼

7 「情」：看不見的擁抱

在韓文裡面有一個字，讓人一聽到就立即會引發溫馨、歸屬甚至是懊惱的感覺，這就是「情」字，它代表著韓國文化中一種最強烈的觀念，但也是一種很難定義的觀念。無論人們怎麼去看它，任何到韓國的人都應該了解它的力量及含意。但這「情」到底指什麼？

每個人對於「情」的觀念都有自己的定義，據加州大學洛杉磯分校的精神病學家克里斯多福・鍾（Christopher K. Chung）和參孫・趙（Samson J. Cho）指出，「情」是指「**在人與人之間所發展的喜愛、關懷、親密以及依附等感覺**」。它並不純粹是一種個人內心的感覺，而是兩個或兩個以上的人「之間」存在的關係，上述的精神病學家將它比喻成連接人們的繩子。另一位受訪者將它歸納為「**一種把人們凝聚在一起、看不見的擁抱**」。實際上，「情」可以說是將人們綑綁在一起的繩子。由於它具有連接和結合的作用，這「情」的一個關鍵要素即是緊密的相互依賴，**兩個分享「情」的人應該有一種「施與受」的關係，並在需要的時候彼此協助**。那些分享「情」的人，彼此之間不但必須**忠誠和犧牲**，也需要**寬恕**，如同一句韓國格言：「朋友之間沒有『抱歉』這個詞。」

這種「情」與選擇無關，韓國人在談到一段充滿「情」的關係展開時，可能會說：我內心充滿了「情」。一個人甚至可能會與自己不喜歡的人有「情」，例如「恨情」這個詞，就是用來描述老夫老妻那種相怨又相互依賴的「情」，或是同事之間那種受不了對方，但要是其中一個人離職，另一個人就會感到失落的「情」。一位友人曾向筆者吐露，他之所以結婚，就是因為對他的配偶感受到這種「情」——這與我們所謂羅曼蒂克的愛情大不相同——儘管他們彼此不斷地爭吵，而且看起來也不是很相配。

從「情」本身的性質來看，是很難描述的，一位受訪者說：「你只須去感覺它。」有一些住在韓國的外國人，會把這個詞拿來當笑柄，尤其是那些來自英國或美國那種比較具有個人主義文化的人。據前頭鍾先生及趙先生所說，由於這種「情」是一種存在於人與人之間的感覺，而不是存在某個人的心中，因此需要一種很強烈的「我們」的意識，而其他文化可能無法感受到這種意識。這兩位學者指出：「**在韓國人之間，『我們』並非只是一個複數名詞，而是……一個集體的『我』**。」當一名韓國人談到一個與他親近的人的時候，他會在他們的名字或稱謂前加上「我們的」而不是「我的」，從這個角度來看，「我的母親」就變成了「我們的母親」。

韓國人特別重視「情」，並將它視為自己國家的特性。因此，如果有人說某個人很有「情」，這是對他的讚美。同樣的，我們也可能會聽到「別人抱怨我沒有『情』」這種感概，或有時看到「尋找含有許多『情』的人」的徵才廣告。雖然中國和日本也用相同的「情」這個漢字，但這個字所代表的含意，只有在韓國才具有那麼高的社會價值。

對此感到疑惑的人，或許認為這「情」聽起來很像愛或是友情，在某種程度上的確沒錯，但「情」與愛和友情不同的地方在於，它可能存在於一個團體的成員之間，而這個團體可能會有一個地區、組織或是社會那麼大的規模，例如：同鄉、出自同一部隊的士兵，**或是從同一所學校畢業的人，都會因為「情」這樣的連結，而感受到一種強烈的相互支持和義務感**。那些會利用這種同伴情誼的校友會或教會團體，就能夠產生巨大的影響力；位於首爾的所望教會，在教會長老李明博於二〇〇八年當選韓國總統後，便以政黨職位或大型企業高階職位的人才招募營利著名。所望教會在這之前就早有名氣，因為自從該教會在一九七七年創立以來，擔任過政府部長的教友已超過六十位。

這個例子似乎很像典型的「老同學人脈網」的情況，但實際上卻不太一樣，而更具影響力，因為在這裡，那種自認為必須幫助朋友的義務比在其他文化中更為強烈。據一名韓國的企業主管指出，「情」是「沒有道理的」，而且「讓人有必要做出原本不會去做的事情，它與邏輯背道而馳。」在韓國的外籍人士有時會提到，他們觀察到**韓國人那種幫助他人的極大意願**，譬如說：不管配偶反對，還是要將大筆金錢借給信用不佳的親友這種現象。這「情」形成了一種不成文的契約，承諾在必要時給予對方協助。

「情」的力量

韓國第一大鋼鐵製造集團浦項鋼鐵（POSCO）的經理表示，對於那些分享「情」的人來說，這「情」不但是「美好的」，而且「**讓我們具有人性**」。這「情」會激發韓國人為彼此做出超出理性的事情，這也是為什麼西方人或許覺得韓國人的人際行為——**尤其是面臨財務抉擇的時候**——按照一位英國主管所形容的就是令人感到「莫名其妙」，甚至連相當重視關係的中國人也這麼覺得。在首爾經商的美國生意人安德伍德（Peter Underwood）曾對筆者講述，一名外國商人對於被「騙」退出一樁交易有所抱怨的經過。這名商人提出的價錢比在地的競爭者來得好，但他的競爭者與這位原本可能成為他合作夥伴的人有一些關係。這名外國商人一定會想將原因歸咎於韓國人的民族主義或是偏見，但這可能與「情」比較有關係。如果一名韓國人與另一人有「情」的關係，他可能覺得不得不與這個人進行交易，而不是與一位不熟的外人做交易。即使這個外人提出更好的條件，也是如此。安德伍德先生揶揄地表示：「如果亞當斯密是韓國人，《國富論》（*Wealth of Nations*）就會是一本完全不同的書。」傳統經濟學所主張的那種總是以理性、自利以及最大報酬的方式來做商業決策的想法，並不一定合乎韓國的文化。

雖然對於一般韓國人來說，「情」不但具有積極和溫馨的特質，也是人性戰勝冰冷理性的功績，但是「情」也可以讓那些具有政治力量的人做出不利社會的事情。南韓在經濟發展各方面幾乎都被視為完全先進的國家，一個項目例外，那就是：**貪腐**。在國際透明組織（Transparency International）的貪腐印象指數中，南韓在全球排第四十三名（根據這個排名，北韓是全球最貪腐的國家），該國在這方面有較低的排名，主要是受到了它的人「情」文化的影響，即使從一般常識、合法性及社會正義角度來看，這都是不應該的。那些**貪腐案件如果涉及商人與政客，他們之間通常都會有故鄉、學校或是部隊的關係**。因此，對於韓文的「偏心」這個詞是由「情」字衍生而來的，人們應該不會感到驚訝。

藉由「老同學人脈」給予他人高階職位的情況到處都有，但這種情況在韓國普遍的程度十分驚人。朴正熙、全斗煥和盧泰愚總統曾經把政府要職給予他們的同鄉，這種情況如此頻繁，以致人們將他們稱為「ＴＫ幫」；也就是他們的故鄉大邱（英文舊名Taegu，現名Daegu）和慶尚（舊名Kyongsang，現名Gyeongsang）兩地的縮寫。一九八八年十二月，盧泰愚的每位資深員工都跟他是同一所高中畢業。他的繼任者金泳三當權時，身邊也是僱用了來自他家鄉釜山地區的「一幫」人。後來，金大忠接任金泳三之後，便開始用他家鄉全羅道的人來代替釜山人。雖然這種行為受到嚴重批評，但如果韓國總統不拔擢那些與他有關係的人，會讓人感到意外。

我們與他們

在韓國的「情」中，「我們」這個意識極為必要。這個「我們」，不包括世界上所有的人；如果一個人要對那些與其分享「情」的人表現慈愛，那麼一定也會有更多這個人沒有如此對待的圈外人。金泳三在競選總統時用了一個反問式的競選標語：「我們是外人嗎？」這個策略在討好選民方面相當成功，他那時希望從選民那裡得到的答案當然是：「不是，所以我們會支持你！」

南韓受軍事統治期間，由於治理該國的菁英大多來自慶尚道這個地區（如ＴＫ幫），慶尚道也因此受惠，獲得高得不成比例的發展資金，而自古以來它的勁敵——全羅道，就比較受到忽視。慶尚道的浦項市就是在那時被政府選為浦項鋼鐵的設廠地點，目前浦項鋼鐵為南韓領先全球的鋼鐵公司，而首爾—釜山高速公路（釜山位於慶尚地區的東南沿海）則是第一條連接首爾與其他主要大城的高速公路。**這種地區性的偏私對於韓國政治的區域化分裂造成很大的影響，各地區的選民都會盤算哪個政黨比較可能給予他們最多的援助，並依此決定將票投給誰。**

「我們」這個詞也是韓國市場行銷中最常用的詞。「Woori Bank，我們銀行」（又稱友利銀行）就是韓國最大的銀行之一，在其他主要銀行為了阻止「我們銀行」在廣告中將「我們」這詞作為商標而採取法律行動時，該銀行擅用「我們」這個詞，就成為一個有爭議的問題。盧武鉉總統的政黨曾經稱作「我們的黨」（Woori Party，也稱友利黨），有一種品牌的米被稱作「我們的米」，一家啤酒廠的標語是「我們的國家，我們的啤酒」。

實際上，「我們」和「情」這兩個詞，在應用上是具有彈性的，並可延伸到全國。在一個人居住的環境裡，家人屬於「我們」，而住在同一條街上的人則算是外人。在國家內，從自己故鄉來的人屬於「我們」，而來自別的地區的人則被稱作外人。但如果兩個彼此沒有任何共同點的韓國人在法國相遇，他們還是可以產生「情」，並且在彼此遇到困難時互相幫助。在國外的大學裡，韓國學生最喜歡黏在一起，有時候甚至會避開其他國家的學生。

韓國人與團體成員會感到有強烈的關聯，以致他們會和成員們同感驕傲或是恥辱，這對其他國家的人來說似乎有些過度。《時代雜誌》所舉辦的二〇一一年「世界最具影響力」的人物網路投票，當選的人不是胡錦濤、普亭或是歐巴馬，而是韓國的流行音樂歌手Rain，他的勝利是驕傲的韓國網民不停按鍵的結果，他也曾經在二〇〇六及二〇〇七年當選。同樣的，一個在海外引起眾怒的韓國人並不只為他自己帶來恥辱，也會讓全國感到羞恥。二〇〇七年，韓裔學生趙承熙犯下殘殺三十多名學生的維吉尼亞理工大學校園槍擊案，盧武鉉總統因此代表全國發表道歉聲明。

在韓國的電視新聞報導和天氣預報中，通常會用「我們的國家」來稱呼韓國。「我們的國家」這個詞有時會讓在韓國的外國人有疏離感，這詞顯然不包括他們，並被看成與韓國人沒有那種「情」的關係。照這情形來看，**「我們」和「情」兩個詞都可能具有民族主義的色彩**。固然，有些韓國人表示外國人無法理解「情」的含意，但南韓目前正全面積極地邁向國際化，該國的外國人口也在二〇〇〇到二〇一〇年間上升了七倍，這個「我們的國家」是否會敞開大門，接納那些非朝鮮族的居民，是一個很耐人尋味的問題。

「情」與「契」

當然不是只有韓國才有這種與他人形成內團體和外團體、竭盡全力幫朋友的忙或是偏心的情況，也並非只有韓國人才有「情」。但是，或許可以透過韓國文化和歷史來解釋「情」為何會在這裡形成，並且成為韓國精神中如此重要的一部分。

前頭提到加州大學洛杉磯分校的鍾先生及趙先生指出，韓國的「情」來自強烈的「**韓國社會的集體特性**」。南韓在霍夫斯塔德（Geert Hofstede）教授的個人主義指數的一百分中得到十八分，而美國和日本分別得到九十一分和四十六分，這讓**韓國成為世界最為集體化和最重視團體的國家之一**。這種集體導向呈現在許多方面，比如說，在韓國吃飯時菜盤是共用的，每個人也都可以將自己的湯匙放進餐桌上的湯碗裡。這可能會讓外來的賓客驚訝，甚至一些亞洲其他國家的人也會感到不習慣。在韓國公司同部門的同事，中午會一起去吃午餐，而不是各自去吃飯，這是理所當然的事。

此外，韓國大學裡同系的學生也會組團到郊外去進行「會員培訓」（或稱「MT」），這其實不是真正的培訓，而是藉由喝很多酒來增進小組成員的感情。他們會訂一間大房間，然後在裡面吃泡麵、喝啤酒和燒酒（一種烈酒），直到大家都醉倒為止。第二天醒來，每個人都飽受劇烈的頭痛，四周躺著穿著同樣系服的同學們。「MT」是大學生活中很重要的一部分，要是某人表示對其不太熱衷，就會被視為「表現不佳」。

韓國自高麗王朝開始就有「契」這種互助會的存在；一個會（通常是一個村子）裡的成員會定期向這個「契」繳一定的金額，當會員遇到經濟困難的時候，就可以從「契」那裡得到一大筆錢。有時候會遇到一些騙子，加入後假裝遇到困難，拿到錢以後人就消失無蹤了。但是這「契」的組織能持續這麼久，就表示大多數的人還是會遵守規矩。

這種團體存在的理由可能源自韓國的農村生活。長久以來，大部分的韓國人都很貧窮，受到壓迫的農民靠務農來維持生計。有些兩班貴族的地主會任意課稅，農作物有時也會歉收。互助合作具有實際的必要性，有時甚至關係到生存。人們發現互助合作有很多好處，可以分配勞動力或是分享農產品，也可以藉由「契」的運作，讓村子裡聰慧的年輕人接受教育，期望他們考上科舉，在官府獲得官職，這之後或許可以保護村子不受其他官吏的壓迫。濟州島上以潛水為生的人們，便成立互助會來平分他們捕獲的水產，如今還是有「漁村契」這類的互助會存在。以前的韓國人大多不住在小鎮或是城市，而是住在村莊裡，這也表示人與人之間自然較為親近，並且有更多的機會來分配資源或勞力。

韓國人偏好集體性還有其他原因，身為一個位於**戰略地位上的小國**，韓國自古以來都是外國勢力侵略和統治的目標。這個國家一直蒙受著災難，但更重要的是，**這個國家的受害情結多**

年來被該國的政治人物、作家和歷史學家多所著墨，甚至編入國家的歷史和教材裡。韓國人學到，防止再次受害的方法就是團結，以及避免將個人利益放在社會利益之上。盧武鉉在二〇〇六年韓國陣亡將士紀念日的演說中表示，日本對韓國的殖民統治，是韓國「國內各派系內鬥」的後果。接著在提到一九五〇到五三年間的韓戰時，他又說：「如果我們以團結的力量來面對當時的情勢，也許就能避開這場可怕的災難。」

儒學也是影響因素之一，這個由中國傳入的道德倫理體系，是韓國幾個世紀以來的思想體系基礎，強調忠誠、為社會和諧而犧牲小我，以及對於與自己相關的人應該負起責任的觀念。具有僧伽（一群相互扶持、往覺悟道路前進的信徒）觀念的佛教思想，也促進韓國的集體取向，並讓韓國企業文化更具團隊風格。

「情」的減弱？

在霍夫斯塔德的個人主義指數中，與南韓排名相近的其他國家，不是貧窮國家，如巴基斯坦或厄瓜多），就是新富國家，例如台灣。像德國或法國這些穩定的富裕國家，則較具個人主義。但是南韓的青年與日本和西方國家的青年一樣，在舒適的、物質優渥的環境中長大，他們不曾住在親密團結的村莊裡，而是住在都市的高樓大廈裡。一九四五到二〇一〇年間，住在都會地區的南韓人的比率從一四・五％上升到八三％，如今大多數的人甚至不認識他們隔壁的鄰居。這一切都意味著人們現在對於互相支持的需求和意願比以前少很多。

於是，人們可能會認為該國「情」的文化會因此變得比較薄弱，實際上的確如此。比方說，隨著韓國人民財富的增長以及更多的銀行提供貸款，參與「契」的現象以及朋友間借貸大筆資金的情況，都不如以前那麼普遍。我們如果問老一輩的韓國人對於年輕人的看法（尤其是那些住在首爾的年輕人），他們可能會認為這些人很冷漠或是太個人主義，甚至會說他們受到西化。首爾的江南區住滿了暴發戶，常常被其他韓國人譏諷為「江南國」（也就是另一個國家），這是由於韓國人覺得這個地區缺乏「情」以及傳統民風，但是江南區仍然是許多韓國人渴望入住的地區。

「『情』是最可怕的」，這種聲音在南韓經常被提到，因為人們有時為了「情」會付出過多。然而，**雖然「情」偶爾會引起一些對社會有害的行為，它還是韓國文化中最具吸引力的一部分，因為它促進溫情和寬容。**雖然在外國訪客的眼裡，韓國人聚在一起的時候，還是可以感覺到他們之間「情」的力量，但有朝一日情況可能不再如此，那就的確是令人感到悲哀的日子了。

8 競爭

生為南韓人就是要懂得「與人競爭」；也就是說一個人必須經過激烈地搏鬥，才能為自己贏得進入大學就讀、工作的機會，以及覓得佳偶等許多其他事情。韓國人這種與他人競爭的壓力，從很小的時候就開始，甚至到了退休以後也無法鬆懈。由此可見，韓國最常用的一個詞「fighting!」（戰鬥！也就是說「你做得到！」）並非沒有道理。

儒學重視個人的教育成就，以及為家人提供穩定的生活，這樣可以促使人們努力奮鬥，至少達到最基本的成就和尊嚴，但是這個最基本的程度，南韓人似乎永遠都覺得不夠。那麼，為什麼這個國家的人不論結果如何，都如此迫切地竭盡所能來追求最高目標？為什麼南韓的領袖們從朴正熙開始，都如此熱衷於將自己的國家變成世界第一呢？

國與國的競爭：韓國，要搶第一

自一九五〇年代起，南韓在鼓舞人民與他國競爭的心態方面，具備了完善的條件。韓戰期間大量的房屋遭到毀壞，戰後的南韓有三分之一的人口無家可歸，GDP少於一百美元。因為沒有錢進口食物，而且全國只有二一％的土地適合耕種，這個國家根本無法養活自己的人民。更糟的是，該國幾乎沒有任何自然資源，甚至到了今天，南韓國內的燃料資源只能滿足該國能源需求的極小部分。

極度的貧困，加上缺乏天然資源及財富，因而啟發了該國關鍵性的認知。南韓人要自己擺脫這些可怕的情況，就必須專注於人才的培養，然後讓這些人才努力不懈地工作。朴正熙總統的顧問金東進回憶說：「我們那時擁有的，只是人民的辛勤工作和腦力。」按照南韓儒學傳統的精神，教育人民即是一個起點：年輕人必須盡量接受良好的教育，在成年之後努力勤快地工作。

在一九四五年，南韓只有五％的人口受過中等或是高等教育；到了一九六〇年，李承晚政府（雖然是一個暴力、貪腐的專制政權）將小學生的入學人數提升了八倍，中學生入學人數提升了十倍，政府將一九％的預算都花在教育上。按照任教於美國詹姆斯・麥迪遜大學（James Madison University）的賽斯（Michael J. Seth）所著的《教育狂熱》（*Educational Fever*）中描述，從那時到一九八〇年代期間，南韓人民接受教育的機會，遠超過其他具有類似GDP水平國家的人民。

朴正熙在一九六一年掌權後，便勸勉人民日以繼夜地工作，以提升南韓國力，並設法超越其他國家，尤其是日本這個之前的殖民者。想起這段勵精圖治非常時期的韓國人，還會記得那些鼓勵他們「打倒日本」（透過工業化），以及激勵他們超越那不斷提高的國家出口目標的標語，那時人人幾乎變成了「工業尖兵」，他們能夠透過在造船廠、製造廠和工業廠房內長時間地工作，力求幫助國家擺脫貧困、悲慘的歷史和北韓的威脅。一星期工作六天是常態，星期六只是另一個工作日而已。

韓國的孩童們從小就被教育將來要成為國家的工業尖兵，一位經濟學教授談起他的小學老師們「不斷灌輸我們身負振興民族的歷史重任」。韓國孩童在學校的時候，必須做一名認真學習的學生，長大加入工作團隊之後，他們必須參與提升經濟實力的團隊，加入那些為了將南韓推上最強的出口國家而不斷努力的企業。

朴正熙的政權將焦點放在數值性的目標上，並不斷提醒人民，要讓韓國的數字超過其他國家的重要及必要性。朴正熙本身相當執著於統計數字，並要求他的下屬對出口量和通貨膨脹等數據要有相同的認知。這種記憶很難消失，即使是當今的記者、政治人物和企業的領導者們，至今都還會不斷地引用南韓在全球的ＧＤＰ排名表上的名次，或是韓國企業排在「世界第一」地位的產業，以作為參考。李明博在二〇〇七年十二月競選總統時，提出了所謂的「七四七承諾」；也就是經濟增長七％，ＧＤＰ達到四萬美元，以及成為全球第七大經濟體。雖然他所提出的承諾顯然是不可能實現的，但是這為他的選舉帶來相當好的結果。二〇一一年，南韓對外交貿易首次超過一兆美元，許多大型企業在它們的總部前，高高懸掛起巨大的慶祝橫幅，報紙社論也大篇幅讚頌這項成就。

毫無疑問的，**對國家極度缺乏安全感，也是南韓一味追求經濟實力的另一個因素**。這個從貧窮中誕生的小國，不但與較為工業化的北韓分裂，周圍還有更強大和具侵略性的國家環伺，南韓的領導人認為：他們必須讓自己的國家盡可能具備最強的經濟競爭力，並成為影響韓國命運的更強勢力（例如美國，以及晚近的中國等）的最佳貿易夥伴。相互進行重要貿易的國家，會有明顯的動機，在政治方面相互扶持，至少會避免衝突。貿易不僅讓南韓成為一個富裕的國家，也有助於保障該國得以持續生存。

這種想法無疑驅使了韓國成為他們重視的產業中最優秀的輸出國。據朴正熙的顧問金東進回憶，在一九六一年，這位新上任的獨裁者命令他：「讓韓國成為世界第一的造船國」。儘管南韓那時幾乎沒有造船工業，朴將軍還是相當熱衷於成為這個具有戰略價值的工業領導者。在他去世後，他的願望最終在一九八〇年代實現了。

當然，南韓堅決地專注於建造世界第一的經濟實力，還是得付出一些代價。所有被其他國家認為有價值的目標都被犧牲了，例如清潔的環境、幸福的國民、言論自由，以及豐富的文化生活。人們在評價朴正熙時，必須將這些被犧牲的項目與他創造的經濟奇蹟進行衡量。朴正熙至今仍是南韓歷屆總統中最獲民心的，但還是有一些人認為他的計畫是不值得的。身為朴總統親密夥伴的金東進，用以下的比喻為他的前上司做辯護：「飛機在地面準備起飛時，飛行員會告訴你要繫好安全帶並在原位坐好。等飛機升空之後，你就可以解開安全帶，輕鬆一下，還有美麗的空姐會給你一些飲料。」南韓的問題是，現在已經達到繁榮的目標之後，該國的人民是否學會解開他們的安全帶，來杯香檳輕鬆一下呢？

個人之間的競爭：教育是基石

李承晚政權時期和朴正熙執政的頭幾年，南韓的社會貧富差距很小，並且十分遵循唯才是用的道理。一九五〇到五三年間的韓戰，導致南、北韓雙方幾乎到了普遍貧窮的地步。除了那些與李承晚政權關係緊密的人士以外，南韓人民的處境大多平等；幾乎沒有任何人比較有錢或是在社會中更具優勢，即使在大型財閥企業的老闆開始變得極為富裕時，社會中大部分的收入分配還是相當平均。在一九五七到六九年間，南韓的基尼收入不平等係數（Gini income inequality coefficient，測量收入分配，尤其是對貧富差距的測量）平均為二六・三%。這與瑞典等歐洲公平競爭的國家的係數接近。

那時有同等需求的人都有公平競爭的機會，目前首爾國立大學幾乎有一半的新生來自首爾南部的富有地區（江南、瑞草及松坡區），但一名校友回憶：「即使在我上大學的時候（一九八〇年代早期），三分之二的學生都出身貧寒，似乎每個人都是從我沒聽過的村莊來的。我這個來自首爾的學生反而變得很特殊。」

公平競爭的環境、平等接受教育的機會、個人對於擺脫貧窮的渴望等因素，再加上最佳的機會當然有限，便提高了個人之間的競爭。在公家機關、法律、醫療以及優秀大公司的職業能夠幫助年輕人脫貧，並提供家人舒適穩定的生活，但這些職位的空缺不多，尤其是在一個經濟復甦初始的大環境。因此，想辦法超越別人成為必要的條件，首先是在學校，然後在專業考試，之後在職場。一對年輕的夫婦有了自己的子女之後，他們也會再三地灌輸子女們同樣的價值觀。因此，即使南韓不須再擺脫貧窮，這種必須勝過同儕的心態依然存在，也就不足為奇了。如果一個班上有五名孩子得到滿分一百分，典型的韓國母親不會因為自己的孩子拿到九十九分而感到滿意。

當第一代畢業的菁英們在一九七〇和八〇年代開始生兒育女時，便熱切地將自己辛苦得來的優勢傳承給子女。他們自己的經驗和儒家流傳下來的公務員考試制度，讓他們將焦點放在教育上面，於是他們將兒女送到「學院」（即課後輔導班）、請私人家教或是到外國學校讀書，希望他們能夠出類拔萃。為了進入優秀的大學，然後找到最好的工作，上學時間加上昂貴的私人輔導課程，每天可能得念書十五到十六個小時。當這些孩子的努力和優勢得到了成效，新一代的菁英便誕生了，這是可被稱為新一代「新兩班」的菁英。

以前的兩班貴族透過在科舉考試獲得好成績來維持地位，因為這種考試在朝鮮王朝期間是提供社會地位的最佳機會。其他一般百姓，由於在學習時間、學費和對官方的影響力方面都處於劣勢，因此實際上比較難考中科舉。現在的菁英以類似的方式來維持他們的地位，他們有能力付出比其他家長更多的花費，讓孩子們接受補習，並在當今決定南韓社會地位的大學入學考試中得到高分。

然而，其他人並沒有在這些兩班菁英出現後放棄。他們看到這種藉由教育達到的新上層社會開始與他們拉開距離，便以自己學過的方式回應，也就是透過更努力地競爭，將更多收入花在讓兒女上好學校和補習班。韓國的孩童們自一九八〇年代開始，就在課後參加英文、數學和其他科目的補習，然後還要完成這些補習課程和學校課程的家庭作業。這些費用讓韓國父母不太可能再多生一個孩子，這也是造成南韓生育率低得危險的因素之一。

由於幾乎每個人都非常努力在教育方面有所成就，擁有優秀成績的畢業生遠多過好工作的職缺。這迫使人們更加努力使自己更高人一等，繼而造成在競爭上的惡性循環。因此，對於許多韓國人來說，光是上首爾國立大學還不夠，韓國學生目前在哈佛大學大學部外國學生人數中占第三名。此外，主修經濟或是金融的大學生會同時為考上專業會計資格而進修。英語成績也被看得極為重要，因此如果家長負擔得起，就會讓兒女到英語系國家至少接受一段時間的教育。這一切都是為了讓子女能夠在求職方面領先他人一步。

競爭範圍擴展

做為一個國家，南韓遵循了達到經濟實力的政策。南韓的人民一直受到追求經濟成就的驅使，但是以教育的成功為起點。我們或許會以為這個國家在一九九〇年代加入世界較為富裕國家的行列之後，這種競爭的精神就會跟著衰退，但其實不然，這種競爭的欲望實際上擴展到其他領域。

韓國人為了獲得最好的工作和進入最好的大學，競爭和以往一樣激烈，但是除了這些競爭以外，他們還覺得有必要讓自己看起來更具有吸引力。從一九八七到九六年間，韓國人在化妝品上的花費增長了四倍，這其中大多來自女性，但在二〇〇〇年代，男性除了在化妝品的消費激增以外，他們在時裝和髮型方面的花費金額也急速上升。二〇一〇年，韓國在男性皮膚保養品方面的消費占全球的一八%。目前韓國男性花在服裝上的費用比女性們多；二〇一〇年，韓國男性在時裝上的消費為七・二七兆韓圓（大約七十億美元），韓國女性的消費為七・一兆韓圓；二〇〇五年，該國男性在時裝上的消費只有四・五兆韓圓，僅在短短五年內增長率就超過了六〇%。

南韓也以熱衷整形手術聞名。通常，當外國評論家針對這個現象提出看法時，他們會鄙視那些進行隆鼻、隆乳，或是下巴重塑手術的婦女，認為她們很膚淺，但這些評論家的看法並沒沒有抓住問題的重點。擁有姣好外貌和優秀背景（在職業、教育或是家庭方面）的女性，會比同齡女性更有機會找到最好的工作，或是最合適的伴侶——這些男性必須有錢、受過優良的教育，並擁有英俊的外貌。藉由整形手術增加的吸引力也會帶來其他好處，在韓國申請工作時，人們照慣例會在申請表格貼上如護照般的照片。不用說，這種作法會將人才招聘變成一種選美比賽，尤其是對女性求職者來說。

整形手術目前在韓國非常普遍，就好比在短跑比賽中半數的參賽者都服用類固醇，連那些不想服用的人都覺得他們必須使用。一則英國ＢＢＣ的報導指出：「保守估計，二十幾歲的南韓女性中，有五〇％曾經做過整容手術。」整容是那麼的正常，並且不會受到歧視，許多父母都會鼓勵女兒去整容一下，如割雙眼皮這種非常普遍的小手術。

這裡到處都是整形手術的廣告，首爾捷運第三線列車上的每一個車廂，以及該列車經過的每個車站，都有整形廣告的海報，特別是在如新沙和狎鷗亭等以年輕人為主的富裕地區。其中一個廣告使用典型的「整形之前與之後」的比較手法，但不同的是，「之前」放的是一顆小鑽戒的照片，「之後」則放一顆大鑽戒。

競爭代價：沒有童年

對南韓的年輕人來說，這些競爭使得他們「沒有童年」，這是根據一名大學新生的說法。韓國孩童們很少有機會與其他同齡的孩童們一起嬉戲遊玩，根據國際教育成就評鑑協會（International Association for the Evaluation of Educational Achievement, IEA）進行的研究顯示，韓國孩童在與他人互動這個項目中的排名非常低（在所調查的三十六個國家中排第三十五名）。這些孩童們在學校不斷地接受考試測驗並被排名次，而不是學習如何相互合作。放學鈴聲響後，大多數的學生們又被送到那些教授英語、數學、音樂等科目的補習班，學校放假期間，這些孩童也無法放鬆，反而要在補習班花更多的時間學習。

有些孩童還要上專門家教的私人輔導課。一九八〇年，全斗煥總統下令禁止補習，因為這會讓貧窮的孩童們處於競爭的弱勢。但是，韓國父母想為孩子們贏得任何優勢的這種欲望，讓總統的努力付諸東流。私人輔導課程幾年後又合法化，到了一九九七年，七〇%的小學生，以及五〇%的中學生，都在接受某種形式的私人課業輔導。有些教授英語、數學等科目的家庭教師，每個月的收入可超過一千萬韓圜（大約一萬美元），從美國頂尖大學畢業的韓國家教更是如此。

不停地念書，對韓國孩童來說不但很辛苦，也很不健康；約有九六%的高中生睡眠不足（平均每天睡眠時間為六．五小時），有八．八%的學生甚至在晚上十一點之後還要上私人輔導課。二〇一一年一項針對高中生的調查顯示，八七．九%的學生「在過去的一週」感到壓力，而其中有七〇%的學生認為這是學校造成的，感受到這種壓力的日本、美國和中國高中生，不到韓國的半數。此外，據延世大學社會發展研究學院在二〇一一年所公布的調查顯示，韓國青少年是經合組織國家中最不快樂的。自殺是造成韓國年輕人死亡的首要因素，鑒於該國教育文化以及要求他們表現優異的壓力，這個事實應該不令人感到訝異。

競爭代價：憂鬱的成人

雖然朴正熙的工業尖兵已不復存在，韓國企業依然要求員工長時間工作，而員工也服從這種要求。南韓的勞工每年平均工作時數為二千一百九十三小時，這是經合組織國家中時數最高的。但這數字並沒有包括所有真正的工作時數，因為大多數的勞工有許多沒有記錄也沒有薪資的加班時數。外國商人或許會談論韓國勞工的勤奮，但他們並不了解在這方面的代價。據一項調查顯示，七四・四％的南韓勞工覺得他們因為工作而罹患了憂鬱症，很諷刺的是，這個調查是由三星的經濟研究部門進行的。然而，該國的勞動生產率（即每小時工作的經濟效益）卻非常令人失望，在經合組織的三十個國家中排第二十八名，只有墨西哥和波蘭比韓國低。缺乏足夠的休息時間、假期和睡眠，都會嚴重削減人們實際能夠達到的生產率。

然而，甚至連上述這麼有壓力的工作，在該國都很難獲得。由於韓國人的學歷過高（因為他們很重視學歷），二十五歲到三十四歲之間的南韓人中，有九八％的人口是從專科或是大學畢業的，是全球比例最高的國家，每個職缺都有一大群相當符合資格的申請者。於是，這些公司就開出如英語考試分數等額外的條件來評量申請者。這種新的條件反過來迫使人們投入更多的精力和財力去學習英語，或是接受更高的教育，便形成了惡性循環。每年南韓大學畢業生高達五十萬名，但大型企業、政府機關以及國有機構的職缺只有十萬個。其餘的四十萬名畢業生最後流落到中小型公司，而這些公司基本上是相當不穩定的，且無法與財閥的市場勢力競爭。據《朝鮮日報》在二〇一一年十二月的報導指出，總共只有五一％的畢業生能夠找到「穩定的工作」。

韓國人到了快三十歲的時候，便開始競爭尋找到好的結婚對象。父母會在孩子三十出頭時催促他們結婚，主要是擔心那些背景（主要指工作、學歷和家世）和外貌最佳的對象都被別人搶先挑走了。即使找到對象後，其中一方的家長還是可能會反對；對於一些自認為擁有高社會地位的家庭來說，他們可能無法接納一位沒有理想學歷、家庭背景和工作經歷的人，當自己未來的媳婦或女婿。

這些都讓南韓人的生活壓力更大，競爭無疑是該國高自殺率的重要因素。許多父母當然都希望孩子的成長過程更加快樂和平衡，但是，單是孩子成績單上的一個B就會讓他們苦惱，對韓國的母親來說，更是如此。成群的韓國母親（尤其是那些沒有工作、閒來無事的婦女），在比較兒女的成績時會做激烈的競爭，即使跟朋友也是如此。雖然她們自己競爭的日子可能已經結束，卻還是覺得必須透過自己的兒女來競爭。

一個更有價值的人生哲學？

當首爾市長朴元淳被問及「什麼是成功」的時候，他表示：「GDP誠然重要，但是我們也需要一個更有價值的哲學作為引導。」他在此所指的是**人民的生活品質**，也就是他們的休閒時間和整體的幸福感。南韓現在已經是一個富有的國家，人民也對自己的經濟狀況感到有保障，更多的韓國人也開始採納朴市長的思考方式。他們非常了解睡眠不足和必須不斷進步的壓力會帶來反效果，並引起疾病、壓力和不快樂，這便阻礙了高效率的生產力和創新，而這正是南韓下一個經濟發展階段的關鍵。

但是就目前而言，實際的改變似乎還很遙遠。英國萊斯特大學社會心理學家懷特（Adrian G. White）提出的生活滿意度指數（Satisfaction with Life Index），是一種直接問人們：「你是否對X感到滿意？」並以此為基礎的測量，而韓國在受調查的一七八個國家中位居第一〇二名最快樂的國家。這個不理想的結果，與該國在如聯合國人類發展指數（UN Human Development Index，韓國居第十二名），以及總體GDP排名（也是第十二名）等量化測量上的表現形成鮮明對比。

競爭力曾驅動著南韓不斷求勝，但卻同時對於人民的心理健康造成負面影響，如果要在生活滿意度這類指數上排名第一，韓國人民可能必須放棄力拚成為第一。

9 面子

在南韓，人們通常很小心不公開批評他人。有一些必須說的不好聽的話，應該在私底下講，或是以禮貌的用詞包裝。汝矣島金融區投資分析師所做的報告，字裡行間透露某些公司的弱點，但仍然將他們列為「可買」的，這種情況相當普遍。公司企業登廣告時，只強調自家產品的優點，而不是競爭對手的缺點。在政界，實際上是這個慣例唯一的例外，例如在韓國國會中政客們彼此辱罵，有時甚至大打出手。

在韓國社會中維護面子是很重要的一件事，這也是謹慎對待和尊敬他人公眾形象的原因。面子不僅被視為一種過時的詞彙，也會助長某些成見。西方人對於東亞社會有一些典型的印象，就是他們願意做任何事來避免失去面子這個觀念。然而在韓國，個人、家庭或是公司的公眾形象還是極為重要，這讓上述的成見有許多實際的根據。然而，這些公眾的形象經常是透過許多努力和改進所得到的成果。

面子的特性

面子，基本上是一種儒家學說的產物。在儒家思想中，配合社會的期望極為重要，尤其在責任方面更是如此。一個人在他人眼裡沒有達到別人的期望，是深陷恥辱（有失面子）的基本原因。美國伊利諾大學的韓宇孫（音譯）博士，在有關「面子對於韓國消費者文化的影響」的報告中指出，在這種社會中，重要的是「不要突出，而要符合」社會的要求。儒家學說相當重視和諧，這代表社會中所有的人都必須扮演好自己的角色，並履行該角色的責任。譬如說，一名結了婚的婦女，就應該扮演好一位為家庭奉獻的妻子與母親。在朝鮮時代後期，對於一個有身分地位的男人來說，如果他的妻子不斷在鎮上拋頭露面，和朋友交際，這違反了社會對她的角色的期望，會為她的丈夫帶來恥辱。

韓博士說：「對韓國人來說，擁有較高的社會地位，就表示具有高度的道德水準。」因此，兩班階級的人比一般農民更容易受到面子的影響。對於一個兩班階級的家庭來說，兒子應該接受教育，女兒必須保有貞節，父親是社會中的支柱，母親則是家庭的忠僕，這是相當重要的規範。但社會對於貧窮的佃農家庭要求則較低。

以前，面子是必須保衛的。維持面子曾經意味著不掉落到被期望的標準之下。但是，南韓自一九六〇年代經濟起飛以來，所帶動的競爭浪潮引起了一個關鍵性的變化。據延世大學心理學教授黃尚民（音譯）指出，韓國人現在覺得自己必須給人一種完美的印象，並且看起來比他人優秀，而不僅僅是受到尊敬或僅與他人做得一樣好，這好比一種「面子膨脹」的現象。據黃教授所述，如今面子在韓國「不僅是（關於）一個人是什麼樣的人，而是一個人想當什麼樣的人」。這與個人理想化的自我有關，他們為自己建立了一個完美的公眾形象，然後必須設法符合這個形象。如今韓國相當盛行的一句話是「假裝做得很好」，用來形容任何誇大自己的社會價值的人。

一個完美的人，不再只是個好母親、認真的學生，或是為家庭帶來固定收入的父親。韓國社會中物質化的層面被過度誇大，就像其他經歷著高度經濟成長的國家一樣，例如自一九八〇年代崛起的中國，和二〇〇〇年代興起的俄羅斯。南韓人不再只是以優秀的學歷、完美的父母形象來顯示他們的面子，也以購買昂貴的汽車或名牌時裝等象徵地位、炫耀財富的方式，來彰顯他們的面子。

「面子」對那些具有較高社會地位的人來說非常重要。韓國社會中的兩班雖已不復存在，但還是有一些家庭因為擁有較多的財富和較高的教育程度，而擁有較高的社會地位。對於這些人來說，維持他們的社會形象非常重要。居住在鄉村小鎮裡的一般人，可能只夢想從首爾國立大學畢業，並認為GUCCI等名牌包是奢侈品，但是，對住在如江南或瑞草等首爾暴發戶地區的人來說，這些名牌精品可能被視為必備行頭。

建立形象和地位

具有較高社會地位的南韓人，或是渴望獲得這些地位的人，或許會以幾個方式來提升他們的形象。南韓一些主要城市裡的百貨公司會以很大的空間來展示奢侈品，人們也在名牌包和服飾上花費很多錢。首爾江南青潭洞這個新興繁榮區的格樂麗雅（Galleria）百貨公司就是個顯著的例子，在這裡可以看到韓國穿著最高貴、最美麗，但是卻最不快樂的女人。

據麥肯錫管理諮詢公司（McKinsey Consulting）二〇一〇年奢侈品調查顯示，「韓國是與眾不同的」。**儘管全球經濟衰退，南韓從二〇〇八到二〇〇九年間，奢侈品的銷售量依然增加了**

一六・七％，由於他們受到了麥肯錫列為「**順應壓力**」的驅使，例如，在同等階層前面為了維持面子（「跟得上鄰居」），以及韓國整體上「**接受奢侈品文化**」的影響。在二〇一〇年，全球只有正在蓬勃發展的中國，在奢侈品花費方面的增長超過南韓。**韓國人平均將五％的收入花在奢侈品上**，這絕對是全球最高的比率。

同樣的，在一場重要的聚會中，這裡的人們所提供的酒可能會是陳年的威士忌，也許是韓國最流行的進口高級威士忌酒款「百齡罈」。這是不是最好的威士忌並不太重要，重要的是「這是昂貴的酒」，而且是在這種場合裡出現。拿出百齡罈三十年調和威士忌、或是約翰走路藍牌招待他人，就代表你向對方表示尊敬——你不會想用一杯傑克丹尼（Jack Daniel's）來侮辱對方——也可顯示你有負擔的能力。

住屋也具有表達社會地位或價值的功能。位於漢江以南的首爾瑞草地區，與該城市的其他地區有些不同。瑞草區學校的素質很高，執迷於菁英教育（明星學區）的家長們便在這地區買房，這裡的公寓價格因此飛漲。如今，許多沒有孩童受教問題的人也想住在這裡，純粹是因為在瑞草的住址賦予他們一種地位。據雅虎韓國房地網站顯示，在與其緊鄰的銅雀區一間公寓價格約十三・三億韓圓（約一百三十萬美元），在瑞草區一間與其條件都一樣的公寓大概需要二十四・五億韓圓。那些不是為了孩子受教問題的人在瑞草區購屋所多花的錢，可以被稱作是一種在面子上的投資。

然而，贏得面子最重要的途徑還是「教育」。以首爾國立大學學位所獲得的「品牌價值」，相當於擁有一個三千美元的手提包、或是在瑞草區擁有一間豪宅所獲得的地位價值。但是，除此以外，這個學位也反映出一個人的智力和學術成就，基於儒學的考試文化，這方面在南韓特別受到重視。千百年以來，學術成就是提升社會地位的主要途徑，因為該成就代表了踏入優越的等級。這是設法擠進一所知名大學相當重要的動力，當然這代表的「潛在賺錢能力」也是重要原因之一。教育不僅對於個人面子來說很重要，對於一個家庭來說也非常重要。如果一個孩子一如常態上了最好的學校，還上了無數時數的課後輔導，但最後只考上中等的大學，他的家人會感到極度失望，而孩子本身也會有嚴重的羞恥感。負擔得起的家庭，在這種情況下通常會將孩子送到美國的中等大學就讀，因為一般人都認為美國的教育辦得比較好，所以這樣做可以將社會地位做某些程度的重建。

這種一心渴望出人頭地的重視面子，無疑會引導個人走向失望和不快樂的道路，但它對於教育態度的影響力，或許為南韓的GDP帶來很大的好處。許多南韓父母大概不會接納「我不在乎你做什麼，只要你快樂」這樣的觀念，而會不斷地鞭策孩子達到最優秀的成績，考進最頂尖的大學，並獲得最高薪的工作。南韓人占全球人口遠低於一％，但在二〇〇七年，南韓的學生在所有美國大學的外國留學生中占一〇・七％。同年，哈佛大學有三十七名學生來自南韓，只有加拿大和英國等的學生超過這個人數，但這兩個國家在文化和語言上都與美國旗鼓相當。

悲劇的面孔

但如果你不能成功，那會怎麼樣呢？如果你的教育水準讓你的家人失望，或者表面上看起來完美的婚姻破裂了，又或是你的公司破產，那該怎麼辦呢？不幸的是，這些事情本身，再加上失去面子所帶來的羞愧感，會讓人感到難以承受的壓力，並且可能造成悲劇。

每年韓國大學修學能力測驗期間，都會有考生自殺。對學生來說，他們的人生和社會價值，似乎就在這一天被判定了，而一些無法承受壓力的學生，就會選擇結束生命。但他們並不是唯一的自殺者，南韓是全球自殺率第二高的國家，每年每十萬人口中有三十一人自殺。這個數據比日本還高，日本的自殺問題也是人盡皆知的，但日本的數據為二十四人。據黃尚民教授表示，韓國有這麼高的自殺率，部分原因在於人們認為必須跳過那不可能跨越的成功和榮譽的標竿。他說：「韓國人總是想對別人顯示他們最好的形象。」但當事實證明這是不可能的時候，就會導致他們「放棄」自己，並結束自己的生命。

在南韓，名人自殺也很常見，二〇〇九年是特別悲慘的一年，至少有九位名人結束了他們的生命。人們以為演員和歌手都有令人羨慕的生活，但在韓國，名氣會為人帶來額外的負擔。當這些名人喪失面子的時候，全國都會看到，這種名氣帶來的壓力會令他們無法承受。網路討論版鼓舞了「反粉絲」（anti-fans）這些匿名者，他們打破了公開批評的禁忌，並針對那些不幸被選中的目標，惡意散播一些有關他們的謠言。據二〇一〇年女演員朴真熙撰寫的碩士論文中指出，她所調查的兩百六十名演員中，有四〇%的人曾經有過自殺的意圖。

很不幸的是，韓國人認為自殺可以對一個人的形象產生淨化作用。前總統盧武鉉在二〇〇九年以自殺來回應針對他及他的家人所進行的貪腐調查，他家人的形象（原本受到攻擊）在這之後便獲得重建。儘管盧前總統在二〇〇八年離職前的民意調查評價相當低，但到了二〇一一年，他在一項民意調查中脫穎而出，成為南韓第二名最受歡迎的總統，僅落後於朴正熙。他的自殺也因政治因素使得對他家人的調查無法繼續下去，他犧牲自己來拯救他的家人，並用這種行為作為他道歉和贖罪的方式。他的逝世是個相當大的悲劇，他是一位極有成就的人，從出身農村貧戶到自學而成為人權律師，後來當上國家的總統。毫無疑問的，在這個世界上他原本還能夠做更多的事情和貢獻。

公與私的鴻溝

因為面子膨脹的問題，在南韓的公眾形象與私下的實際情況，通常有很大的鴻溝，而人們則會盡全力來維護這個鴻溝。南韓具有民主世界中最嚴厲的毀謗法，這並非巧合。按照韓國的法律來看，即使原本的指控屬實，毀謗的罪名還是可以成立。不僅如此，毀謗也可以被列為刑事犯罪，這對韓國的言論自由造成嚴重的負面影響。原屬民主黨的政治人物鄭鳳柱（音譯），是全球最受歡迎的線上廣播節目「Nakkomsu」的常客，他在二〇一一年十二月指責李明博總統涉及一項遠近皆知的詐欺案，因而被判刑一年。這如果是在其他民主國家，鄭鳳柱最多可能只會被判支付損害賠償。但是在南韓，據聯合國言論自由權問題特別書記拉魯（Frank La Rue）在二〇一一年向《紐約時報》表示：「許多成立的毀謗案件所針對的供述不但是有根據的，也是公眾應該關注的事情，但卻被用來懲罰那些批評政府的人。」

網路對於人們在公共領域面子的維護，構成了一些特殊的新問題，因為它會模糊公共與私人之間的界線。一名網路評論者可在進行公開批評的時候保持隱私，理論上來說，任何人都可以破壞一位知名人物的名譽，卻不須面對被識出身分的後果。「反粉絲」就是一個最好的例子，頗有名氣的饒舌歌手Tablo（中文名為李善雄），在二〇〇〇年代晚期不斷受到網民攻擊，他們指稱Tablo並沒有如他公開聲稱的從史丹福大學畢業，他甚至因此受到死亡的威脅。選擇以學歷作為攻擊的途徑，當然非常具有韓國的民族性，Tablo的職業生涯因此受創，甚至後來事實證明他是清白的，許多人依舊認為他撒謊。Tablo曾經表示：「由於抨擊我的人都是匿名者，我無法知道是誰在攻擊我。」

南韓後來頒布了「真名」法，來對抗這種讓人們易受攻擊的問題，該法令要求網民必須用自己的身分證字號在網路論壇上註冊，這個必要條件讓網民容易被暴露身分，也可能被控告，對於害怕名譽被攻擊的知名人士來說，這是天賜的禮物。但真名法就如毀謗法一樣，也可以被用於政治目的，限制自由言論和對於掌權者的批評。二〇〇八年，一位署名米娜娃（Minerva）的網友在網路論壇上一再發表有關韓國經濟黯淡的預言，在連續幾次證明他的預估準確之後，吸引了上百萬名網友關注。憂心忡忡的南韓政府揭露了他真實的身分為——三十歲失業的朴大成，並以「散布錯誤訊息」對他提起控訴。他後來被判無罪，但他被審判的事實就表示，言論自由在南韓並沒有受到保障。

二〇一二年，李明博政府終於宣布廢除真名法，政府批評者和言論自由運動者都認為這是邁向正確方向的一步，也是早就應該踏出的一步。但是，對於受到匿名人士攻擊的那些受害名人，很難不令人予以同情，因為他們在韓國所付出的代價比在其他社會高出很多。如果將美國有名的女繼承人希爾頓（Paris Hilton）與韓國的流行歌手白智榮進行比較，就可以在這方面有所了解。她們兩人都被偷拍私人性愛光碟，並被公開流傳（分別在二〇〇三年和二〇〇〇年），希爾頓的事業生涯實際上受惠於這個事件，但白智榮的演藝事業卻因此遭到摧毀，她在不知情的情況下，被拍攝到每個成年人都會做的事情，但在她的國家，這足以毀壞她的形象，並讓她在主流媒體上消失了將近六年。後來終於在二〇〇六年再度復出，但一直到今天，她的聲譽依然因為這個不該被視為可恥的醜聞而受到損害。

10 「恨」與「興」：韓國人心中的沉痛和喜悅

韓國人素以感情豐富聞名，這種觀念與我們在第7章討論的「情」這「看不見的擁抱」有一些關係，但是韓國人的感情更常來自「恨」，這是一種刻骨銘心的悲痛，也被稱為一種獨特的韓國情愫。「恨」的文化滲透於韓國人民的生活與藝術中，以致一些人會說「身為韓國人的那種難以承受的悲痛」，這是《時代雜誌》曾經用的說法。

但《時代雜誌》的說法只描述了一半的真相，**韓國文化無疑具有一種傾向極端負面的情緒，但它也含有近乎狂熱的喜悅和全然地縱情。**這具狂熱的一面或許可以被稱為「興」（也就是一種喜悅）的精神，雖然相較之下，那些熟悉韓國的人士，提到「恨」的頻率比「興」來得頻繁，但「興」和「恨」一樣重要，而且可能更為明顯，由二〇〇二年世界盃足球賽期間韓國舉國同慶的情景即可得知。

如果用「神祕莫測」和「極度自我控制」這種對東亞人的偏見來形容韓國的話，那就大錯特錯了。韓國的「恨」和「興」的存在，讓它成為人人肝膽相照的國家。

「恨」的背景

「恨」就像「情」一樣，是有關韓國文化的討論中廣為人知的觀念。它是心理學家和文化評論家以各種形式進行分析的主題，並引起許多辯論。它通常被定義為一個人所承受的一種無法化解的怨恨，或是感情上的痛苦，也就是一種內心的怨恨。它伴隨著內心的絕望和不平，可以讓人感到痛之入骨的地步。有許多原因可以引起「恨」，例如：殘疾、兒女的逝世、遭受霸凌等等。這些例子的共同點都是受害者沒有力量改變現況。在韓國近代歷史上最顯著的例子就是有無數家庭因為朝鮮半島的分裂而分離，很少有比與親人隔離所造成的創傷來得更令人心痛，尤其是當一個人無能為力的時候更是如此。

這裡的人們對於這種創傷的反應並不是尋求報復，因為要不是沒有復仇的對象，就是該對象是遙不可及的。在可以針對某個對象報仇的情況中，這種感覺被稱作「怨」，這也是一種較為激烈和憤怒的情感。「恨」與「怨」不同，因為受害者無法經由某種報復或是補償的方式感到滿意，因此必須尋找其他途徑來發洩感受。

有些人聲稱「恨」是一種韓國獨具的感情。韓國最偉大的在世文學家高銀，是一位寫過許多有關「恨」的詩人，他認為「恨」屬於更廣泛的亞洲傳統情愫。據他表示，回溯到古代的印度，有種類似「恨」的怨恨已經深植在許多文化中。他追溯到與這「恨」相關的古印度字upahana，這個字也與中國的恨及日本的恨有關，這些都與韓國的「恨」類似，但比較具有攻擊性。在了解韓國過去所受到的侵略、分裂和戰爭，以及長期以來被比較強勢的國家當作戰役中的小卒來使喚之後，就不難理解韓國的「恨」比較帶有認命的意味，而不太具有攻擊性。在歷史上，韓國人民從未真正有回擊的機會，因此必須將他們的痛苦藏在心底。

但另一方面，小說家張榮元（非其真名）認為「韓國的恨是一種殖民者的產物」，日本人在日治時期不斷地給韓國人民洗腦，讓他們相信自己無法改變當時的政治情勢，只能尋找接受這些情勢的途徑，日本殖民者便藉由這種方式讓他們受到壓制。他相信「恨」並非僅屬韓國人的本質，而是其他文化也普遍具備的。據他所說，這是一個在二十世紀初期植入韓國社會的文化符碼，它的植入是那麼地成功，以致韓國人深信自己具有這種特殊的情感。

這是一個頗受爭議的非主流看法，尤其是張榮元認為日本是「恨」的源頭這個主張。但暫且不論「恨」的起源為何，或是它是多麼「純正的」，或是否「純屬韓國的」，這「恨」已經成為韓國精神的一部分，除了影響到人們的舉止以外，對他們創作的音樂、藝術和戲劇也產生一些作用。

韓國人獨特的一面，在於他們對於這種感情的保存甚至珍惜的方式。在此長住的外國居民會注意到，**韓國人具有以近乎浪漫的方式沉溺於或享受悲痛的傾向**。**韓國文化中具有深沉的、憂鬱的特性，並在當代透過歌曲、電影和電視劇來表現**，這其中不斷出現悲劇性的英雄、單戀以及苦樂參半的回憶，這也很可能是促使韓國流行文化在海外具有吸引力的元素。高銀用一種任何熟悉韓劇的人立刻就可以識別的景象來描述「恨」，例如：劇中的女主角在夜裡孤獨地站立著，等待她那從未出現的情人。在這些故事中，女主角無疑會永遠背負著這種不幸和被遺棄所造成的創傷。

許多深受國際觀眾喜愛的韓國電影都有「恨」的情節，二〇〇四年上映的《太極旗：生死兄弟》這部電影，描述一對參與韓戰的兄弟身處充滿屠殺與衝突的環境中。在故事的高潮，哥哥為了拯救弟弟而犧牲。到了電影尾聲，倖存的弟弟在戰後遺址尋獲哥哥的遺體，他對失去手足感到悲痛，徒然地乞求與哥哥說話，複述著他們在戰場上交談過的話語，傳達出那一輩子無法化解的痛苦。

化解的方法

金義哲教授指出，「恨」並不是一個無法改變的狀況，而是**可以藉由「解恨」的方式來化解，透過一些令人喜悅的宣洩行動來達成**。金教授以韓國民間著名的面具舞為例，一名患有殘疾的乞丐（這通常是在社會中受到憐憫或嘲笑的對象）站在觀眾前面，透過歌曲和舞蹈慶祝他的痛苦，進而超越他的悲傷。這名乞丐最後進入了一種喜悅和忘我的境界，好像他的苦痛已自身上解脫，如釋重負。

按照慣例，這種表演也會嘲弄「兩班貴族」這些一般百姓痛苦生活不容置疑的根源，乞丐的表演為農民觀眾和表演者本身帶來了「解恨」的慰藉。這種「解恨」的方式與俄國哲學家暨評論家巴赫汀（Mikhail Bakhtin）提出的「狂歡荒誕」概念有相似之處，另外也與中世紀許多歐洲國家的「愚人慶典」有異曲同工之妙，在該慶典中，農民與國王的角色暫時替換。在這些短暫的片刻，社會秩序被拋到一旁，出身低微和不幸的人可以從令人難以忍受的社會階級制度壓迫中跳脫出來，享受令人喜悅的自由。

韓國人民用這種方式看待悲哀，反常地運用了娛樂和歡笑。他們的「恨」不是以盎格魯撒克遜（Anglo-Saxon）那種「緊繃上唇」的方式來隱藏情緒，反而是用相當強烈的反應。有個著名的二戰故事就是很好的例子：一群韓國年輕人在等候火車將他們遣往日本北海道的強制勞動營時，儘管他們知道其中有些人會面臨死刑，還是在月台上邊笑邊熱烈地踢著毽子（一種類似西方毽球的遊戲，玩的人將毽子踢來踢去，不讓它掉在地上），看守他們的日本士兵對於韓國人這種輕鬆的態度感到十分震驚。

同樣的，傳統的韓國葬禮在某種程度上也算是一種慶典。這其中包括唱歌、飲酒甚至遊戲，令人置身於意想不到的一片喧譁氣氛中。在《朝鮮日報》一篇有關韓國葬禮文化的文章中，引用了韓國國立安東大學民俗學教授林在海的說法：「韓國人往往將葬禮視為一個用歡笑克服悲傷的機會……將死亡的悲傷和黑暗昇華成生命的歡樂與光明。」這或許會令美國讀者們聯想到紐奧良老城區葬禮中呈現的類似精神。在英語中，人們提到親人葬禮時可能會婉轉地用「慶祝生命」來表示，韓國傳統的葬禮則是對生命及死亡進行一種真摯熱誠的慶祝。

在人們知道悲劇無法轉變或消除後，便了解到除了慶祝之外，別無他法。然而在慶祝的時候，他們便超越了悲劇。韓語「shinparam」就是「振奮」或「高昂的情緒」的意思，可用來形容這種釋放的感情。薩滿教的祭儀可當作例子來說明：人們常常會基於某些悲慘的原因請人做「祭儀」，這儀式中不但加入許多的歌舞，還釋放出很多力量。雖然對於一些人來說，這種「祭儀」像是一種沒有事實依據的「巫術」，但對於身陷困境的人來說，它在心理上具有宣洩的作用。一名請人做「祭儀」的受訪者表示，雖然她自己不太相信這些儀式具有驅邪的力量，但這是一個非常富有感情且十分令人振奮精神的經歷。「shinparam」或許是以佛教和薩滿教兩者為基礎，因為它不但包括了**接受痛苦**（甚至接受「**人生是苦海**」的事實），並且以**超越的方式來面對這個痛苦**，而不是透過報復或矯正他人的方式。

純粹的喜悅

雖然如《太極旗》這類在國外深受歡迎的韓國電視劇和電影，將韓國描繪成具有悲劇性的憂鬱形象，這個國家也具有一種肆無忌憚且「坦率的」喜悅。對於詩人高銀來說，只要提到「興」（喜悅）這個字就足以讓他笑容滿面，露出輕鬆愉快的模樣。他傾身向前，上下抖動著肩膀，不但以身體傳達這個字的意思，還顯示這個字為他帶來的活力和滿足感。他說：「想像有一位土地神，你把酒灑在土地上作為供奉——祂會高興得讓大地都震動起來。」這就是「興」的感覺。

雖然韓國當今的城市現狀以及在辦公室裡長時間的工作，無法引起任何「興」的感覺，人們還是喜愛純粹的娛樂，對於年紀較大的人來說，更是如此。比方說，一個人如果到首爾市中心的塔洞公園，就會看到退休的人們整個下午在那裡飲酒、跳舞。此外，在當今的農村裡仍然會舉行各類慶典，這也是人們大肆「飲酒歌舞」的時機。當中最著名的即是一年一度的江陵端午祭，這是起源於慶祝播種季節所進行的薩滿教儀式。人們在江陵端午祭除了可以看到韓式摔角、玩跳板（表演者在翹翹板上表演後空翻或其他空中特技）、薩滿教儀式外，還可以唱歌、跳舞並且盡情地飲酒作樂。同樣的，年長的韓國人會組成旅遊團，租巴士到一些路程遙遠的景點旅遊，這些巴士的內部不但裝載大量的啤酒、米酒以及燒酒之類的韓國烈酒，還附設卡拉ＯＫ伴唱機。如此一來，這些遊覽車就變成包車派對了。

在韓國其實到處都可以看到人們飲酒歌舞。與日本等鄰國及全球大多數國家相較，韓國社會比較接受飲酒（以及酒醉）。據世界衛生組織報告顯示，**南韓人的平均飲酒量比愛爾蘭人和**

英國人略高，且幾乎是日本人的兩倍。韓國人飲酒通常會伴隨著唱歌、跳舞，實際上擅長這三項中的一項，對社交來說也相當重要（尤其是飲酒），即使在商業方面也是如此。不論老少、各種社會階層或是各地方的人士都喜歡飲酒歌舞。雖然韓國官方旅遊介紹往往會淡化「飲酒歌舞」在韓國的意義，因為這對外人來說，可能看起來不太文雅也不太具有吸引力。但是，到韓國的遊客經常表示，最令他們難忘的回憶，是在路邊的「布帳馬車」（路邊帳篷下的小吃攤）飲酒，然後到練歌房（唱卡拉ＯＫ的房間）唱歌、跳舞的經歷，而不是到那些一直推薦他們造訪的「泡菜博物館」或是「民俗村」的回憶。簡單來說，「飲酒歌舞」是這個國家的文化中非常具有吸引力的一面。

甚至連政治抗議活動也會有喜悅的一面。雖然歡樂與這種具有嚴肅宗旨的活動看似完全不協調，但抗議活動的領導者們除了針對不公平的事情要求政府改善並發表演說，也會在空檔時間上台高唱輕鬆歌曲。「四物打擊樂」則是韓國另一種尋求純粹喜悅的例子，這是一種來自薩滿教傳統儀式的打擊樂，通常以樂團的方式表演。大學生會組成社團來練習「四物打擊樂」，並在社團的小組裡連續幾個小時不斷地敲打著凌亂、嘈雜的節奏。

這個國家在享樂文化方面的喧譁通常會令外國旅客吃驚，因為這與「朝靜之國」（Land of the Morning Calm）的形象完全相反，也不符合東方人一般給人的那種溫和、熟思，或是過度商業化和嚴肅的刻板印象。沒有任何景象比在二〇〇二年世界盃足球賽期間，南韓在自己的國土上打進準決賽的景況更能顯示這種喧鬧。當時全國都處於狂歡狀態，四處都有即興的派對和非正式的足球賽，當然在街上、公園、廣場甚至火車上，都可以看到人們飲酒歌舞。只要有個人在熱鬧的地方大喊：「大韓民國！」幾乎所有人都會放下手邊工作，大聲附和呼應。如同金大中總統當時所宣稱的，那是自五千年前傳說中的檀君創建古朝鮮以來，韓國最歡樂的時刻。

「恨」與「興」的平衡

出版了上百本作品的詩人高銀表示，「興」是他寫出大量作品的靈感之一。對他來說，詩歌是一種慶祝，他提到「暢飲詩歌」的博爾赫斯（Jorge Luis Borges，阿根廷詩人、評論家及短篇小說家）。高銀說他的工作並非真正的「工作」，比較像是在遊戲，因此即使他已年屆八十，還不想停止創作。他談到自己最近出版了有關「愛」的詩集時，充滿了熱情。但「興」並非是源源不絕的，「恨」和「興」是相互對立的，就他來看，當一個在高處，另一個就在低處。據他觀察，韓國就是持續地走在這兩者高低交替的道路上，即使韓國處於「興」的時期（例如目前這個時代，他從許多人的舉止和流行的音樂注意到這一點）「恨」還是存在的，它被「藏在腳底」，但還是存在的。

然而，在「恨」的時期，也還是充滿希望，因為這其中總是有釋放和慶祝的機會。這是這個文化的特質之一；在歡樂中夾雜著苦樂參半的感情，在悲痛中帶著希望。這是韓國看起來那麼鮮明和富有感情的原因，也是韓國電視劇和電影在海外深受歡迎的原因之一。

「恨」和「興」是一個易變但具吸引力的結合。

11 從氏族到核心家庭

在韓語中，與「大海撈針」有異曲同工之妙的說法是「在首爾找金先生」。誠然，在韓國超過二一％的人口姓金，一五％的人口姓李，約九％的人口姓朴。但是，韓國的姓氏比表面上看起來更複雜。金氏本身就有超過三百個來自不同祖先發源地的氏族，這些氏族各自獨立且毫無關係。在韓國將這些氏族稱為「本貫」，並在歷史上具有十分重要的意義。在朝鮮王朝時期，一個人在社會中的地位至少有一部分是由他所屬的「本貫」來判定的，有一些負擔得起的家庭，也會花錢購買地位較高的「本貫」。

如今，韓國氏族的影響力已經變得很小，從前「本貫」可以提供的人際脈絡和保障已不存在。即使在「本貫」中純粹由家人組成的最小團體，也不再像以前那麼親密和團結。二十一世紀的南韓正在逐漸脫離大家庭的觀念，並接受核心家庭的模式。雖然有些人將這種新的韓國家庭稱為「西化」家庭，這是過於簡化的說法，韓國人證實核心家庭可以具備各種不同的形式。

本貫＝氏族

在韓國的歷史上，姓氏原本是很稀有的。在朝鮮三國期間，只有王室和最高層的貴族才擁有姓氏。西元六六八年統一三國的新羅王國，最初只有六個家族有資格獲得姓氏：李、崔、孫、鄭、裵（通「裴」）和薛姓。這些都是由琉璃王賜予新羅王國創始地金城（今韓國慶州市）六個地區首長的姓氏，這些首長和他們的後裔因出身高貴的家族而擁有許多特權和榮譽，其他普通百姓則連姓氏都沒有。

到了新羅王朝末期，大多數貴族都從國君那裡得到了姓氏，新羅王國衰滅後，高麗王朝興起，高麗王國開國君主王建也遵循賜予忠誠追隨者們姓氏的政策。一位原名金幸的前新羅貴族讓王建十分讚賞，便獲賜姓權（表示「權力」，由君王授予是一種具權威性的表揚）。位於慶尚道的安東市被指定為這個新本貫的故鄉，安東權氏因此而產生。

王建在賜予姓氏方面比新羅王朝的君主們更開放，他甚至會以賜予姓氏作為懲罰，強迫俘虜冠上不雅的姓氏，例如豚（意為豬）和牛。此外，他也會鼓勵官員們挑選自己喜愛的姓氏，建立新的本貫。這些官員通常會借用聽起來很高尚的中國姓氏，例如「李」是中國著名思想家老子的姓氏，來自中國的韓國姓氏總共超過一百三十個。有些歸化朝鮮的外族人也可以冠上韓國姓氏，並建立他們自己的氏族，例如，回教維吾爾人參嘉（音譯）為自己冠上張姓，並成立了德水張氏這個本貫。原本身為女真族的杜蘭（Tung Duran）選擇李姓，並開創清海李氏這個本貫。這兩個氏族都是從十四世紀開始，到了二〇〇〇年人口普查時，在世的成員分別有二萬一千人和一萬兩千人。

不論是君主賜姓或是自由選擇而成立氏族，這些人被稱作「始祖」，也就是一個氏族之父。後裔會將他們的「始祖」視作君王一般，並為他們編造一些神話，例如，黃澗甄氏（即黃澗地區的甄氏）本貫的始祖甄萱，傳說是由老虎撫養成人。此外，各個家族的人也開始編寫

「族譜」，上面列出氏族始祖所有的後裔，現存最古老的族譜是由安東權氏在一四七六年編著的。此外，各氏族的後裔也會撰寫家族史書，在書中詳細記載成名的祖先功績，好比擔任政府大臣或是將軍等事蹟。

自從王建大力擴展姓氏一千多年後的今天，韓國的家族依然保有族譜和家族史書。但本貫經歷了數代之後便開始分裂，氏族分裂成亞氏族以及更細的分支。一位安東權氏的後裔指出，他屬於十三個支派中的其中一個支派，而這十三個支派又屬於當今安東權氏分裂的十五個亞氏族的其中之一。

在韓國社會中，原本只有兩班貴族才能擁有姓氏，但在朝鮮王朝期間，任何人都可以有姓氏（到了一九〇九年，日本強迫所有韓國人都必須有姓氏）。於是一般百姓便趕緊成立或加入一個本貫，這都是受到宋明理學重視孝道和祖先的影響，以及他們希望改變自己的命運和地位的激勵。到了朝鮮王朝世宗大王在位期間（一四一八—一四五〇年），韓國已有兩百五十個姓氏，像是權氏的兩班氏族依然存在，但由貧窮百姓所傳下的世系也包含其中，例如「皮」姓被視為窮人的姓氏。

處於中等和較低階級者想提升地位的渴望，也激發了「姓氏交易」的活動，換句話說，人們可以購買較有聲望的姓氏使用權，來代替改變地位的辦法，例如通婚。對於一個沒有姓氏的人來說，有了「皮」這個窮人的姓氏雖然已經是一種改善，但還是姓「權」比較好，這背後實際上是因為朝鮮王朝將「本貫」執行到極度勢利的地步，只有擁有地位崇高的本貫，才有機會在政府獲得較高官位。朝鮮王朝的學者柳壽垣曾經感慨說：「政府阻絕了（那些具較低地位本貫的人）在社會中有任何靠自己努力成功的機會，強迫他們過著如罪人一般的生活。」由於一個好的姓氏可以帶來好的機會，對於沒有機會或地位的人來說，自然會看到加入「較好的」氏族的好處。

韓國社會的姓氏交易，在一五九二到九八年日本入侵後最為盛行，這是因為日本侵略帶來的暴力和破壞，讓許多兩班家族的家運衰敗，造成比較公平的社會競爭環境。兩班在主宰經濟活動方面的衰弱，不但讓處於中等階級（中人）的商人崛起，甚至還為一些屬於賤民階級的農民帶來財富。這些情況導致兩班家族有理由將偽造的族譜編入名單，賣給有錢支付的平民。這也就是為什麼當今韓國人面對自誇是貴族世系的人，常見的回應是：「沒錯，但沒有人能夠肯定他們的祖籍，對吧？」

有一些本貫，如金海市的金氏和密陽市的朴氏，都是基於上述原因導致成員大量增長。當時一般的百姓趕緊將他們「身分較低」的姓氏（如皮姓）換成較受尊敬的金氏或朴氏，這也是本章開頭提到那些姓氏如此常見的原因。如今，南韓有超過四百萬的人口屬於金海金氏，這個氏族龐大的人數曾引起一些意想不到的社會問題：直到一九九七年之前，同一氏族的男女結婚是不合法的。這條法律在該年被廢止，但在這之前，據說超過十萬對的金海金氏男女以同居方式結為夫婦，無法享有法律上的婚姻保障。

當然，姓氏的交易和氏族人數大量增長，總是會降低一個氏族的名望及附屬價值，就像金海金氏人數擴展後，身為這個本貫的一分子所具有的優勢就會變得愈來愈少。但是，即使在十九世紀後期，有些氏族還是極為團結並且十分具有權勢。較小但團結的安東金氏，在十九世紀利用設立歷代李氏的傀儡君王，長期握有朝鮮王國的實權。第一位傀儡君王是在一八〇〇年即位的純祖，由他的王妃之父，也就是安東金氏的金祖淳攝政，並將有權勢的職位指派給許多安東權氏的人士。接下來的六十年間，唯一與他們爭權奪勢的只有純祖媳婦所屬的豐壤趙氏。這兩個氏族爭奪權力和國家財富的這段期間，被稱作「勢道政治」（姻親政治），他們彼此的鬥爭削弱了國力，並造成社會不安，以致日本能輕易地在一九一〇年達到殖民韓國的目的。

氏族是否依然重要？

在「勢道政治」期間，安東金氏與豐壤趙氏將氏族的利益放在國家之上，讓人見識到屬於一個本貫曾經是多麼的重要，尤其是身為優秀氏族（如安東權氏）的一員，更會帶來十足的榮耀。但是如今，這種身為氏族一員的榮譽感正在消失，如此的世系權力早已不復存在。身為國家或企業的領導者可以是任何姓氏者，包括韓國總統也是如此。**到了一九五〇年代，日本的統治和戰爭為韓國社會帶來相當大的改變，南韓成為比較平等的社會。六〇年代之後，一個全新的社會最高階層開始出現，但他們的成就與姓氏沒有任何關係。**

如今，韓國最富裕和最有權勢的家族幾乎都有財閥背景，這些家族在二十世紀中後期才開始脫穎而出，其中最負盛名的就是三星集團會長李健熙，韓國人在談論他與他的家人時，好似在談君王和王室一般。一位當地的新聞工作者說：**「韓國的總統一任可做五年，但三星的權力是永久的。」**韓國電視劇裡常見的情節，也大多是一位出身貧寒但貌美的女子嫁給一位財閥的繼承者，好像嫁給了王子一般。

韓國第二大財閥現代集團的創辦人鄭周永，來自極為貧窮的農家，但如今他的後裔在韓國社會中也被如王室般看待。相反的，一九六〇年代朝鮮高宗的孫兒李錫（一九四一—）於美軍駐韓基地演唱，之後移民到美國，並在當地經營一家賣酒的商店，一九八九年返回韓國後變得無家可歸，最後受到全州市的救助，並受僱為當地政府推動觀光業。朝鮮王朝李氏家族目前的首領李源（一九六二—）是朝鮮高宗另一名孫子李玖的養子，如果日本沒有殖民韓國，李玖就會理所當然地成為韓國的君王。李源曾經擔任過現代電視購物公司的經理。由此可見，在現今的韓國，一個人的祖先發源地與他的地位並沒有很大的關係。

一般來說，年紀較長的一輩還是比較重視氏族的起源，但他們可能是持有這種看法的最後一代。目前這一代的年輕人和中年人對氏族的態度開始有很大轉變。三十多歲的權志勳（非其真名）屬於安東權氏，他的見解清楚地說明了這兩代在氏族看法上的分歧。志勳表示，他那七十歲的父親依然以權氏世系為榮，甚至親自為子女編寫族譜並裝訂成冊，書中詳述每位在朝鮮王朝當過高官的祖宗事蹟。對於志勳那傳統守舊的父親來說，讓子女們了解自己的世系，並且為維持祖先傳下來的榮耀而努力，是一件相當重要的事情。但當我詢問志勳，氏族對他來說具有什麼意義時，他只淡淡地回應：「我一點也不在乎。」

另一位三十多歲的丁先生則認為，「族譜」和氏族起源不但「毫無意義」，而且會「給你一種為了不辜負什麼而努力的壓力……但沒有給你像以前一般的優勢。」他表示，以後不會教導自己的子女重視他們氏族的起源。相反的，一位與李明博總統一樣屬於慶州李氏的年輕男子說：「我以自己的姓氏為榮，但我比大多數的人更為保守。」

另一位來自較小的丁氏（與第4章提到的朝鮮王朝知名學者丁若鏞屬同一個氏族）的年輕母親說：「在我小的時候，一位年老的牙醫發現我們家與他來自同一個氏族，在醫藥費上他就打了一些折扣。但這是在我人生中（本貫）唯一對我有影響的一次。」她還說，本貫對她而言意義不大，而且現在「大多只有年長者」才會關心族譜和祖先。

傳統的親屬關係結構

韓國親屬關係結構中有三個重要的層級，其中以本貫為最大的一個層級，每名始祖的後裔都屬於相同的本貫。我們在前面討論過，從前身為備受尊敬的本貫成員可以獲得良好的機會和地位。但是對於成員之間的緊密關係和家族感情來說，這些氏族過於龐大，尤其是像金海金氏這類的本貫。於是，隨著氏族的擴展，自然會有分支的情況發生。

本貫的下一個層級是「派」，「派」是一種亞氏族，其規模可從幾個家庭到一千多個家庭，依本貫的規模及其中「派」的總數而定。這些「派」往往會在某個特定的村莊或城鎮裡深深地扎根，並且擁有土地、房屋，以及給予「派」中已故成員使用的墓地。此外，它們還會為「派」中的孩童們開辦學校，並提供經濟資助給有需求的成員。如今韓國政府對人民日益增加的協助，已經讓人們大幅減少這些需求，但這些「派」還是會主持儀式來紀念五代或是更久以前的祖先。

再接下來的層級就是「家庭」，他們的住所包括一間「長房」以及可能幾個「弟宅」，長房中住著家中的長子、長媳、他們的子女以及男方父母，弟弟們便與他們的妻子和兒女住在弟宅。家中的姐妹在婚後便加入丈夫的家庭，並從此成為那個家庭的一分子。照傳統，一名女性親戚在結婚之後就不再被家族的人視為親戚。

「派」和「家族」如同「本貫」一樣，已經不再像以前那麼重要。韓國的分裂對這方面具有一些影響，如今在首爾有很多人的父母在韓戰期間或之前從北韓遷移過來，並且與仍在北韓的家人完全隔離。然而，這種親屬關係疏離的主要原因還是在於都市化。即使在「派」的層面也是如此，親屬關係結構原本在各個村、鎮裡深深地扎了根，所以當人們在二十世紀中期和晚期大量湧入首爾及其郊區後，這種關係就變得很難維持。

另一個因素則是生活方式。如今的南韓人生活相當忙碌，他們的工作時間在經合組織國家中算是最長的，而且大多數的婦女現在也加入勞動人口。競爭讓成人們在公司整天工作，並強迫子女晝夜不停地念書，大多數的人真的沒有時間經常去拜訪親戚。

即使像表（堂）兄妹這種具有密切關係的親戚，現在通常只能在婚禮、葬禮或是如「秋夕」（慶祝秋收）或「舊正」（新年）這種國定假日才有機會團聚。在秋夕和舊正這兩個節日，所有的家庭成員都應該返回他們祖先的故鄉，並以受到儒家影響的紀念儀式向祖先們表示尊敬。但是，現在連這兩項傳統也受到了衝擊。由於愈來愈多人選擇留在城市，首爾的餐廳和酒吧在「秋夕」和「舊正」期間依然營業的現象日益增長。然而，在這段期間離開首爾的道路還是十分擁擠，仁川機場的出境人數也在近年來急速增加，因為忙碌的都市上班族索性利用這時間到國外度假。在二〇一一年，南韓有五十萬六千人在秋夕期間由仁川機場出境，這比二〇一〇年增加了一五・七%。

核心家庭

對於住在城市的這些八三%的南韓人口來說，傳統的家庭結構已經被簡單的核心家庭所取代，目前只有四・八%的韓國家庭有三代以上的家人以「長房」的方式同住。對於大家庭逐漸被小家庭（只有父母和子女同住的家庭）取代的景象，許多老一輩的韓國人感到悲哀，他們認為這個趨勢是當今城市中的社會團結和「情」普遍衰退的現象之一。老年人可能是在核心家庭興起後最不習慣的一群。據韓國政府統計，一九七五到一九九六年期間，住在「只有老年人的家庭」中的老年人比率從七%上升到五三%。

但這種景象並不全然都是負面的，其中一個優點是婦女的命運已經大幅改善。從前的婦女除了必須煮飯、打掃和撫養子女以外，還要迎合婆婆永無止境的要求，同住在一個長房的家庭情況更是如此。近年來，大多數的韓國婦女只須在秋夕或舊正期間，為她們的婆家忙碌一下，而那些去度假的婦女連這也不用做了。韓國婦女或許尚未獲得完全平等的地位，但她們的處境已經比她們的母親和祖母們好很多了。

此外，韓國的核心家庭也改變了家庭與姻親之間互動的關係。在傳統的家庭結構下，女性的家人沒有丈夫的家人重要。但到了二〇一一年，據韓國媒體所做的調查顯示，目前的中學生們覺得自己與母親的親戚比較親近。住在首爾蠶室洞、父母住家附近的一位已婚受訪者表示，她「擔心公婆的感受」，因為她與先生和兒子都比較常去探望她的父母。在二〇〇四年，約四七%的二十多歲男性表示，他們甚至不介意與妻子的父母同住。

有些人相信核心家庭模式是西化的實例之一。西化在韓國是一個常用的詞，並且用來形容任何被視為冷漠、缺乏「情」以及有違傳統價值的事情。對於韓國家庭現在偏向「西化」的這種看法，不論它代表什麼意思，這還是一種太過簡化的看法。韓國核心家庭的成員們互相依靠的情況依然比西方多，大多數成年子女在結婚前還是與父母同住，這與西歐或北美的情況不同。父母在子女選擇學校及職業方面的參與也比較多，對於子女擇偶也有很多意見。如今仍然有七〇％的韓國年輕人表示，他們不會在沒有經過父母的同意下與他人結婚。

二、三十歲的韓國人在經濟上通常還是繼續依賴父母，像修讀工商管理碩士（ＭＢＡ）和博士等高等教育的學費，以及新居昂貴的住房押金，通常都是由父母支付。據韓國購物網站「Gmarket」在二〇一〇年所做的調查顯示，四七％已婚的韓國婦女「經常與母親出門購物」，而這是基於經濟因素，因為她們與母親一起購物時，大多數人不會自掏腰包。

其他的傳統習俗

另一種傳統的韓國慣例至今仍非常普遍。沒有任何宗教信仰的權志勳（音譯），受過良好的教育並在金融界上班。但當他在為兒子取名字的時候，會去請命名學家幫忙，韓國的「命名學」是一種配合占星術和薩滿教的原則來命名的。志勳表示，他並非真的相信巫俗或是其他任何一種靈性方面的事務，但是他一點也不後悔為此花費三十萬韓圓（約兩百七十美元）。按照韓國傳統，名字會影響子女一生的運勢，因此為子女選的名字必須與其生辰在占星學上的特徵相合。此外，為了對父親表示尊敬，志勳也必須遵從本貫傳統中的「行列字」（即中國的字輩）的命名方式來取兒子名字的第一個字，當然他們夫婦也都要喜歡這名字。

志勳夫婦最後將一份寫了五十個名字的名單交給命名學家，專家一邊淘汰這些名字，一邊提出勸諫：「你如果選這個名字，他就會早逝；要是選那個名字，他的一生就會有許多變故，並且生活悲慘。」最後，專家交給他們篩選好的名單：上面只剩兩個名字。也就是說，只有這兩個名字符合所有的條件。

如果這對夫婦生的是女兒，命名過程就不會那麼複雜了。志勳的父親是屬於重男輕女的一輩，所以他不會參與女孩命名的過程，這是儒家遺留下來的思想。在朝鮮時代，人們將撫養孩子的焦點放在兒子上（尤其是長子），以使他們成為有成就的男人，而女兒們連接受基本教育都會被視為不值得。雖然過去的六十年來，在南韓家庭生活的改變中失去了一些傳統，但這其中也有許多收穫。今天的韓國父母愛女如子，並將女兒看得如兒子一樣重要。

12 戀新狂

任何有關南韓的陳述，都有一個重要的前提：這只是概略化的描述，實際上，每個南韓人的思維方式都不一樣。但有關這個國家的一個基本事實，就是它對改變有無限的接受能力。基於這一點，可能會有某個關於韓國生活的陳述在當下是正確的，很快又因為狀況改變而完全不符實際的情況。

這種對於改變的接受能力可以是積極的，尤其是這能力得以讓人們克服悲慘的命運，建立一個他們引以為榮的國家。我們現在絕對無法辨認五十年前照片中的首爾，這不但是對於願意改變所帶來的好處的最佳證明，也可顯示韓國社會在短期間內發生了這麼多事情。

快速的發展步調，似乎點燃了韓國人民不斷追求新事物的欲望，無疑的，面子問題以及在經濟繁榮期間不斷加劇的競爭精神，也是箇中因素。最新的電子產品、想法或是趨勢都比以前具有吸引力，通常只是因為它比之前的新穎。在一個受到經濟和科技進步需求所驅動，並且急切地向前邁進的社會中，「bballi bballi」是外國遊客最先學到的一句話，意思是「快一點，快一點！」沒有人想被看成是個守舊或是跟不上時代的人。

你的手機在韓國算是過時了

在韓國，事物變得過時的速度實在快得不可思議，一年前賣座的歌，一年後彷彿就像是一九七〇或是八〇年代的歌那麼老。接近三十歲的藝人也是如此，對於那些已讓觀眾覺得厭煩的藝人來說，最好的辦法就是消失一陣子，再以煥然一新的形象重新出發。兩、三年前還是頂級的手機，現在肯定已經落伍了，在年輕人的眼裡更是如此。據ＳＫ電訊指出，**韓國消費者平均每二十六．九個月換一次手機，而日本的消費者則每四十六．三個月才換一次手機**。

韓國消費者不但相當注重品質，不接受瑕疵，也是絕佳的新產品試用者，這讓南韓成為所有新產品的理想試銷市場。那些了解南韓人喜新厭舊心態的國內外廠商，會將最新的電子產品率先在韓國市場銷售。例如，日本相機廠商奧林巴斯（Olympus）就是這麼做的，他們會密切觀察韓國消費者的反應之後，視需求進行調整，然後向世界其他地區展開銷售。位於仁川機場附近特別建造的松島國際都市，就被美國思科系統公司（Cisco Systems）當作各種新無線網路科技的測試平台。

二〇〇九年智慧型手機在南韓推出，受到民眾近乎歇斯底里的熱愛。隨後的十八個月內，南韓國民總共購買了超過七百萬支的智慧型手機，並將原來的舊手機丟棄，這些只能撥打電話、傳送簡訊和拍照的產品瞬間變得過時了。數以百萬計的人都知道蘋果iPhone下一個版本確切的推出日期，如果發售日期被延後，上百萬人會同感失望。蘋果公司在智慧型手機市場上最強勁的對手，就屬韓國的三星電子，該公司出產的Galaxy S及Nexus智慧型手機，在二〇一一年的全球銷售量高達一億支，在韓國就超過五百萬支。Galaxy S走的是一般韓國商業路線，是典型的「追隨者」產品，但是該手機以驚人的速度讓三星超越蘋果，成為全球手機銷售量最大的製造商。

五、六十歲的韓國人使用一些連比他們小一輩的西方人都沒聽過的手機Ａｐｐ（應用程式），是很常見的事。韓國人的確沉溺於這些新產品，韓國廣播通訊委員會（Korea Communications Commission）和韓國資訊安全局（Korea Information Security Agency）的一份聯合報告指出，韓國消費者平均每日花在智慧型手機上的時間為一・九小時。

但韓國人在國外，例如中國或是歐洲，還是能夠接受老舊的事物，韓國遊客也和其他遊客一樣喜歡參觀紫禁城或是遊覽威尼斯。但是在自己的國土上，舊事物通常具有負面的涵義，它會喚起人們過去那段不如現在的回憶。用「舊事物會為他們帶來一種羞辱感」的說法來形容，或許並不為過。

韓文的「chonseureopda」（土氣）一詞，被用來描述任何過時或俗氣的人事物。一種髮型、一件夾克、某位歌手，甚至是一個人的名字，都可能被視為「土氣」而遭到鄙視和嘲笑。在經濟快速發展期間，任何屬於鄉下的事物都被視為落後或過時的，所以必須汰換掉，而屬於首爾的事物則完全相反。在韓國人心目中，鄉下就等同「老舊」，由此可知韓國都市化和城市生活的魅力對於他們的影響。在首爾街頭，人們很少看到真正老舊的車子，假使真的看到一輛二十年的舊車，從擋風玻璃望去，通常在駕駛座上的是一張外國人的臉孔。三十年以上的公寓被認為必須徹底翻修或是乾脆拆除，這或許是與過去建設的品質低劣有關。由於南韓的經歷以及它最近發展的情況，它的社會比較願意移除過去的痕跡。

但這種心態還是有稍微改變的跡象，甚至連「戀新狂」也不一定能永遠持續下去。從二○○○年開始，許多富裕且愛好文藝的韓國人重新發現傳統韓屋建築之美，而且願意花很多錢購買那些精心修復過的韓屋。像在首爾弘益藝術大學附近的「Gopchang Jeongol」這種播放韓國一九六○和七○年代老歌的酒吧，大約從二○一○年開始盛行。出人意料的是，這種懷舊潮流居然成為一種最時尚的愛好，深受文化菁英喜愛。

一個愛好最新電子產品的國家

韓國的戀新狂在我們之前提及的科技領域中最明顯，但手機僅占其中很小的一部分。比起在其他富有國家，幾乎所有新產品都率先在韓國推展到大眾市場，只有日本例外。車用導航系統、數位單眼相機及MP3播放器等，都是在南韓風行了一段時間後，歐洲和美國的消費者才開始接受它們。

但這裡的人是很挑剔的，大眾可以完全採用或是絕對不採用某一項產品，這也是為什麼三星電子Galaxy S深受大眾喜愛，但樂金電子推出的競爭產品Optimus One卻徹底失敗，並且造成公司嚴重虧損，最後導致該公司執行長南鏞去職。當一項新產品一旦跨越了是否被大眾接受的障礙後，就會啟動南韓愛面子、愛消費的本性，數以百萬計的民眾都已經準備好要掏荷包了。

當然，這些產品的主要製造商是韓國最大的企業，這也是助長上述現象的原因。這些如三星電子的企業不但有龐大的行銷預算，在國內市場也有很大的影響力，這讓它們極有可能說服大眾：沒能擁有它們最新的產品，生活就會毫無意義。在其他人覺得需要液晶電視之前，它在韓國早已成為家家戶戶的必備品，3D立體電視也是最先在韓國銷售的。

南韓的商業文化不像一般刻板印象中那麼缺乏創造力，這種偏見是由三星電子和樂金電子所採取的「快速追隨者」策略所助長。相反的，尖端科技的領導者是南韓商業現在的標誌。在首爾地鐵上有網路訊號可使用視訊電話，而首爾許多人都有這種電子產品。此外，首爾地鐵也提供Wi-Fi無線上網服務。韓國的寬頻速度為全球最快，早在臉書（Facebook）和Myspace推出之前，韓國就有Cyworld，幾乎所有四十歲以下的韓國人都會使用這個社群網站。而在一九九八年，也就是Skype推出的五年前，一家名為Saerom的韓國公司就已開始經營DialPad這個龐大的網路電話（VoIP）服務。

除此之外，韓國人也是公民新聞的先鋒，也就是非專業人士為Ohmynews.com這類的網站寫報導文章，這種現象在二〇〇〇年代早期突然變得相當普遍。Ohmynews.com這個左傾的網站與大多數的右傾主流媒體抗衡，並和其他幾個新聞網站一樣，模糊了新聞工作者與讀者之間的界線。現在有更多人上網看新聞，而不是透過傳統印刷媒體。據韓國放送廣告公社（Korea Broadcast Advertising Corp）指出，二〇〇九年每日使用網路媒體的民眾占南韓人口的五三%，只有三二%的民眾看報紙。

網路媒體甚至影響到了選舉的結果。盧武鉉在二〇〇二年的總統選舉中出乎意料地獲勝，這都是因為他在最後一刻的網路競選活動爭取到許多年輕選民的支持。此外，當年執政的大國家黨（Grand National Party）在二〇一〇年地方選舉中慘敗，由於年輕人在投票當日早晨接到訊息，提醒他們用選票來懲罰政府的缺失，分析家們認為該政黨失敗有部分原因是受到民眾使用推特（Twitter）和智慧型手機所造成的影響。

如同我們在第5章談過的，在南韓事業要達到極度的成功，最好的辦法就是與財閥合作，或是另尋一片「藍海」；在韓國，這片藍海通常是在高科技領域中。實際上，這是能讓小公司克服大財閥的資金與影響力優勢的唯一領域。ＮＨＮ擁有Naver.com搜尋引擎（是國內唯一能夠抵抗谷歌的搜尋入口）——和網路線上遊戲開發商NCSoft，就是採取這種途徑而走上成功道路，不像e-Hyundai或是其他類似的公司。在南韓證券交易所市場價值排名前五十的企業，大多是之前受到政府支持的財閥，或是民營化的公共事業，ＮＨＮ和NCSoft是其中僅有的兩家真正獨立創業的公司。

受到如ＮＨＮ這些公司的啟發，現在南韓也出現第二波的高科技創業者，由於iPhone和安卓設備（Android devices）在南韓相當普遍，這些公司大多以推出智慧型手機的應用程式為主，另外還有很大一群的獨立電視遊戲開發者。韓國創業投資產業的增長，讓具有好創意的年輕人更能將自己的想法推銷給潛在的投資人，並吸引創業資本。南韓現在有許多創辦人和投資人都是之前在美國矽谷工作的美籍韓裔人士，而愈來愈多年輕人也不再尋求財閥援助，寧可碰碰運氣，自己去創立新公司。

流行風

關於南韓戀新狂較不好的一面，則是一時的流行對民眾造成的影響。出國兩、三年的南韓人，回國後總是會很失望地發現以前常去的餐廳、酒吧或是咖啡廳已經不見了。每一樣事物都有上架期，並且一定會在很短的時間內被其他更新、更流行的事物取代。聰明的生意人當然會順著潮流走，例如關掉原來的餐廳，重新取個店名後，再改賣不同的食物，每當民眾口味改變了，就再重複一次。

二〇〇〇年代中期，有一道非常流行（也非常辣）的菜叫做「火辣雞」，許多專賣這道菜的餐廳如雨後春筍般地開張，但過沒多久，這股熱潮消退以後，這些餐廳也幾乎全部消失了。現在，要找賣火辣雞的餐廳還必須事先搜尋一番，因為這道菜又回到它原先的特產領域。

流行語的轉變也快得讓人頭暈，受到大眾歡迎的電視綜藝節目《無限挑戰》（*Muhan Dojeon*）在二〇〇七和二〇〇八年帶動「jimotmi」這個流行用語，它是韓語「對不起，我不能救你」的省略語。一個人如果在飲酒遊戲中輸了一輪，或是發生其他類似的小事，他的朋友們就會異口同聲地說「jimotmi」。但是這個詞很快就退流行了，現在再也聽不到有人說了。

南韓許多流行語也和其他國家一樣來自廣告，但在這裡不同的是，這些爆紅的流行語幾乎一產生就立刻獲得全國注目。行銷人才必須不斷絞盡腦汁，想出下一個新穎的點子。近年來一些成功的案例，像是借用英文詞彙的「well-being」（健康），這個詞彙被用在許多不同的產品上，使用這詞彙就能代表某項產品很健康——就連Choco pie（巧克力夾心派）製造商出產的產品也一樣健康。另一個流行的廣告用語則是「S-line」，被用來形容女性優美的身體曲線，按照這些廣告的說法，女性只要購買某些標榜「S-line」的食物或是運動器材，就可以擁有這種身材。媒體也加入這股熱潮，尋找最具「S-line」的明星，然後迅速掀起一陣「S-line風」，直到下一個新的概念出現。

類似這種反覆無常的現象也出現在政治界，這比較令人擔心。一名身陷醜聞的政客會有一陣子被視為可恥而遭到唾棄，但是民眾可能很快就忘記他那不當的行為，讓他以後有機會捲土重來。有個韓文的說法可以用來形容這種現象，那就是「Naembi geunseong」，也可以說是「滾熱鍋心態」，意思是指大眾的怒氣會很快地沸騰，但也會很快地降溫，並且遺忘一切曾發生過的事情。

盧武鉉在二〇〇二年總統選舉時，藉助於最後一刻的一波網路支持而獲勝，但上任不久，支持率就很快地衰退。韓國的憲法規定總統必須對政黨採取中立態度，但他卻在國會選舉中對他的政黨表示支持，這讓對手逮到機會，試圖彈劾他。這場彈劾引發上百萬名民眾走上街頭，讓盧總統的聲望又大幅上升。但不久後，他的支持率再次下降。重點不在於盧總統是不是一位好總統，而是在於大眾的反覆無常；許多民眾認為他是好總統，然後又認為他不好，然後又好，又不好。到了二〇一二年，盧武鉉在最受南韓人民喜愛的總統排行榜上高居第二位，僅落後於朴正熙。

| 第三部 |

現實生活

13 北韓：朋友、仇敵，還是外國人？

南韓對北韓的感覺是什麼？如果一個人相信國際媒體，我們就可以原諒他認為北韓是南韓一個永遠存在的恐懼源頭。那些有關獨裁政權的核武器計畫報導，配上年長的男人在首爾焚燒金正日和金正恩照片的景象，報導中也經常提到首爾離「瘋狂」的核武國家只有三十一英哩，以及北韓和南韓實際上仍處於戰爭狀態。此外，一般人都以為，儘管這兩國有仇恨，南北韓最終統一是所有韓國人民的夢想。

然而，事實比以上的描述微妙多了。南韓政府曾經針對北韓問題採取了一些對策，其中包括公然敵對、金大中和盧武鉉兩位總統實行的「陽光政策」等等。南韓人民的想法也有分歧，那些在韓戰（一九五〇—一九五三年）之前或是之後不久出生的人們，往往受到恐懼和仇恨的驅使，因此期望政府對北韓所有侵犯行為採取強硬的回應。所謂「三八六世代」是指在一九六〇年代嬰兒潮出生的世代，他們大多傾向支持與平壤「窮困的兄弟」重修舊好。那些在七〇和八〇年代出生的世代——是在沒有危險感受和資本主義與共產主義思想鬥爭的環境中成長的世代——自然是尋求和平的，但他們對於政治比較不像戰爭世代或「三八六世代」那麼感興趣。這種分歧的情況本身就對未來的統一帶來問題。

民主化之前

在南韓軍政統治時期，北韓被描繪成像一隻狼，一隻讓所有南韓人民必須隨時提高警覺的紅色怪物，一九六〇年代念小學的南韓人，都還記得當時學校老師會反覆灌輸他們這個概念。那時的觀光指南提供旅客的常用詞彙，包括「共產主義煽動者」和「反共國家保安法」這類的字眼。人們今天仍然可以看到這種高度戒備和政府偏執妄想時代留下來的痕跡：在公車和火車上貼著給予任何揭發「極左派活動」人士獎勵的告示。

自一九四八年沿用至今的《國家保安法》，依然被用來禁止「反國家行為」，例如編寫、散布或持有「促進反政府思想刊物」等行為。這個為了制止共產主義情懷擴散的保安法，對於李承晚總統來說也是打壓政治對立者的有效工具。李承晚利用民眾畏懼北韓的心態，在該法令頒布的第一年大約監禁了三萬人，這個法令讓與他對立的人很容易就被扣上「紅色」帽子，然後關進監獄或是予以處決。李承晚曾以參與共產黨陰謀的罪名逮捕所有的國會議員，並威脅他們，如果拒絕投票通過一項令人質疑的選舉程序修正案，就會將他們全部槍斃，這個修正案主要是針對加強李承晚獨裁統治的權力。

李承晚以及後來的朴正熙總統，發現北韓的威脅對他們具有政治利益，而平壤政權這時的舉動，也讓他們的嚴正警告得到驗證。一九六八年一月二十一日，三十一名受過兩年訓練的北韓優秀突擊隊員，展開跨越邊界的突擊，意圖攻擊總統府青瓦台、暗殺總統朴正熙。他們在接近攻擊目標一百碼的範圍內才被南韓軍隊制止，造成二十九人被殺，一人被俘虜，另一人逃跑。此外也發現，北韓為了以大規模的步兵進攻南韓，在邊界挖掘地下隧道。

由於這種具有明顯證據的威脅，加上韓戰依然在大多數人民的腦海中迴盪，一般人在這段時期的立場態度，可用李承晚執政期間一份官方文件中的文字來概括：「我們〔南韓〕相信與北韓之間沒有中間地帶，也沒有共存的可能性。」北韓那時僅被視為一個不共戴天的仇敵。因此，我們可以完全理解，為何那些在這段期間成長的老一輩韓國人，往往認為不可能與北韓和解，並且相信國內四處設立的美國軍事基地，也是嚴防共產黨進攻的必要堡壘。

戰爭世代的心態相當不易革除。一名六十一歲的政府首長被問到，為什麼南韓民眾在二〇一〇年世界盃足球賽期間會為北韓加油，他對一群外國記者說，這種支持是受到「共產主義思想」的影響。二〇一一年，一名六十二歲的朴姓婦人企圖對左派政治人物進行身體攻擊而多次上報，她攻擊的對象還包括首爾市長朴元淳。她在公開場合中現身，例如民主運動人士金槿泰的喪禮。她會當場大喊：「赤鬼！」接著攻擊那些她認為要將國家賣給金正日的人。

實際上，南韓很少有真正的「赤鬼」。有些親平壤的團體會與南韓當局玩貓捉老鼠的遊戲，他們在設立網站之後，發現受到《國家保安法》阻擋，於是就遷移網域。其實，這些粗糙的網路審查不須耗費心神在這些團體上，因為大多數人並不把他們的話當成一回事。

遺憾的是，南韓國會中有少數幾名議員有時與北韓的關係過於友好，李石基和金在姸過去因為「親北活動」被判刑，且據稱曾經宣誓效忠「主體」思想。兩人在二〇一二年四月藉由統合進步黨（United Progressive Party）這個由各個舊左翼政黨組成的黨派比例票進入國會，他們在黨內選舉中以作票的方式獲選，繼而成為該黨在國會的代表。另外，林秀卿——年輕時跑到平壤擁抱金日成而成名，據說還在二〇一二年五月稱一名北韓叛逃者為「叛徒」——也不知為何被民主統合黨（Democratic United Party）推選為候選人，並在國會獲得席位。這些情況讓這兩個黨派感到極為尷尬，從此，他們三人再也不會在黨內獲得提名參選。

民主化時代

許多支持民主的運動在一九八〇年代興起，在一九七〇年代就有不少朴正熙總統的反對者，但直到全斗煥上台後才有上百萬人民走上街頭，為了言論自由和公平選舉而抗議。那一代的年輕人厭倦了獨裁統治，自然不相信政府說的任何事情。由於朴正熙和全斗煥的總體政策方向一直是親美、堅決反北韓以及傾向資本主義的（雖然，據我們所知，那時韓國的資本主義與字典中的意思有些差別），那些反對獨裁政權的人士便會開始對此提出疑問。

那些年輕的示威者屬於後來被稱為「三八六」的世代，這個詞彙在一九九〇年代開始使用，他們大多三十幾歲，在一九八〇年代上大學，在一九六〇年代出生——這就是三八六的由來。這些戰後嬰兒潮世代人數眾多，為他們帶來了選舉和經濟權力：一九六〇年代誕生的韓國人數有八百八十萬人，一九五〇年代誕生的人數為六百六十萬人。典型的「三八六世代」對於美國涉入朝鮮半島感到質疑，尤其是在全斗煥拜訪白宮之後。他們覺得美國應該對他們國家的分裂問題負部分責任，而南、北韓統一應該由韓國人自己負責。對於那些單純地認為南韓對抗北韓、以資本主義對抗共產主義的老一輩南韓人來說，「三八六世代」看起來像是一群極左派的噩夢。

這些「三八六世代」，對於在一九八七年十二月首度舉行的民主總統選舉結果感到懊惱，金大中和金泳三這兩位長期為民主運動奮鬥的人士都出來角逐總統職位，這種作法分散了選票，進而使全斗煥安排的接班人盧泰愚獲勝。盧泰愚上台後採取「北方政策」，在這個政策下北韓依然是敵人，但將焦點放在贏得北方朋友的心，而不是持續與他們正面對立。因此，當一九八八年蘇聯團隊離開首爾奧運會時，帶回國的除了獎牌以外，還有電視、巴士和汽車，這些都是大宇實業贈送的禮物，而這家企業後來便與蘇聯直接往來做生意，就像樂金和ＳＫ集團一樣。此外，盧泰愚也在一九九二年一月與中國建立了正式的外交關係。

金大中終於在一九九七年十二月的總統選舉中獲勝。他對北韓提出大轉變的政策，是南韓從未經歷過的。他提出「陽光政策」，向平壤伸出雙手，試著以較好的關係來改變對方的態度。許多較年長的選民認為這是很危險的妥協，但對於「三八六世代」來說，金大中所採取的作為似乎為一個新的和平時代帶來了希望。

陽光政策的名稱來自於伊索寓言中〈北風和太陽〉的故事，故事中太陽和北風互相較勁，要將一個人的外套脫下來。風吹了又吹，但這人卻將外套抓得更緊，不讓風將外套吹走。太陽只是照耀著光芒，那人便因為溫暖而自動脫掉了外套。這個策略就是修復好南、北關係來減少北韓的威脅。當然，南、北韓有幾千年共同的文化和歷史，而這兩邊的同胞也感覺到他們可以恢復從前那種互信、互助的關係。

南韓對北韓提供了大量的食物、基本物資和資金的援助，聯合開發項目也開始啟動，例如開城工業園區。現代集團（創辦人鄭周永一生都在為南、北韓的統一而努力）在這個工業區投入上百萬資金。南韓對於北韓態度的改變，也是基於北韓遠遠落後於南韓，並且迫切需要援助。一九七〇年代中期，北韓的經濟體曾經超過南韓，但在南韓持續經歷經濟奇蹟般的成長時，北韓的經濟卻在金日成執政時代停滯，並在一九九〇年代金正日當政時期急速下滑，該年代中期，超過一百萬名北韓人死於可怕的饑荒。二〇〇〇年，金大中到平壤與金正日舉行具歷史意義的高峰會議時，帶了一個大禮物：五億美元，其中大多是現代集團的資金。金大中後來說：「一位富有的兄弟，不應該兩手空空地去拜訪貧窮的兄弟。」

李明博在位期間

儘管證據顯示北韓在發展核武，而不是在「脫下外套」，在金大中之後繼位的盧武鉉仍持續採取陽光政策。二〇〇六年十月九日，北韓的核武測試，更證實了該國的核子發展計畫，很明顯的，陽光政策只是個理想。二〇〇七年十二月，贏得政權的李明博屬於務實的保守派，他推出一個逆轉的政策，對北韓的援助附上了他們必須放棄核武的條件。李明博堅決支持美國對於北韓的制裁，阻斷平壤政權的貿易夥伴。此外，他也經常公開表示「統一近了」，也就是說北韓即將瓦解。

北韓對此的反應是繼續發展核武，並與它唯一的友人——中國——進行更多的貿易，來彌補由美國主導的制裁。現在，中國擁有北韓八〇％以上的貿易，它利用這種情勢，得以進出北韓各港口，並獲得該國礦產的開採權。中國對於北韓的影響力引起世人的關注，尤其是之前中國在朝鮮王朝期間曾要求韓國效忠，並將韓國當成自己的小兄弟看待。許多人擔心中國對北韓的影響力會導致統一的可能性變小；對中國來說，北韓不僅為它帶來商機，也是一個可用來與美國抗衡的緩衝國，北京當局不會願意因為南、北韓的統一而失去這一切。

金正日基於反對李明博所採取的反應，也出乎所有人的預料。自從一九八七年南韓客機爆炸造成一百一十五人罹難的事件之後，北韓一直維持自制，未對南韓進行直接的暴力攻擊。但在二〇一〇年，金正日似乎暗中下令進行兩起導致傷亡的攻擊。第一起事件發生在該年三月二十六日，南韓海軍護衛艦天安號遭到魚雷攻擊，導致四十六名士兵遇難。北韓隱藏了所有的事跡，並對這件侵犯案保持沉默。平壤當局堅決否認這個罪行，造成南韓社會的分裂。年長輩及右翼人士直覺認為這起事件是北韓主導的，但年輕輩和左派人士則抱著質疑態度。有些人相信天安號遭擊沉事件是個「陰謀」，為的是激起民眾對李明博強硬政策的支持。據南韓《中央日報》二〇一一年的調查顯示，十九到二十九歲的南韓民眾，有三三%對於北韓涉入這起事件持懷疑態度。人民團結與民主參與聯盟（People's Solidarity for Participatory Democracy, PSPD）這個左傾的團體，並為此事件向聯合國安全理事會遞書，表示對南韓政府宣稱北韓是這起事件的罪魁禍首感到質疑，執政的大國家黨黨員們因此稱該聯盟為「叛徒」。這起事件也是所謂「南—南衝突」的一個重要例子。「南—南衝突」是由政治分歧而起，與較多人知道的南—北韓衝突不同。

但是，人們對於第二起事件的主使者卻毫不質疑。二〇一〇年十一月二十三日，北韓軍隊突然向延坪島開炮，這個小島位於南韓掌控的海域，但有歸屬的爭議，造成島上兩名軍人死亡，更重要的是，兩名無辜的南韓人民也因此喪生。對於年輕的南韓人來說，這是一個他們從未有過的經歷：二、三十歲的年輕人希望和平，北韓發動攻擊讓他們非常吃驚。當時一名來自首爾並曾經支持陽光政策的年輕女性說：「我無法相信他們可以這樣襲擊我們，政府應該有更強硬的反應。」在延坪島的襲擊事件之後，這是民眾普遍持有的觀點。據東亞研究所（East Asia Institute）調查顯示，超過六八%的選民支持採取軍事因應措施，另外三九%的選民希望對北韓展開空襲行動。二〇一一年一月，有三一・七%的民眾認為，南、北韓的關係是該國在政治方面「最重要的議題」。

但僅僅九個月後，這個比例驟降到八・八%。此外，南韓民眾對於金正日在二〇一一年十二月逝世的反應也很冷淡，一名上班族回憶當天一點三十幾分的情形：「我聽到有人說『金正日死了』，我就看我的電腦螢幕搜尋新聞，證實這個消息真的沒錯。我和同事們聊了十分鐘之後，我們又各自繼續工作了。」這與一九九四年金日成去世時大不相同，那時南韓人民極為擔心，惟恐發生戰爭，紛紛囤積食物。

雖然當時的政府在首爾市區四處張貼海報，提醒人們韓戰的事實，以及在延坪島上犧牲的性命，但大多數民眾還是比較關心經濟和就業問題，而不是北韓。他們只有在平壤當局真正襲擊的時候，才會暫且改變一下對北韓問題漠不關心的態度。執政黨的南韓國會議員權寧世（音譯），也是南韓國家情報院的高層人士，對他來說，這是一個很嚴重的問題。權寧世表示，南韓民眾總是「表現得好像不會發生什麼事」，但是他們「應該要更擔心」北韓問題。

和平的永久分離？

二、三十歲的南韓年輕人雖然不太關心北韓問題，他們比較贊成和解，而不是與對方衝突。「三八六世代」也比較偏向「陽光政策」，只有「戰爭世代」才會支持政府採取強硬的立場。據峨山政策研究院（Asan Institute）的調查數據顯示，這三個世代顯現的不同狀況，代表有五五・二%的選民，希望對北韓採取長期的和解及合作政策。這是在延坪島襲擊事件不久後進行的調查，現在這個數字可能還會更高一些。

李明博總統所屬的新國家黨（原名為大國家黨），在二〇一一年後期開始進行黨內改革，由於李明博被視為太過右派，於是該黨的黨主席朴槿惠（朴正熙之女）改採比較中庸的路線，對北韓採行較不對立的措施。支持朴槿惠的權寧世也發表他的立場：「我們必須協助他們（北韓）成為一個正常的國家。」

身為前國會議員的權寧世，與經常暗示北韓政權一定會瓦解的李明博看法不同，他認為瓦解的可能性「非常小」，即使是金正日去世後將政權交給年輕又未經歷練的金正恩，情況也是如此。因此，新國家黨未來不會以對抗性的政策將北韓推到崩潰邊緣，可能比較會採取一些「陽光」的方針。但是，如果新國家黨在總統選舉中敗給中間偏左的候選人，不論北韓是否進行核武計畫，南韓將可能恢復改採「陽光政策」。

如此一來，人們就會更少談到北韓的崩垮和南、北韓統一的問題了。權寧世說：「我們不應該提這些問題。」他相信這麼做可能會激怒北韓，而北韓政權本身就已經處於一個過渡階段。然而，許多南韓人民愈來愈不希望南、北韓統一，愈來愈少在世的人記得南北分裂前的景況，或是期待與親戚或老友重聚。此外，南、北韓在經濟上的差異也表示，南韓勢必會為統一承受巨大的代價，即使根據最低的估計，南韓至少要付出超過一兆美元，才能將北韓的基礎建設和生活品質提升到接近南韓的標準。

許多四十歲以下的人對於統一持有這種懷疑的態度，這些人大多在富裕和安定的環境中長大。一名首爾的上班族表示：「我不想要統一，這是一件既昂貴又讓人頭痛的事。」權寧世將這種態度稱為「個人主義」，他這麼說並非讚美。但還是有很多人贊同這名上班族的看法：據首爾國立大學教授殷棋洙在二〇〇八年的研究顯示，七〇%的南韓民眾會在運動比賽中支持北韓，但只有一二・%的南韓人認為統一「有必要」，四五%認為「沒有必要」，這比在一九九五年認為「有必要」的比例五八%下滑了不少。老一輩的韓國人比較支持南、北韓統一，據峨山政策研究院的調查顯示，超過六十歲的民眾中有二〇%希望統一能夠「愈快愈好」，但在二十多歲的年輕人中只有八%希望如此。隨著歲月流逝，在那些記得韓國以前統一景象的人都逝去之後，對南、北韓統一的渴望會更趨於消失。

據國際和平研究所（Peace Research Institute）進行的調查顯示，目前有三〇%的南韓人贊成「過去他們（北韓）是我們的同族兄弟，但現在我開始覺得他們是外國人」的說法。另外，有九%的人甚至主張或同意以下的說法：「北韓人跟中國人一樣都是外國人。」人們常常認為南、北韓統一最大的障礙是：南、北韓各自有不同的政治和思想體系，以及中國對於北韓的影響力。但是，阻擋統一最終的障礙，很可能是民眾缺乏統一的渴望。

14 政治與媒體

經過一九八七年十二月的自由、公平總統選舉之後，南韓已經發展為亞洲民主氣息最活躍的國家之一，這是很少人預料得到的。但是，南韓因區域主義、世代差異以及左右派固守的分歧，導致政治環境過於分裂，引發不少問題。此外，貪腐以及「給老同學工作」的心態，也沒有消失的跡象。

在南韓的民主過程中，媒體依然是個薄弱的環節。韓國的報紙、電視以及網路新聞來源與它的政治一樣，都沒有中間地帶，不是具有偏見就是受到操縱。在此同時，較年輕的一代對於主流媒體的不滿，導致地下和獨立媒體的發展，透過例如推特這種社交網站的傳播，這些新媒體也開始帶動主流媒體的改變。

政治架構

南韓是一個共和國，以總統為國家領導者。南韓總統具有龐大的權力，包括指派部長和指揮軍隊的統帥。按照憲法，他們只能擔任一屆為期五年的任期，這是一九八七年韓國邁向民主期間通過的法令，為的是防止回到獨裁統治。只能擔任一任的總統任期，已經成為韓國政治的重要基石，但這也造成立法程序在總統任期的晚期容易緩慢下來，因為在這個時期，總統大致已經失去了指揮自己政黨的能力。南韓每任總統幾乎都遇過這種「皇帝變跛鴨」（韓國中央大學教授張勛〔音譯〕的描述）的轉變，包括最近一任的李明博。綽號「推土機」的李明博在就任前半期曾經是一位毫不避諱的親財閥、反福利的政治人物，但是在任期快滿之前，勉強地緩和了他的立場。

大韓民國國會位於漢江旁的汝矣島，是韓國的立法單位，總共有三百個席位，其中兩百四十六個席位是在選區直選產生，其餘五十四個席位是透過比例代表制的分配。這額外分配的席位讓較小的黨派受益。例如：民主勞動黨在二〇〇八年國會選舉的獲票率為三・四%，因此在直選中贏得兩個席位，但該政黨藉由比例代表制獲得另外四個席位。

韓國國會中有兩個主要的政黨，一個是新國家黨（Saenuri Party）*這個保守的政黨，前身實際上是朴正熙的民主共和黨（Democratic Republican Party）。該政黨黨員一直以朴正熙經濟奇蹟保衛者的姿態自居，推動的政策主要有利於經濟成長。另一個則是屬於自由派並採中間路線的民主統合黨（Democratic United Party, DUP），這是在金大中等人領導的民主運動中崛起的政黨。此外，國會中還有幾個比較小的政黨，如自由先進黨（Liberty Forward Party, LFP），是由一九九七年和二〇〇二年總統大選中落敗的、前新國家黨黨員李會昌成立的保守政黨。另一個則是左傾的統合進步黨（United Progressive Party, UPP），是由民主勞動黨前黨員及其他左派人士組成的

* 在二〇一二年以前，新國家黨和民主統合黨分別被稱為大國家黨（Hannaradang或Grand National Party）和民主黨（Minju-dang或Democratic Party）。南韓的政黨名稱更換速度極為頻繁。

政黨。

按照韓國憲法規定，該國具有獨立的司法體系，並以大法院為其最高法院，該法院擁有所有法律問題的最高決定權，其中包括裁定總統及國會選舉的有效性。但韓國另外設有憲法裁判所（Constitutional Court），該裁判所特別具備了憲法爭議的「最終審判權」。自一九八八年成立以來，憲法裁判所已經廢除了超過四百個被視為違憲的法規，並且做出一些具有歷史意義的重要決定。例如，在二○○四年，憲法裁判所駁回韓國國會對盧武鉉總統的彈劾，原因是盧武鉉曾公開表示支持自己的友利黨（Woori Party），但事實上，韓國總統必須遵守在公開發言中保持中立的立場。

這個政府的組織架構有助於維持一個穩定和民主的體系，並很容易讓人聯想到美國所使用的架構，如果我們考慮到美國自二次大戰後對這個國家的影響力，就可以了解這一切並非巧合。大韓民國共和國在一九四八年正式宣布成立，而目前採用的憲法自一九八七年才開始生效，這個體系自民主時代以來就一直保持穩定狀態。這個穩定的體系，幫助韓國成為全球民主指數排名第二十二名的國家——在亞洲排名第二（稍微落後日本）——這份資料來自「經濟學人信息社」二○一一年的「民主指數」（Democracy Index）調查。韓國只落後美國三個名次，並超越包括法國在內的許多歐洲國家。

總統和「空降部隊」

然而，一個組織架構的好壞必須靠運作的人來維持。如果不是因為太多政治人物被舊有的貪腐文化絆住，南韓可能會排名在更前面。據國際透明組織的貪腐印象指數（Transparency International's Corruption Perceptions Index）顯示，南韓在世界清廉排名中居第四十三名，這讓南韓在清廉方面遠落後於鄰國日本，僅稍微超過盧安達。

南韓難以革除這種貪腐的惡習，主要是受制於過於緊密的菁英人際脈絡，以及這些脈絡之間無處不在的「人情」。讓筆者經常感到訝異的是，在這個大約有五千萬人口的國家，處於如新聞、法律、政治、商業和學術界等不同領域的一些有力人士，彼此似乎非常熟稔。韓國人在建立人際關係方面有很強烈的傾向，並且會大大利用學校體系、軍隊或是同鄉的關係。這種將某個團體成員緊緊維繫在一起的「情感」，會進而因為團內成員利益讓人做出違反規則或不誠實的行為，如果某些成員得到政治權力，就可能造成貪腐的結果。

近來一個例子就是釜山商人朴淵次的人際脈絡。身為泰光產業會長的朴淵次，是盧武鉉家族的朋友，兩人也是慶尚南道的同鄉。據說，他曾經給盧武鉉的妻子一百萬美元，並向盧武鉉的幕僚提供資金，例如江原道的前省長李光宰。朴淵次的人脈延伸範圍遠超過盧武鉉，他賄賂的行徑被揭露後，國會的兩大政黨中共有二十一名黨員被提告。

據韓國《京鄉新聞》的一則社論指出，朴淵次的貪腐網絡包括「一些前任總統的直系和旁系親屬，以及親信、政客、目前總統的親信、高層公務員、地方政府首長和商人」。該社論表示，這個調查揭露了形成韓國社會「貪腐結構」的那種「政治與商業之間的親密關係」。

這個受賄案件中被判有罪的新國家黨黨員朴振（音譯）僅被罰款八十萬韓圓（不到八百美元），並且可以繼續擔任國會議員。這種從輕的刑罰凸顯了另一個問題：當舞弊案件涉及有權勢之人時，懲罰通常過輕。一般民眾不須過於懷疑就可看出政客、商人和司法機構人員之間的關係，這是其中一個因素。只有少數貪腐的被告會被施以公正的懲罰，但總統特赦可以用來解救被告，尤其是那些涉及財閥領導層的案例。韓國五大財閥中的三個——現代汽車、三星集團以及ＳＫ集團——它們的董事長都在二〇〇〇年代接受過總統的特赦。

韓國這種固守的權勢網絡也造成一種庇護文化，從上位下釋出的工作機會被當作忠誠、友誼的獎勵，或是讓潛在對手無暇與其競爭。當一位新總統上任，國家主控的銀行、公務體系各部門及國有媒體，可能在很短期間內新進一些高階主管。此外，「空降式」的職位派遣情況也很普遍。儘管「空降」人員也許缺乏企業經營管理的經歷，還是可以在某個產業中獲得薪資不菲的職位，這是一個頗受大眾關注的現象。

韓國中央大學政治學教授禹守根（音譯）和李承周（音譯）表示：「韓國的政客、總統和執政黨們一直在積極參與空降式職位派遣網絡的建設和維持工作。」一名汝矣島金融區的資深財務主管表示，他有一位在另一家銀行工作的友人，在二〇一〇年收到某「政府高層」的指令，要他接受一位空降職員，否則就會有不好的下場，婉轉地威脅這位主管。

另一位銀行家談到他每兩年就必須接受空降的年長者作為稽查員，並支付他們每年約五十萬美元的薪資。他對這種五十多歲的退休政府官員空降的現象表示：由於公務員的薪資非常低，空降安插職務被看作是一種「退休禮物」，算是對這些官員多年來努力忠心服務的回饋。為避免這種顯然不應該的陋習，最佳辦法就是提高公務員的薪資，向新加坡學習。從另一個觀點來看，政府這種強迫企業支付公務員退休金的辦法，實際上為國家省了不少錢。

分裂的社會

韓國的政治也受到幾項嚴重分裂的問題所困擾，這些分裂是以區域、年齡和左右派意識型態來區分。這些分裂問題造成一些現象：當其中一方占優勢時，國家政策會有極端地轉變，這也導致政治人物以譁眾取寵的方式來贏得選票，不會認真參與慎重的辯論。新國家黨主席朴槿惠的一名支持者堅稱，基於這個問題，「韓國為民主付出了很高的代價」。

在區域性對立的兩個主要地區，是全羅道和慶尚道這兩個分別位於南韓西南和東南部的省分，它們之間的對立有深厚的歷史淵源：新羅王國大致來說是位於目前的慶尚道地區，新羅王國統一朝鮮半島（西元六六八年）之前，在西元六六〇年征服了差不多位於現今全羅道的百濟王國。

在這之後發生了幾次百濟復興運動，包括後來在西元九〇〇到九三六年間分離的王國——後百濟。王建（高麗王朝的創始人，也是後百濟的征服者）掌權後，宣布後百濟是個「偏僻、紛亂的地區」，並指明該地區的人民不得被選派在政府部門服務。他的禁令引起一九六一到一九八七年間慶尚道地區出身的南韓軍事領袖的共鳴，那時出身全羅道的人都會被忽視，該地區的基礎設施和工業發展的資助也落後其他各省。

長久以來，全羅道一直被看作叛亂不安的省分、一個充滿激烈對立態度的地方，近來則是左翼政治的堡壘。了解全羅道幾個世紀以來受到的待遇後，就很容易理解這塊土地上的人民為何會有這種傾向。一九八〇年，光州市（全羅道最大的城市）人民奮起反抗新上任的獨裁者全斗煥。全斗煥是慶尚道人，他在朴正熙被暗殺後，奪取了軍事和國家的統帥權。面對光州市的反抗，他派遣軍隊屠殺了上百名示威者。

在二〇〇七年的總統選舉中，新國家黨候選人李明博以高票大勝當時的民主黨（Democratic Party，後來稱為大統合民主黨，UDP）候選人鄭東泳。李明博在每一個省分都打敗鄭東泳，除了全羅道——他在這裡的得票率只有九％。相反的，他在北慶尚道這個全國最保守的地區得票率為七二％。大邱廣域市這個北慶尚道最大的城市，鄭東泳只有六％的得票率。很明顯的，在全羅道和慶尚道這兩個省分，不論新國家黨和大統合民主黨提出什麼樣的政策或是候選人，結果幾乎早就可以預料得到。

所幸，以首爾為中心的都市化，也就是意謂「區域主義」的問題不再像以前那麼嚴重。在二十世紀中後期，有上百萬人從全羅道和慶尚道遷移到首爾，或許這些目前身為父母輩的人還保留一些區域認同感，但他們的子女則大多是在首爾出生的「首爾人」，對於以前的區域分裂問題比較不感興趣。首爾是一個搖擺的選區；首爾選民在二〇〇二年總統選舉中支持自由派的盧武鉉，但在二〇〇七年卻選擇保守派的李明博。

然而，在首爾選民中似乎有一種新的分裂，這種分裂是基於年齡。**南韓年輕人飽受失業和缺乏就業機會之苦**，該國經濟體每年大約創造十萬個「好的」就業機會，也就是指在財閥和政府單位的職位，但每年的大學畢業生就有五十萬名。**這個差距導致出現一大群不滿現狀及失業的年輕人，他們都受過良好的教育，但對自己國家的政治和經濟體制缺乏信心和希望。**

三十多歲的成年人也有金錢上的擔憂，雖然他們有工作，但養育年幼子女的費用太高，其他家庭必需品的價格也偏貴，例如食品，二〇一一年韓國的食品價格膨脹率高達七・九％，在經合組織國家中排名第二。首爾急速上升的住宅價格也讓他們受害，雖然他們的父母從暴增的房地產價格中獲益，但三十多歲的人們卻買不起住屋。據韓國發展銀行研究中心（Korea Development Bank Research Institute）的數據顯示，二〇〇八年首爾的房價所得比為十二．六四倍，這表示**一般民眾必須將所有收入都存起來，儲蓄十二．六四年，才能在首爾買到一間普通公寓**，但在紐約的房價所得比只有七．二二倍。雖然銀行可以提供貸款，但飛漲的公寓價格顯示房貸相當沉重，而且似乎必須背負一輩子。

這些沒有工作的二十多歲年輕人，以及日子難過的三十多歲成年人，合起來就是《東亞日報》所謂的「**憤怒的二十—四十**」。在二〇一一年的首爾市長選舉中，「憤怒的二十—四十」群體中有七五%的人將票投給當時無黨派的朴元淳，讓新國家黨大敗。朴元淳的政綱是以擴大福利制度以及提供負擔得起的住房為基礎。相反的，在超過六十歲的群體中，有七〇%的人投票給新國家黨的候選人羅卿瑗。如此的投票結果雖然不像全羅道與慶尚道化分得那麼清晰，但也沒有相差太遠。

朴元淳當選首爾市長的事實，震撼了傳統的兩黨制度。朴元淳尚屬於自由派，他沒加入大統合民主黨（後來才在二〇一二年二月加入該黨）。許多選民不太信任大統合民主黨，包括自由派人士。這也是為什麼儘管新國家黨的李明博總統在二〇一二年一月的支持率低到只有二五%，但是，大統合民主黨還能在二〇一二年四月的國會選舉中，以很小的差距輸給新國家黨。大統合民主黨時常涉入貪汙的舞弊案中，新國家黨也不例外（例如朴淵次案）。大統合民主黨內如孫鶴圭等領導人物則常出現「朝令夕改」的政策改變，比方說，先是支持「韓美自由貿易協定」，但後來又改變態度。基於這些原因，許多「憤怒的二十—四十」選民對這兩個政黨都感到非常失望，一名二十九歲的首爾選民說：「這兩個政黨都一樣糟。」

選民對這兩大黨的失望，也為其他的選擇開啟了大門。二〇一一年在南韓政壇出現了一位最受歡迎的人物，他甚至與政治不沾邊——靠自己努力而成功的安哲秀，原是一位防毒軟體的大實業家。一名政治評論家在一次訪談中提到安哲秀，認為他是一位具有潛力的首爾市長候選人，這讓他的支持度立刻領先其他競選者，儘管他沒有宣布參選。傾向自由派的安哲秀後來支持朴元淳，協助他打敗羅卿瑗贏得選舉。但他還是可能參加二〇一二年的總統競選，並且有機會獲勝：據二〇一二年一月的民意調查顯示，假設這是一場兩位候選人的選舉，他會超出朴槿惠兩個百分點。安哲秀在韓國如此受到尊敬，主要是因為他個人的成就以及他所從事的慈善工作。此外，沒有政治包袱也是他更受歡迎的因素，因為這個比較單純的背景，他與喪失信譽的政客很少牽連，年輕人也比較信任他。

分歧的意識型態

典型的意識型態也是南韓政治文化分裂的主要原因之一，對於任何民主政治來說都是如此，但是，北韓存在的事實總是將這裡的人們推向更極端。李承晚、朴正熙和全斗煥擔任總統期間，人們對南韓的了解大多是它與北韓之間的對立。它是一個持反共產主義、反北韓（進一步而言是反蘇聯）的國家，那時共產主義的反義詞就是親美的資本主義，因此南韓人民就被帶領去擁抱後者。

如同我們在第十三章所敘述，在這個軍事獨裁政權期間沒有中間地帶。李承晚和朴正熙兩人界定了南韓遵循的是自由市場資本主義及民主主義（事實上兩者都不是），其他不屬於這個方向的思想都被漆上叛變的色彩。一九五〇年代，李承晚最強勁的對手曹奉岩，曾提出類似歐洲式的社會民主政綱，也因此深得民心。他說：「我們不需要一個有產階級專政，也不需要一個無產階級專政。」李承晚不贊同他的說法，並在一九五九年將他依叛國罪名處死。

這個時期所造成的持久影響，就是許多六十歲以上的南韓人依然保有非黑即白的心態，對於這些人來說，陽光政策是一個親共產主義的政策，而不是一個用來因應困境的策略。用來削減財閥董事長權力的措施，也被冠上了「左派」的批評，比方說，金大中為保護財閥企業中少數股東權利而提出的法律，就受到這種抨擊。很諷刺的是，少數股東權利實際上是真正資本主義的基石。

對於其他國家的人來說，在南韓所謂「左翼的思想」似乎也與其他國家不太一樣，因為它包括了很強烈的民族主義——這通常應該是與極右派的思想有關。親美反北韓的李承晚和朴正熙政權，對殖民壓迫者採取游移不定的態度，讓許多人感到氣憤。李承晚的安全部隊中有許多成員曾經是日治時期的通敵者。朴正熙在一九六五年與東京當局關係正常化，以換取總額八億美元的優惠貸款和補助。那時還是二十幾歲學生身分的李明博，也針對這個與日本關係正常化的政策走出來抗議，並因此被判了三個月的監禁。

在這個不但親美而且與日本友好的背景下，南韓的左翼人士便發展出以韓國民族主義為基礎的政治。例如「民族」的左傾詞彙，會被用在《民族日報》這類左派報紙的報頭。即使在今天，主要的左翼報紙稱為「一個民族」，相對的，右派人士則推崇「國家」——這僅代表南韓本身，而不包括朝鮮半島上南、北部所有具有韓國血緣關係的人民。

在其他的民主國家體系中，左派和右派通常在一般的問題上有分歧，如稅制或是福利開支。但在南韓，**政治的分歧來自於歷史、民族認同及朝鮮半島本身的分裂，這對黨派之間的相互理解以及和諧造成更多的阻礙。**

媒體造成的問題

南韓媒體也是促成該國分裂環境的另一個因素，南韓全國有五種主要的報紙：《朝鮮日報》、《中央日報》、《東亞日報》、《韓民族日報》和《京鄉新聞》。前三種報紙最受歡迎，每日的銷售量各別超過兩百萬份，也是比較偏右翼的報紙。雖然《中央日報》的立場比《朝鮮日報》和《東亞日報》來得中立，左翼評論家還是將這三家報社總括起來，取各報名稱的首字，組成一個具貶意的名詞「朝中東」。《韓民族日報》和《京鄉新聞》則是親左派的報紙，也比較沒有那麼受歡迎。這並不表示左派沒有足夠的媒體支持：他們比較傾向採用各種受大眾喜愛的網路媒體，例如Ohmynews.com這個「公民記者」網站，每天大約有七萬五千名貢獻者和超過六十萬名的使用者。

這些媒體往往缺乏平衡和中立的立場，他們報導基本上相同的新聞，但加上不同的偏見。在朴淵次貪汙案期間，左派媒體將焦點放在儘管還有其他人士與此案有牽連，有關當局卻只嚴格調查盧武鉉和他家人的事實。右派媒體卻在同時將焦點集中在盧武鉉被揭發的一些負面細節。如果南韓能有一家重要的中立報紙，就會為這個國家帶來好處——但是鑒於南韓社會中固有的政治分裂現象，這家報紙或許不會擁有太多讀者。

有權勢的人對於媒體的操縱也是一個問題。據美國智庫「自由之家」（Freedom House）指出，**雖然南韓是一個民主國家，該國的媒體只有「部分自由」**，「自由之家」表示這個問題日益惡化，並在報告中指出該國在「官方審查制度」和「政府試圖影響新聞和資訊內容」的問題上愈來愈嚴重。

除了直接審查外，該國政府還可以藉由指派、空降高層人士來影響媒體，而那些對此提出異議的人士就會遭遇麻煩。二〇一二年，南韓三家新聞電視台的記者因此罷工，二〇〇九年國際特赦組織（Amnesty International）對電視台記者盧正勉（音譯）被逮捕提出抗議，盧正勉抗議ＹＴＮ電視新聞網，接受一位總統前幕僚被指派擔任他的上司，後來他以「干預業務」的罪名被拘留。同樣的，財閥在韓國經濟中具有的權勢清楚地顯示，主流媒體很少會對三星或是現代集團這類財閥嚴厲批評。當然，如果一家電視公司二〇%的廣告收入來自於某家企業，電視台就不太可能去批評該公司。

新聞媒體所受到的約束，導致人民對媒體普遍缺乏信任感。據英國國家廣播公司（ＢＢＣ）調查顯示，七一%的南韓民眾認為政府對媒體干涉過多，五五%的民眾表示他們不信任媒體。於是，那些所謂「憤怒的二十—四十」群眾便轉向獨立媒體。年輕人會閱讀部落格文章，然後透過推特分享文章內容，並加上自己的意見。根據韓國廣告協會的調查數據顯示，到了二〇一一年十一月，南韓每日有關政治的推文已達到十萬條，這是前一年的十倍，而南韓

八七．六%的推特使用者年齡大多介於二十到四十歲之間。

在二〇一一年，有個諷刺性的網上廣播節目「Naneun Kkomsuda」（意指：我是小人）成為全球最受歡迎的播客*節目，估計每一集大約有一千萬名收聽者。創辦人在二〇一一年四月以沒有預算和聽眾的情況下製作了這個節目，但僅僅幾個月後，他們就在政治上發揮了影響力。創辦人金五俊（音譯）認為李明博政府既腐敗又貪婪，但主流媒體卻不願予以揭露，於是開始籌辦這個節目。然而，這個節目必須以地下化的方式運作，金五俊表示：「節目本身即證明公開的言論受到壓抑。」「Naneun Kkomsuda」與主流媒體大不相同的地方是，該節目在冒著被控告毀謗罪的風險下，直接批評李明博總統和其他人士。雖然這個節目受到許多保守人士的批評，但這種獨立媒體在網路時代的存在，為自由言論和民主帶來了希望。

* 編按：播客，在台灣直接稱作「Podcasting」，是指一種在網路上發布文件並允許用戶訂閱feed以自動接收新文件的方法，或用此方法來製作的電台節目。（資料來源：維基百科）

15 工業尖兵向前進

大約在一個世紀以前，韓國人曾經被認為是相當懶散的民族。傳奇的旅行家暨作家畢夏普（Isabella Bird Bishop）在一八九七年曾經造訪韓國，並寫道：「首爾是一個無趣、髒亂和死寂的城市。這裡的人既懶散又怠惰。」《野性的呼喚》（*Call of the Wild*）作者倫敦（Jack London）曾經在韓國待過四個月，他在一九〇四年寫到韓國人的時候，將他們描述為「軟弱和懶惰」。日本殖民者似乎也有相同的看法：沖田錦城在一九〇五年《面具背後的韓國》（*Korea, Behind the Mask*）這本不太討人喜愛的書中，描述韓國人「是世界上最懶的人」，並指出這個國家生產的只有：「屎、菸草、蝨子、妓生（類似日本的藝妓）、老虎、豬和蒼蠅。」

如今，南韓的人民給人截然不同的印象，他們是經合組織國家中最勤奮的工作者，也是勤勞的最佳典範。二〇〇八年，韓國人平均花在工作的時間為二千三百五十七小時。他們從一九六〇年代開始，就在嚴厲且偏向軍事化的要求下努力工作，非常重視職位等級和組織內的等級制度，員工即使沒有捧著「鐵飯碗」，還是必須對他們的雇主忠誠。那麼，這個形象的轉變究竟是怎麼發生的？這種對工作極端的態度為何會形成？近來在經濟、法律和社會方面的轉變對這種態度又會造成什麼破壞呢？

朴正熙執政時代

在今日南韓很多不同的領域中，我們依然可以看到朴正熙將軍的影響力，從這個國家非常重視經濟統計數據，到它對那些無須太花腦筋且矯情造作的抒情流行歌曲的喜愛（請參見第22章），處處可見。然而，我們也可從南韓人工作的方式看到朴正熙的身影。一九六一年，朴將軍發動一場軍事政變、掌握政權後，便以財閥為中心，著手發展一個以外銷為導向的經濟增長模式。由於當時南韓極為貧困，缺乏資金和技術，他了解到必須透過低廉的工資和密集的勞動力作為生產的基礎，才能彌補這些缺陷。他需要數百萬名有紀律又勤奮的年輕人，來帶動國家經濟快速成長，以達到超越北韓和脫離貧窮這兩個大目標。

朴正熙在兩方面相當幸運。一是在教育方面，李承晚對於普及教育所做的努力，也就表示朴正熙時代的年輕人可能比其他貧窮國家的年輕人受到更良好的教育。一九四五到一九七〇年間，南韓成人的識字率由二二%提升到八七・六%。此外，韓國深耕的儒學背景以及長久以來對公職考試的重視，導致該國的教育比較偏重紀律和死記硬背的學習方式，而不是運用想像力。於是，造成年輕人大多習慣奉命行事、不多提問。在今日愈來愈重視創造力的高薪經濟體中，這些特性已不再那麼必要。但另一方面，在工廠卻需要能夠服從命令、並且遵守紀律的勞工。

此外，南韓中小學也持續向學生灌輸民族主義意識。那時的南韓是個剛成立不久的國家，脫離日本殖民的夢魘後，又陷入一場與北韓的殘酷戰爭。為了重建民族自尊心並培養人民的團結力，這個國家便灌輸人民他們是傳說中成立古朝鮮的檀君的後裔，繼承了有五千年歷史的純正血統。朴正熙那時候能夠帶動這個民族主義，運用該主義所培養的榮譽心和團結力，並以此說服韓國勞動者透過工業發展讓國家更強大。韓國的孩童一直到一九八〇年代都被灌輸這種民族主義思想，一名三十五歲的受訪者回憶說：「那時候我們在學校學到的是：因為我們的『血統純正』，所以很特別。現在回想，覺得真是很荒謬，但我當時真的相信這些話。」

另外很幸運的是，朴正熙的勞動隊伍具有軍事背景。由於北韓的威脅，南韓所有健康的男性都必須服兩年兵役（這個義務至今仍存在，但服役時間縮短為一年九個月），所以成年男性大多有過在軍隊服役的經歷。身為軍人的朴正熙必然了解，軍隊固有的紀律和民族主義可作為工業發展的動力，他呼籲國民成為「工業尖兵」不是沒有道理。

朴正熙政府將工業化宣揚成一種「振興國家的神聖使命」，這是引用一名前工業尖兵的說法。當時的人並非只是為三星、現代或是樂金（LG）集團工作，而是為了建國和恢復大韓民族的自尊心而努力，為了達成這個神聖的使命必須有所犧牲。一九七一年，南韓員工平均每週工作五十一・六小時；這是有紀錄的數據，實際的工作時數可能更多。那時週六也必須上班，直到二〇〇四年所修改的一項法令中，廢除了一千名以上員工的公司在週六必須工作的條例。

神聖使命的認識，對於將婦女帶入勞動市場來說，也非常重要。按照韓國的傳統宋明理學思想，婦女應該待在家裡料理家務。但朴正熙鼓勵年輕婦女走進工廠工作。據人類學家金承慶（音譯）指出，這個政策之所以能夠實行，是因為政府將創造生產力宣揚成愛國運動，並且只是在強化工業快速發展階段推行。婦女暫時犧牲她們平常的角色，這是出自於對國家的效忠。

《血汗工廠勇士》（*Sweatshop Warriors*）一書的作者趙玹瑩指出，朴正熙政府甚至以建立南韓色情業為手段，從日本商人和美國參加越戰的士兵身上賺取外匯收入——然而，這一切「都是為了國家」。《紐約時報》崔相君的一篇文章中引用了當時一位從事特種行業的婦女所述：「那時韓國政府就是美軍的皮條客……他們慫恿我們接愈多美國大兵愈好，還讚揚我們是『賺美金的愛國人士』。」

韓國的工作環境

雖然朴正熙排斥儒家思想，將它視為南韓早期缺乏進取精神的原因，例如「兩班」貴族認為工作低於他們的地位，因此藐視工作。但是朴正熙的財閥系統卻從韓國儒學傳統中獲得許多助益。宋明理學在朝鮮王朝時期也大大發揮它的影響力，將一種家長式及從上而下的權威，深植在韓國人民內心，南韓人直到一九六〇年代還保持著這種心態。於是，一種對權威服從的文化習慣讓朴正熙能夠成功地指揮財閥的領導者，而這些領導者也能夠命令他們的員工。

這些財閥的領導者就像「儒家的父親」一般，他們嚴格統治，非常有擔當。員工上班時間相當長，週末和晚間在工廠或是公司加班也是很平常的事。強制性的公司出遊和喝酒聚會就是在這個時期形成的，目的是在員工之間建立一種歸屬感情，讓他們覺得自己屬於這個大家庭，而不只是一家公司而已。比方說，大宇集團甚至自稱為「大宇家族」，員工們會收到生日禮物，老闆也會為適婚年齡的員工安排對象，許多韓國企業現在還維持這種作法。韓國媒體在二〇一一年的一則報導中指出，韓亞銀行與國民銀行的二十名單身男女，就曾經參與管理階層聯合安排的集體聯誼活動。

大型的韓國企業往往非常遵從等級制度，這也是基於儒家思想的影響，很少人會與自己的上司較勁或是對某個決定提出質疑。此外，這些企業在職位等級方面也分得相當清楚，幾乎所有企業都使用相同的職稱，在非行政人員方面有六個等級：社員（最初階）、代理、課長、次長、隊長以及部長（一個部門職位最高的人）；在行政方面則有八個等級：理事（最基層的主任）、常務理事、專務理事、副社長、社長、副會長、會長，以及代表理事（即執行長）。在非行政職稱中的課長、次長和隊長（team-jang的「team」字借用英文字，含有團隊的意思）等三個職位相當於三個不同等級的經理。在行政職位中，會長（董事長）通常具有最大的實權，因為這個頭銜大多用於公司的創辦人或是控股股東。按照儒家的傳統，這些企業內的升遷制度大多是依據年齡和工作年資而定。因此，一名三十三歲表現優秀的員工，他的等級可能會低於一名三十七歲表現普通的員工，而高層主管的年齡通常都在六十歲左右。

在韓國企業中，工作的意義絕對不僅是以一個人的時間和勞力來換取金錢，為財閥工作更是如此。現代集團這類公司傾向僱用願意為公司理念犧牲、並且願意將整個職業生涯都奉獻給該公司的年輕人。他們的招聘政策反映出這一點：通過面試的新進員工不是找一張辦公桌坐下來就好了，而是要接受嚴厲的考驗，就像是加入美國大學的兄弟會等社團組織。在一九七〇年代加入現代集團的一名男性資深行政主管回憶：「那時我們被留在一座山上，沒有地圖，又黑又冷，還得在太陽升起之前抵達目的地。」據說現代集團的會長鄭周永喜歡以摔角比賽來測試他的員工。

財閥還有代表公司的主題曲，並鼓勵新進員工在訓練營中齊聲唱。根據宋永學（音譯）和米克（Christopher Meek）所著的《韓國企業文化和經營價值理念的衝擊》（*The Impact of Culture and the Management Values and Beliefs of Korean Firms*）指出，樂金公司歌曲中有下列歌詞：

> 我們是領先時代的工業尖兵，
> 運用我們嶄新和持續地創新和學習，
> 在我們完成神聖使命的地方，
> 就會看到我們民族和人類的幸福。

我們在這裡可以很清楚地看到朴正熙的「工業尖兵」概念，還有以外銷為驅動力的經濟成長和工業化的「神聖使命」觀念，受到朴正熙最信任的財閥來推動。此外，歌詞中的「民族」也別具意義，它顯示民族主義在說服人民有關工業化工程價值時的作用。

「我們不是機器！」

儘管南韓有民族主義的力量，企業中具有家長風範的董事長有時也會施予員工們一些恩惠，但我們絕對不能就此認定，一九六〇和七〇年代的南韓勞工對他們的生活感到滿意，因為並非每個人都願意接受「神聖使命」。一九七〇年，二十二歲的製衣廠工人全泰壹高喊：「我們不是機器！」隨即自焚身亡。他的工作環境十分駭人：他當時在首爾北區的平和市場工作，由於那裡的通風條件非常惡劣，所以肺結核相當普遍。工人們被強迫施打興奮劑，以致他們能夠晝夜不停地工作。他曾經向有關當局投訴工廠的這種作法，但得到的回應卻是要他不要這麼沒有愛國心。

全泰壹是韓國勞工階級的英雄，他的犧牲引起人們對工人困苦環境的關注，並且促成韓國民主化後真正的工會。在朴正熙統治期間，南韓只准許「韓國勞動組合總聯盟」（Federation of Korean Trade Unions, FKTU）這個工會存在，但該工會並沒有真正在履行工會的職能，因為工會的執行委員都是由政府選派。朴正熙將「韓國勞動組合總聯盟」看成是政府向勞工下達政策的機構，而不是讓勞工藉以抵制政府與商業協定下的惡劣待遇。

許多工廠工人在一九六〇到七〇年代為建設國家貢獻心力，卻沒有得到應得的酬勞。南韓成為如此強大的出口國原因之一，就是在朴正熙執行時期工資被壓得很低，以助長韓國產品價格的競爭力。一九六三到一九七一年間，韓國的ＧＤＰ從一百美元上升到兩百八十九美元，但工資在這段期間只上升五八％，財閥從中獲得絕大部分的利益。

同樣的，這些員工受到鼓舞將自己奉獻給公司，並將公司看作自己的家庭，卻沒有換取到日本公司文化中那種「鐵飯碗」。員工們必須效忠他們的雇主，而不像西方國家那樣將換工作視為常態。但他們的忠心並沒有得到公司充分地回報，大多數員工到了五十歲左右就被迫退休。除非被升遷到行政職，不然他就應該認分地退休。這其中部分原因在於年長員工所獲薪資比年輕員工高，但在年齡上的等級制度也是一個問題。在韓國，由於人們必須對比自己年長的人表示尊敬，當一名四十五歲的上司面對一名五十五歲的下屬時，對所有人來說都會感到不自在。韓文中有個詞彙：「五六賊」（oryukdo），意思是：「你要是五、六十歲還賴在這裡，就等於是賊。」強制提早退休的情況現在依然存在，也因此有許多中老年人改以開計程車、經營小雜貨店或當守衛來謀生。

國際貨幣基金組織時代

雖然南韓在一九八七年開始接觸民主，並且在這個政治變化的允許下，工會活動開始盛行，南韓的工作文化直到一九九〇年代在實質上並沒有任何改變。工作時間依然很長——從一九九一到一九九六年，南韓人民每週平均工作時數高達四十八個小時，只比一九七〇年代早期少三個小時——但這個時數可能還是比真正的工作時間少。企業文化可能變得更具家長風範，尤其是財閥企業。大型企業受到那些新興且具魄力的工會施壓，就開始提供員工人壽保險和協助支付子女學費等福利，而不是給予較高的薪資。

但是，這些企業的家庭假象也即將被粉碎。多年以來，韓國的財閥為了將企業盡量擴展到各個產業，於是大肆借貸。自一九六〇年代開始，依靠借貸已經成為財閥經營的一部分，並且受到歷屆政府的鼓勵。整個一九九〇年代中期，外幣借款（尤其是美元）大幅增加，從一九九四年的八百九十五億美元增加到一九九七年的一千七百四十九億美元。此外，韓國政府要求公司詳細公布長期借貸的用途，這實際上是在鼓勵公司以短期借貸的方式借入外幣。於是，許多公司便這麼做，並將借來的錢用來作為投入長期計畫的資金。

在整個一九九七年期間，韓國財閥在背負沉重債務的情況下開始搖搖欲墜，這時一般財閥的債務股本比率為五一九％，遠超出任何合理的標準。該年一月，韓寶鋼鐵公司（當時南韓第十四大財閥）在負債六十億美元的情況下倒閉。到了同年十一月，南韓三十個最大的財閥中有七個破產，其中包括起亞汽車。那些依賴財閥訂單的小型公司陷入困境，全國的失業率開始上升。在此同時，外資開始撤出韓國，引起韓圓被大量拋售，導致匯率從八百韓圓兌一美元暴跌至一千七百韓圓兌一美元，這表示以韓圓償還短期外債的費用上漲了一倍以上，使問題更加惡化。

這一切導致的後果是一些旗艦廠商破產，如後來被現代汽車收購的起亞汽車，以及試圖以更進一步的擴展來渡過危機的南韓第三大財閥大宇實業。韓國在一九九六到一九九八年間，失業率從僅僅二・二％飆升到七・九％，在歐洲或是美國的標準下，七・九％似乎還算合理，但南韓已經習慣在一九九七年以前幾乎百分之百的就業率。

當時「韓國勞動組合總聯盟」所進行的一項調查顯示，在失業者中八一％的人認為政客應該為這項危機負責，六七％的人認為財閥也有責任，只有一六％責怪「國際貨幣基金組織」（ＩＭＦ）。「國際貨幣基金組織」提供了五百八十三億美元「援助」南韓，但強迫南韓接受它慣用的「震盪療法」條件；比方說，大幅提升短期利率，到了一九九七年十二月利率已經超過三〇％，導致更多公司企業在一九九八年破產。韓國人民將一九九七到九八年這段期間視為「國際貨幣基金組織」時代，儘管許多外國商人以為南韓人民會將經濟危機怪罪於「國際貨幣基金組織」，但實際上，大多數的人認為，問題根源在於政府與財閥之間的協議，因為這養成了這些財閥和企業借貸成癮和盲目擴張。

雖然以前南韓人民的工作時間長，而且還要面對強制性的提早退休，但那時至少一直有一種默契，也就是一個人在加入一家企業之後，就會有一份長期、穩定的職業。**但這一切都在一九九七年以後有所改變，不言明的工作保障承諾消失了。**甚至連現代集團這個最會灌輸員工相信公司彷彿一個大家庭的企業，也無可避免地裁員。二〇〇八年一月到九月間，南韓五家最大的財閥總共解僱了一〇%的員工。

一九九七到九八年的經濟危機，為南韓社會和經濟帶來了廣泛的影響，它除了削減了公司與員工之間的信任以外，也助長了社會的不平等。據「現代研究中心」（Hyundai Research Institute）在一九九九年所進行的調查顯示，四四・六%的南韓人自認為是「中產階級」，但另外有一九・七%的人表示這個危機讓他們跌落中產階級之下。一九九七到九八年間，在所有有收入的人口中，收入最低的二〇%損失了一七・二%的所得，收入最高的二〇%僅損失〇・八%的所得。僅僅在這一年中，首爾的遊民人數從兩千五百人上升到六千人，家庭犯罪率（例如虐待配偶）增加了四六%，離婚率則增長了三四・五%。此外，海外領養韓國嬰兒的人數自一九八七年以來首次增長，讓韓國人民感到恥辱。

忠誠度下降及其他改變

即使在「國際貨幣基金組織」時代之後，韓國企業依然試著對員工灌輸忠誠概念。有些公司會將大學剛畢業的新進員工送去接受四週的培訓課程，在培訓期間必須每天早起，參加體能訓練，接受公司價值教育和高唱公司歌，據傳樂金的培訓計畫是由退役軍人帶領。這些公司的招聘過程本身就是為了讓應徵者重視公司而設計的：譬如，三星集團就有自己的「三星

SAT」測試，這麼做可以讓人相信三星的員工比一般人更聰明。

但是，這種努力的成效不如以往。現代資本公司（Hyundai Capital）的一名員工表示：「我們公司有些職員很忠心，但我不是。其實，我倒是挺感謝這些忠心的職員，因為這表示如果我去應徵別的工作，就會有比較少的人與我競爭。」他並不是唯一具有這種想法的人，南韓就業網站「Job Korea」調查發現，如果現在有較好的待遇，七〇%的韓國員工願意更換老闆，只有一二%的男性和四・六%的女性表示他們對自己的公司「真正的忠誠」，這在一九八〇或九〇年代是不可能的事情。

據「TNS」公司在二〇〇三年進行的一項調查顯示，在三十五個工業化國家中，韓國員工實際上在最不忠誠的員工項目上排名第二。當時這個結果讓很多人感到驚訝，因為南韓員工那時仍然被看成公司的效忠者。這項調查發現，女性和年齡較長的男性員工特別不具忠誠度，因為韓國企業依然歧視這兩個群體。二〇一〇年，在南韓最大財閥招聘的新進員工中，男性是女性的三倍，**南韓的男女薪資差距為三五%，是經合組織國家中差異最大的國家，而年紀較長的員工也還是太早被迫退休。**

另一個忠誠度下降的原因，就是雇主採用暫時性契約。這種趨勢是在「一九九七—一九九八危機」之後開始的，但在二〇〇〇年代加快了速度。二〇〇一年，一六・六%的南韓員工拿到的是暫時性契約，到了二〇〇六年，這個數字攀升到二八・八%。**到了二〇一二年，每三名韓國員工中就有一名是臨時員工、實習生或是兼職員工。這些職員擁有較少的法定權利，所以企業發現這種雇用方式是掌控勞工的好方法。**但是這種作法會造成一些後果，擔心工作保障的員工可能會在表面上對雇主忠誠，但心裡隱藏著怨恨，如果有比較好的職缺出現，就會立即換工作。依「TNS」的數據來看，只有四八％的南韓人民會推薦他人到自己的公司上班，而全球則有七五％的員工會這麼做。

外國商人通常認為南韓的勞動市場缺乏彈性，因此很難任意「僱用和解僱」員工，但這其實是一種錯誤的認知，尤其是在「暫時契約」時代。經合組織在二〇〇八年的就業市場彈性排名中，南韓排在三十個會員國中的第十三名。認為韓國勞動市場沒有彈性的概念，主要是來自如現代汽車公司的一些工會力量，以及屬於韓國銀行員工的傘式工會給人的印象。二〇一一年，現代汽車的工會試圖要求公司的管理階層讓步，讓員工子女在公司招募新人時可以受到優先考量。這種「零和要求」——會妨害其他求職者的要求——可以作為自一九九七年建立的雙層勞動系統的例子。那些在現代汽車這類盈利豐碩的公司有長期工作合約的人，受到良好的保護，但在此同時，其他公司員工的工作保障都很差。

但是，韓國職場在其他方面還是有一些變化。由於法律的改變，而不是文化的改變，每週平均工作時間減少了。盧武鉉政府在二〇〇四年實施一週上班五天，工作時間限定四十小時，加班上限為十二小時，但必須支付加班費，凡員工達一千名以上的公司都必須遵守這項規定。但實際上，這項規定並沒有被嚴格執行：韓國員工一週基本上還是工作四十四個小時（另外還有許多未列入計算也沒有給付加班費的超時工作時數），但至少平均工作時數下降了。公司喝酒聚會也沒有像以前那麼頻繁，一名銀行職員表示：「我們以前一週出去兩次，而且會喝得爛醉，現在一週只有一次，而且可能只喝幾瓶啤酒而已。」

愈來愈多外商公司在首爾成立了分公司，這也改變了一些韓國人做事的方式。外商企業利用財閥不太有興趣僱用女性這一點，便可以盡量挑選最優秀的女性為他們工作。美國投資銀行高盛在首爾的辦公室，所僱用的女性職員人數超出了男性職員。他們的主管表示，對他們來說，優秀的女性總是比優秀的男性好找，主要是因為這麼做就不必與財閥和大規模的韓國銀行搶人才。

三十四歲的尹貞恩（音譯）就是在外商公司建立了她的公關事業，現在她是一家跨國消費品公司首爾部門的首席公關主任。如果她一直留在本地的公司，以她的年齡和性別絕對無法達到現在的職位。她比一名男性部屬年輕十歲，她說這名公關經理並不是很高興有個比自己年輕的上司，但是他必須接受這個事實。尹女士是因為她的能力以及組織內的等級制度較寬鬆（表示必須通過的等級和職位較少）而快速升遷，並在年輕時就已經達到了事業巔峰。

韓國的大型企業，大多仍採用必須通過一長串職位這種以年齡為基礎的升遷方式，但隨著網路經濟透露的曙光，一種新型的韓國企業正在崛起。例如，韓國網路遊戲公司納克森（Nexon）市值六十億美元，該公司沒有一位主任超過四十四歲，它的首席財務長也只有三十四歲。大約從二〇一〇年開始，南韓受到一些二、三十歲創業者的帶領，正邁向以創業投資為導向的網絡和科技繁榮。至少在某些領域中，年齡和等級制度長久以來的重要性，正面臨著突破與改變。

16 比商業本身更重要的事

在韓國，商業是具有私人性質的。在與未來可能合作的商業夥伴首次碰面時，如果對方問到「你有沒有什麼特別的宗教信仰？」或是「你為什麼還沒有結婚？」之類的問題，絕對不要感到意外。在韓國成功的事業是以長期的關係為基礎，而不是短期的交易。因此，為了要建立個人關係，在這裡讓他人更了解自己比在西方來得重要。

雖然在商業關係剛建立時，韓國人的好奇心可能會讓有些人感到彆扭，但那些能夠直率應對的人，就會得到最佳的機會和真正的友誼。在韓國生活已經第四代的美國人安德伍德（Peter Underwood）長期從事商業顧問工作，他表示，在韓國做生意必須具備「很大的信心」。

再談「我們」和「他人」

如同我們之前討論「情」時提到的「內團體」和「外團體」概念——也就是「我們」和「他人」——在韓國特別重要。這或許是由於韓國過去被強國欺負的歷史，以及普通百姓受兩班貴族好幾個世紀的壓迫，韓國人與親朋好友間有很強烈的互助感，並維繫深厚的情誼，彼此之間有這種關係的人，會不顧一切地相互幫助。

而沒有這種情誼關係的人，就會處於比較不利的位置。根據二〇〇五年的「世界價值觀調查」顯示，全球平均有三三・九%的人會相信陌生人，南韓只有一三・四%。韓國人也比較不信任外國人，即使他們彼此相識。在上述調查中，全球平均有五四・三%的人說他們相信外國人，但在韓國只有二七・九%。筆者曾經在二〇〇六年加入一家韓國投資管理公司，也是該公司總部第一位僱用的外國人。好幾次有人告訴筆者，公司的董事長說：「我喜歡丹尼爾，但我不知道是否可以信任他，畢竟他是個外國人。」

對於想要在韓國經商的外國商人來說，這聽起來可能很令人吃驚。但是，只要經過一番努力，就必定能與商業夥伴發展「我們」的感情。這種感情形成後，就可以獲得屬於內團體的好處，例如享有特別的待遇和某些關係。重點是要願意和別人成為朋友，而不是成為態度強硬的生意人。一位與本地人和外國人打交道二十五年的韓國商人說，友誼極為重要，而且有時「比商業本身更重要」。所以，當別人問：「你幾歲？」或是「你有什麼宗教信仰？」應該坦率地回答，因為這表示你已經準備好了要認識對方。

未來可能合作的商業夥伴們，為了很快地認識彼此並建立起誠信，經常會運用一種友誼催化劑——酒。在喝酒聚會中為達成交易，滿場都有人喊著「讓我們喝到死！」，這種情況通常讓到韓國出差的商務人士感到驚訝。當然，清醒地細讀合約也是相當重要的，但在韓國做生意，會喝酒非常有利。為了將氣氛炒熱到最高點，有人可能會拿出「炸彈酒」來助興，這是一種用啤酒和燒酒（由米或馬鈴薯製成的韓國烈酒）或是啤酒與威士忌調和的酒。拒絕喝酒或許不會導致生意失敗，但這會讓建立誠信的過程遲緩下來。喝酒的目的是為了了解對方的本性，而酒醉就可以揭露這個本性。韓國商人似乎深信拉丁語「酒後吐真言」這句話中的智慧。

在建立穩固的關係時，相互犧牲是相當重要的。基於這個原因，一個人必須偶爾「損失一點」，在首爾經營有二十多年歷史的ＩＲＣ顧問公司的安德伍德這麼說。並不是每次交易都可以獲利，舉例說，一名美國汽車零件商抱持著一種「除非有利潤，不然我不會做」的心態到韓國，這在美國或是在英國聽起來完全理所當然，但按照安德伍德的看法，這個人的態度應該修正為「它的價格是一百元，你要我賣給你九十元嗎？好吧，我這次就賣給你這個價錢，下一次我就要賣一百一。」如果兩位合夥人都具有「施與受」的心態，就可以創造一種長期性的互利關係。一個人可能在今天的交易損失一些錢，但下週可能就會有比較好的價格，如此可以保護自己不受降價的競爭者影響。

財閥與朴正熙總統的關係正顯示了這種「施與受」的效益。財閥幫朴正熙建造道路、橋梁、醫院和其他的基礎建設，他們知道有時提出的價格其實會讓自己賠錢，但以長遠的角度來看，朴正熙將來一定會給他們好處。即使在朴正熙當權以前，現代集團的創辦人鄭周永就已經承接了讓他淨虧七千萬韓圓的高靈橋建造工程，其實他原本可以拒絕接受。他收到的合約總額為五千四百萬韓圓，對於政府給的每一韓圓，他必須花二•三韓圓用在各種與該工程相關的費用上。他雖然知道會有損失，公司也可能會有倒閉的風險，但他堅持將橋建造完成，因為他知道鞏固關係最好的辦法就是**信守承諾**。後來結果正是如此，如同他在自傳中所述，現代集團被「內政部相當看重，在那之後，我們取得政府的建設工程便沒有任何困難。」

表示關懷和尊敬：禮儀、款待和送禮

由於面子在韓國文化中很重要，是做人基本的禮貌，一個人必須對他未來可能合作的商業夥伴表現出關懷和尊敬。對方提出的建議，最好不要直接說「不」，一般來說，完全地斷然拒絕他人是相當無禮的態度，雖然在這裡或許沒有像在日本那麼嚴重。像「這可能有些困難」這樣的說法可能就足夠了，而且會引起較少的摩擦。任何想要在韓國做生意的人都必須遵循這樣的基本禮儀，並注意款待和交換禮物的重要性。

有些商業禮儀中重要的規矩，圈外人可能不太清楚，但對韓國人以及在韓國從商的外國人來說是相當自然的事。名片在這裡十分被看重，因此必須予以尊敬。當一個人與他人交換名片時，應該用雙手遞名片和接名片，然後一邊細讀接過來的名片，一邊點頭做出讚許的樣子。用一隻手接過名片，匆促地一瞥就將它塞進口袋裡會被視為相當無禮。名片通常採以有雙面印刷——一面是韓文，另一面是英文。許多韓國人會取英文名字作為國際商業用途，因為他們認為外國人很難記住韓文名字。所以對方的名片可能在英文的一面寫著「John Jeong-won Kim, Head of Department」（「約翰，鍾元，金，部長」，這與韓國一般先姓後名的方式不同）。在韓國，人們絕對不會直呼剛認識不久的人的名字，但用英文名字比較沒有關係。因此，依情況而定，一個人或許可以說「Hi, John.」，但不能說「嗨，鍾元」。

話雖如此，在韓國的外國商人如果學會用正確方式稱呼他人，就會給人留下很好的印象，這方式就是將姓氏與職稱合在一起，然後在後面加上表示尊敬的「nim」當詞尾。我們在前面章節提過，韓國公司一個部門的負責人被稱作「部長」，所以在上述的例子中，「約翰，鍾元，金，部長」就應該稱呼為「金部長nim」。英文名字對初來乍到韓國的外國人很好用，但這畢竟只是英文名字，不知道對方的真實姓名，兩人之間一定會存在著某種距離。

在飲酒的時候，也有使用雙手的規矩。通常不能自己斟酒，而是要用雙手舉起酒杯，讓他人為自己（也是用雙手）斟酒。接著自己再以同樣的方式幫別人斟酒，以作回饋。如果對方問：「一乾而盡？」（One-shot?）一個人或許可以禮貌地謝絕，但如果能充滿自信地將炸彈酒一飲而盡，可能會讓事情有個很好的開端。

如果聚會中不是只有兩個人，而是有兩個團體，儒家的倫理關係就會開始發揮作用。會場會有一種對雙方主管敬重的氣氛，而談話的焦點也自然落在主管身上。在飲酒時，兩位主管會先碰杯，然後可能會說幾句希望與雙方的關係有光明前景之類的話。如果某人只是扮演支持主管的角色，他就不能在兩位主管開口以前說話，也要等主管喝了酒以後，才能開始喝。按照慣例（但現在比較少見），團體中輩分較低的成員應該在喝酒時將頭偏轉，並且要注意和輩分較高的成員碰杯時，杯緣一定要比對方低一些。

韓國的飲酒應酬與韓國傳統的待客之道有關。安德伍德開玩笑說：「美國人會在客人來的時候，把他們最好的威士忌藏起來，但韓國人會把最好的留著等你來。」如果一個人到韓國出差，他會先被邀請去一家出色的餐廳，之後可能會被帶去一間高級的酒吧，然後被請喝最貴的威士忌——即使這威士忌最後可能會跟啤酒混合後一起喝下去。如果這個人是男士，就可能會被帶到「房間沙龍」（room salon）。

「房間沙龍」是一種有酒女陪酒的酒吧。客人們會被領下樓到一個房間，裡頭有張大桌子、一台卡拉ＯＫ伴唱機、一盤盤的水果，還有好幾瓶昂貴的威士忌（南韓是全世界第六大蘇格蘭威士忌進口國）。在場有幾位二十多歲的年輕女子負責倒酒，她們如果在高檔的酒吧上班，收入可能比在場的一些男士還高。雖然這些「房間沙龍」並不是專門嫖妓的地方，但這些女子會提供這種服務，大多由未來可能合作的商業夥伴負責安排。大型財閥會將大筆預算放在「房間沙龍」、喝酒和各種公司娛樂活動上，並且會聘請專人負責管理這筆預算。這種文化會隨著女性在業界地位提升而逐漸消失，但目前還是極為重要。

根據在「房間沙龍」工作的崔美靜（非其真名）表示，「來這裡的客人可分為四種：一種是想要碰小姐的，一種是想和她們聊天，另一種是想唱歌的，還有一種是只想跟朋友喝酒的。」這些「房間沙龍」有會陪客人聊天的漂亮女孩（並擅長假裝對客人說的任何事都很感興趣）、卡拉ＯＫ伴唱機和大量的威士忌。崔美靜說：「在這裡，男人想要的東西應有盡有，這也就是他們會把生意夥伴帶到這裡來的原因。」「房間沙龍」是個讓男性感覺被當成國王般款待的地方。

這種殷勤的款待方式，更甚者還包括安排加長型禮車機場接送服務，或是到各大旅遊景點遊覽等，視韓國夥伴的財力而定。外國商人必須記得一件最重要的事，那就是商業關係必須建立在「施與受」的基礎上——當韓國合作夥伴到自己的國家探訪時，應該提供對方相同的待遇，以表示彼此的尊敬和關懷。

送禮也是同樣的道理。許多韓國企業會在「秋夕」（慶祝秋收）和「舊正」（新年）這兩個重要的節日送禮給供應商、客戶和投資者等等。這些禮物通常都是以禮盒包裝的食品，並不是什麼貴重的東西，但重要的是，這些禮品顯示公司對於收禮者的重視。許多非韓裔商人可能不會在這些節日送禮，所以外國人如果懂得這些禮數，就會處於相當有利的地位。「秋夕」和「舊正」的日期並不固定，所以一定要事先確認。

當一個人與未來可能合作的夥伴見面時，贈送較個人化的禮物比較恰當。最好是能連結兩人關係的禮物，例如一位來自紐約的人士，得知到韓國面會的對象是一位棒球迷，紐約洋基棒球隊的紀念品或許會是不錯的贈禮。不須為這些禮物花很多錢，主要是用以顯示想到了對方的興趣，並強調儘管兩人之間有文化差異，還是有可以共同分享的事物。

商譽和誠信

由於韓國商人非常在意他們的聲譽，給人面子的重要性在這裡並非言過其實。韓國企業主在捲入有損形象的醜聞後，選擇自殺者屢見不鮮；在二〇一一和二〇一二年互助儲蓄銀行被揭露一連串受賄及違法放貸罪行之後，三家銀行的主管分別選擇自盡。韓國公司也會以強烈的態度反擊傷其聲譽的批評，專欄作家布恩（Michael Breen）在二〇〇九年以諷刺筆調提到三星集團過去的貪腐醜聞，三星集團便對他提起告訴，要求一百萬美元賠償——即使他說的都是事實（在韓國，即使某人所做的批評是事實，還是可以被告毀謗）。在該訴訟文件中，多次強調布恩的用字遣詞具有「嘲笑」意味。三星最後撤銷了告訴，大概是因為這起事件給他們帶來負面影響。

大宇實業創始人金宇中曾發表一段著名的感言：「賠錢是很糟糕的事情，但錢是可以賠的，畢竟可以再賺回來……但絕對不能喪失你的聲譽，你應該保護它像在保護自己的生命一般。」他比任何人都懂這些，在一九九九年大宇實業破產之後，金宇中被判會計詐欺罪，他被監禁並且必須償還約二百二十億美元。

在了解聲譽對韓國人有多麼重要後，一個人在批評合作的韓國公司之前，或是在員工面前批評該公司另一名成員之前，一定要三思。應該先與對方進行私底下的溝通，即使沒有用，也應該在所有的辦法都試過後，才把批評當作最後的選擇。苛刻的話一旦說出口，就會對友誼造成很大的衝擊。

韓國公司重視商譽的優點，是他們通常會對錯誤負起責任，並且盡一切能力糾正。彼得表示：「他們〔韓國公司〕不收費就會解決問題……我記得現代汽車曾經回收兩萬七千輛汽車，只因為其中三輛有瑕疵。」此外，如果一家韓國公司承諾一項工程會在某一天完成，你可以信任他們一定會在當天做完，說不定還會在約定的期限之前就完成了。

同樣的，韓國的顧客們也備受照顧。韓國的公司為了維持良好的聲譽，通常會提供無可挑剔的售後服務。顧客將故障商品拿到廠商的服務中心，會有穿制服的工作人員出來接待，協助解決問題，然後送顧客出門。這項服務不收費，而且可能會提供茶點。在英國情況完全相反，顧客可能必須等上好幾個星期，還要自行負擔工資、零件費和服務費，更不用提還有稅金。

快速及可靠的服務也是韓國固有的生意態度。彼得舉了一個例子，他有一位韓裔美國籍朋友打電話到城北洞（首爾北部一個環境優美的舊金融區）一家煤氣行請他們送瓦斯，對方告訴他一個小時內就可以送達，他因為覺得速度很快而感到驚訝，就脫口而出：「一個小時！真的嗎？」對方誤會了他的意思，以為他在生氣，就回答說：「好吧，好吧，十分鐘！」果然，貨車在十分鐘內就將瓦斯桶送達。

韓國的顧客都非常習慣這種優良的服務，遇到剛好相反的情況時，他們就會同聲抱怨。二〇一一年，蘋果公司受到部落客和媒體激烈地抨擊，因為這家美國公司用重新整修過的手機來換有瑕疵的iPhone，而不是用全新的手機來換。甚至連韓國公平貿易委員會也對蘋果施壓，要他們改變對策，韓國的手機廠商除了用新手機來替換瑕疵手機外，沒有一家會想用別的方法。

打破規矩

在韓國做生意的外國人要記住有關「規矩」的一個重要告誡，就算有時候打破它們的人還是可以安然無事的。這是住在韓國的外國商人普遍知道的原則，如果不是韓國人，沒有人會期望他知道每個牽連著韓國社會關係的細節。此外，在少數情況下，犯下一些有關社會關係的錯誤，偶爾也會帶來好處。

一名年輕的美國員工描述了他的親身經歷，他向合作夥伴公司的一名高級主管開玩笑說：「Masyeora！」這是一種很不正式、無禮地命令人喝酒的方式，如果韓國員工這麼做，整桌的人都會嚇得不敢出聲。但這名主管卻開懷大笑，隨後把酒給喝了下去。因為這位美國人對韓國的語言和文化了解得很少，在場的人也都認為他懂得不多。從那時候開始，他在公司就成了有趣的人物，而且擁有很好的人緣。

這種打破規矩的方式其實存有一些風險，在大多數情況下，筆者並不建議這麼做。然而，這種有時候也可以不受責怪的事實，突顯了韓國商業文化並不像一般外界所想的沒有彈性或是令人費解。相反的，韓國商人實際上可能還比西方生意人更開明。一旦跨越了建立感情這道門檻，韓國商人會覺得可以很自由地提出一些商業機會，或是介紹其他可能有用的業務關係，只要對方也願意介紹自己的業務關係作為回報。南韓快速的經濟發展，促使韓國人對於新構思的看法可能比歐美人士來得樂觀，尤其是在二〇一〇年代高速發展的高科技領域。一名二十多歲的網路創業者很有自信地說：「我如果有一個好的構想，把它寫在一張A4紙上，下週就會有投資人要與我簽約。」

最後，也是同樣重要的……

在韓國做生意，一些簡單但最必須懂得的詞彙就是「萬」、「億」和「兆」。即使是外語能力極佳的韓國人，在翻譯這些大數目時，有時也會因為數字名稱之間的差異而遇到困難。**韓語尚未熟練的外國人在協議達成之前，應該先確定他們想的零與對方想的零是一樣多的。**

最後提一個安德伍德說過的小故事，這可說明在韓國做生意的另一個基本道理。他有個認識的人，發現南韓在涼亭和花園家具方面的生意很少競爭者，就以為自己發現了市場商機，於是馬不停蹄地準備將這些產品大量銷往南韓，直到有人指出他的盲點：事實上，絕大多數的韓國人住的是公寓。這個故事的重點就是：**做足功課，以了解這裡的市場。**

17 介紹完美的結婚對象

南韓人習慣競爭任何有價值的事物——進入一所好大學、在一家聲譽好的公司就業，甚至在首爾地鐵上找到好位子。但最艱難的競爭大概就是找到合適的對象結婚。年輕人不但在尋覓配偶方面感到極大的壓力，同時在嚴峻的就業環境及養育孩子所需的驚人開銷之下，讓自己成為他人的理想對象也愈來愈困難。

令人慶幸的是，韓國的年輕人在尋找伴侶上會得到很多協助：韓國文化具有悠久的做媒傳統，包括朋友安排的初次約會，或是由親戚的友人或專業媒人安排的那種壓力很大的相親。而現今，去尋求那些員工高達數千名、具高度系統化脈絡的幾家大型「婚姻顧問」公司的協助，也是一個辦法。

做媒文化

雖然許多人是在公司或是聚會場合中找到結婚對象，但尋找未來伴侶最常見的方式就是透過第三者的特意介紹。根據韓國最大婚姻介紹所「Duo」執行長金慧珍（音譯）表示，這是因為韓國人認為必須找到一位有類似「人脈」的伴侶。「人脈」在此是指一群有相同背景、興趣或因其他方面連繫在一起的群體。在韓國，婚姻不僅是兩個人的事情，還關係到兩個家庭。未來共相處的配偶，應該要能融入彼此的家庭和社會圈。我們大概可以將這種婚姻觀念與儒家思想連繫起來，因為儒家思想強調家庭與社會和諧的重要性。透過親朋好友介紹，自然比較有機會找到合適的對象。

韓國有悠久的做媒傳統，當年輕的兒女論及婚嫁時，父母通常會去找專門管這件事的媒人。媒人大多是年紀較大的婦女，並且在某個特定的社會圈裡有廣大的人脈，她們會有一些冊子，裡面蒐集各種單身人士的資料和照片，新客戶上門時，她就會翻閱這些冊子找尋合適的對象。之後，媒人會安排兩位年輕人見面，如果他們彼此傾心，雙方家長也感到滿意，就會很快開始籌備婚禮。媒人在這時才會收取費用；如果遇到富有的家庭，報酬可能高達好幾千美元。

那些由媒人安排以結婚為前提的約會，就是所謂的相親，也可以透過非專業人士來進行。在韓國，一位「阿朱媽」（對中年婦女的稱呼）通常會有龐大的人脈，朋友可能會請她幫忙找女婿，這位「阿朱媽」就會透過她的人脈打聽是否有合適的年輕人。雖然這算是一種業餘的做媒方式，她還是會拿到一些報酬。筆者的一位友人曾經就是這樣幫人做媒而收到三百萬韓圓（約三千美元），但這對夫妻在一年後離婚了，她就必須退還這筆金額。

由於相親是很大的賭注，因而造成當事人龐大的壓力。那些強迫三十多歲單身子女相親的父母，主要是擔心子女再拖下去就會找不到對象，人們有時會用「定時炸彈」來形容這些年過三十卻還沒結婚的人，尤其是用在女性身上。女性經常在尚未確定自己是否喜歡對方的狀況下，被父母施加壓力，要求無論如何還是答應求婚，以致一些男女在初次見面一、兩個月後就論及婚嫁。

如今做媒風氣還是很普遍，但由於類似「Duo」這種公司的存在，它已經成為一種更大且更有組織的行業。自一九六〇和七〇年代開始，愈來愈多年輕人離開父母到大城市獨立生活，他們找到一些不像做媒那麼正式的替代方案，其中最普遍的就是「sogaeting」（一種屬於單身人士的聯誼方式）。「sogaeting」是一個韓英合成字，韓語的「sogae」具有「介紹」的意思，而詞尾音節來自英語詞彙「meeting」（聚會）。在典型的「sogaeting」中，一對彼此已經認識的男女會各自帶一位朋友到一家咖啡廳會面，這四人會禮貌性地閒聊一會兒，然後兩位做媒的男女就會找個時機離去，心中期待這兩位彼此陌生的男女會聊得來。

這兩位剛認識的男女隨後會到另一家餐廳，而離去的介紹人則在這時等待簡訊通知。簡訊的內容要不是「真感謝你！」就是「你到底在想什麼？」如果兩位介紹人收到的簡訊屬前者，他們就會因為任務完美達成而感到自豪；有些人因為喜歡為人做媒，會不斷地找機會幫人牽線，並且記錄媒合成功的配偶人數。當然也有一些不斷接受「sogaeting」的人，他們似乎很喜歡在每個週末打扮好自己，去跟朋友的友人進行一些尷尬的對話或用餐。

另一種介紹方式，是透過特意安排的單身團體聚會，這種聚會在韓國被稱之為「meeting」。比方說，如果一名年輕男子認識一名屬於另一個社會圈的年輕女子，他可能會建議雙方各自邀請自己的單身友人們來參加一個「meeting」。如果這名女子答應，他們就會各自帶三、四位朋友到事先約好的地點見面，通常是一間酒吧。這種聚會比較受大學生及二十出頭的年輕人歡迎，而且不會那麼正式。在聚會中，年輕人常會整晚喝酒或玩遊戲，遊戲會有各種不同的懲罰，譬如必須親吻另一個參加遊戲的人。這之後，他們可能會踏著蹣跚的步伐來到

「練歌房」，然後用酒醉後沙啞的歌聲竭力吸引心儀者的目光。

最不正式的一種聚會安排，是在傳統的韓國夜總會進行。這些夜總會與西方的夜總會有很大的差別，室內擺放著一排排的桌子，並有一個很小的舞池，因為來這裡的客人實際上並不是為了跳舞。通常會有四、五位男士聚集在一桌，桌上放著昂貴的威士忌和水果，他們會有一名特定的侍者，這名侍者會到別桌去找一群女士，並將她們帶領到這群男士面前。這個過程稱為「booking」，侍者藉此賺取小費，男士們給的小費愈多，他就會帶來愈標致美麗的女士們。如果在場的一對男女聊得來，他們就會彼此交換電話號碼。在今天這個時代，這種聚會促成一夜情也是相當常見的事。

對於女士們來說，「booking」也算是一種便宜的夜生活尋樂方式。夜總會的侍者會留有貌美女士們的電話號碼，並會打電話給她們，提供免費或很便宜的開桌費和飲料給她們及其友人。男客們在夜總會的花費是絕對可以抵銷這筆費用的，他們很樂意各自掏出十五萬韓圓（將近一百五十美元）來支付一個晚上的消費和小費。儘管花費如此可觀，有些男士還是經常參加這種夜總會的聚會。事實上，「night-jukdoli」是專門指稱上夜總會「booking」成癮的男人，女人則被稱為「night-juksooni」。

如果我們思考一下這種「booking」的活動，就很難認同韓國是個「保守」國家這種過時的觀念。這種聚會中隱含一個守舊的韓國元素——侍者的介紹，但這種聚會也顯示南韓時下的年輕人在性觀念上較開放。然而並不是每個人都喜歡「booking」，現在大多數人會去西式的夜總會，在這裡的人們也是隨機而遇，並且也會表露出一些並非保守的舉止。

婚姻介紹所

現在韓國有愈來愈多急著結婚的單身人士，會加入大型的婚姻介紹所，這些介紹所比他們父母的朋友所安排的相親更有效率，人際網絡也比專業媒人僅有的在地人脈廣大。在這個市場中位居領導地位的「Duo」公司，創辦於一九九五年，擁有兩萬四千名會員。這些會員依所需的服務項目內容，每年大約支付一百萬到四百萬韓圓（大約一千至四千美元）的會費。

該公司的負責人金慧珍解釋，在這種公司出現以前，「做媒」這行業並沒有什麼系統，許多專業媒人「只用手寫的紙本紀錄」，也只憑直覺幫人配對。「Duo」這行業將轉變成一種科學，該公司在以電腦系統將新會員配成對以前，會事先就他們的性格、家庭、教育和工作背景（會員必須提供這方面的相關證明文件），以及他們心目中理想伴侶的詳細特點，請他們回答一百五十個問題。他們會勸那些期望過高的人「將眼光放低一點」，例如有的女士只想認識醫生。會員們會從「Duo」的資料庫中得到七到十位「合適的」人選，通常這就足夠了。該公司自稱已經成功配對了兩萬兩千五百對夫妻，並在二〇一〇年為南韓一%的婚姻牽線。

金慧珍興高采烈地分享了一個小故事，她的公司原本安排兩位會員見面，但兩人卻沒有赴約，原來兩人在同一時間遇到意外事故，並且很巧地被送到同一家醫院。這兩位陌生人後來重新安排會面的日期，現在他們已經結婚了。不論這是否與命運有關，婚配系統似乎到最後都會幫人們達成心願。

愈來愈晚婚

在一九八〇和九〇年代，女性通常在大學畢業不久後就會踏入婚姻。現代的女性平均結婚年齡已經提高到二十九歲，男性則將近三十二歲。女性結婚年齡的提高，讓一些男性誤以為女性不想要結婚，打算抱持著「獨身主義」。「單身貴族」就是用來指稱三十多歲有事業、社交生活和金錢的單身女性。

許多人或許會羨慕「單身貴族」的生活方式，但其實很少韓國女性想永遠保持單身。今日的女性一般是因為有更多的選擇，並且希望在結婚前先謀求建立事業基礎的機會（以及旅行和享受生活）。在某一方面，這也符合男性的要求。據金慧珍指出，今日的韓國男性要找的不只是一位美麗的女性，還希望對方能有一份穩定的收入。

近年大學畢業生面臨嚴峻的就業市場——也就是較高的失業率及許多就業者只能拿到暫時性的工作合約——這是另一個造成晚婚的原因。許多人即使想要結婚，他們還是負擔不起，近年來結婚和成立一個家庭的花費大幅上升。根據《朝鮮日報》進行的一項調查顯示，一對夫妻和他們的父母平均須花費兩億八百萬韓圓（大約十八萬五千美元），在一九九九年時，只須花費七千六百三十萬韓圓，而房價上漲可能是費用增加的主因。

現在，由於養育一個孩子每年平均的花費約一千萬韓圓（幾乎是GDP的一半），致使夫妻兩人都必須要有工作。今日六十歲的韓國男人，當初結婚的對象可能是沒有太大野心、只想當能幹的家庭主婦，並且能留在家裡照顧孩子的女人。而現在他三十歲的兒子想娶的對象，大概要有良好的教育背景和事業。

然而，女性在選擇配偶時的挑剔程度也不比男性小。過去，女性想尋找的男士只須具有「競爭能力」，也就是有能力賺錢。金慧珍說：「從前，男士要是事業有成但個子矮一點，女士們都還可以接受；但現在，女性想要嫁的男士除了要有成就以外，還必須長得又高又帥。」男性和女性的擇偶條件都愈來愈高，這也反映出韓國社會的高度競爭特性。對於某些人來說，具有博士學位或是如模特兒般的外貌成了必備的條件，而不是一種理想或是特例。

當然，找到理想對象並非就此結束了。在南韓，結婚並不只是兩個人將他們的未來繫在一起而已，而是有關兩個家庭的結合，雙方家長在這方面依然扮演著決定性角色。在這裡常聽到由於父母反對，情侶必須與「真心相愛的人」分離的故事，這通常是因為對方和其家庭教育、事業和經濟背景所呈現的社會地位的問題。雖然年輕人現在開始覺得婚事應該由自己決定，但一般來說，他們還是會聽從父母的意見。根據「Duo」公司內部的研究部門指出，有關婚事方面的問題，十人之中有七人不敢反抗父母的意見。

婚俗

如果男女雙方的家長都滿意對方，就會選好結婚的日子，並為這對新人尋找一個新居。按照慣例，新郎的父母應負責為新婚夫妻提供一個住所，新娘的父母則須購買住所裡的家具和其他必備品。如今，這些都要依當事人的經濟狀況而定了。由於現在南韓的公寓價格飛漲，男方家長可能會採用「jeonse」的方式，這是一種特殊的韓國租屋制度，租屋者支付高額押金，這樣新婚的夫妻就不用每月繳房租。但由於現在房屋貸款比以前普遍，「jeonse」的租屋方式似乎逐漸減少。除此之外，還有一個雙方家庭必須互送貴重禮物和禮金的習俗，這其中比較棘手的通常是「yedan」，是新娘必須送給新郎家的禮物，而這禮物的價格應該是這對新婚夫妻新居所需費用總額的一〇%左右。以筆者的一位友人為例，這筆費用為四千萬韓圓（大約三萬六千美元）。

另外，在婚禮之前還有一個所謂「賣函」的有趣習俗，「函」是一個裝滿禮物的箱子，由新郎的朋友們送到新娘家。這些年輕人會先在女方家的外頭，一邊大聲喧鬧一邊大聲喊著：「來買函！」其中帶頭的人稱「送函使者」，必須負責將這箱子「賣」給這家人，而這家人會先假裝不理他，但過一會兒會請他進門，並用豐富的酒菜招待這群新郎的朋友。「送函使者」很容易分辨，他的臉部通常會用一隻乾魷魚遮掩。可惜的是，由於現代人大多住在公寓，鄰居彼此間住得很近，很多人嫌「賣函」活動太吵鬧，所以這個習俗已不像從前那麼普遍。

在婚禮當天，如果這對新人都是基督徒，他們大概就會在教堂結婚。對於非基督徒的新人來說，他們通常有兩種選擇：一是酒店的宴會廳，一是專門的結婚場地「婚禮廳」，前者比較高級些。婚禮的儀式一般都很短，客人們可以在新人們交換誓言或是「jurye」致詞時隨意走動聊天。「jurye」——往往是雙方家庭中最受敬重的長輩——會在致詞中針對維繫婚姻、敬重父母之類的話題發表感言，但大多數的人似乎沒有在聽他說話。

新人在正式婚禮上會穿著西式的結婚禮服，但在這之後就會暫時離場，換上傳統韓服再出來招呼客人。接著，他們會走到擺放結婚賀禮的地方，向雙方家長鞠躬禮拜，以前只有男方家長會受到這種禮遇，但由於南韓的男女地位日益平等，以及家庭角色的變化，使這個禮儀產生重大改變。此外，新郎可能也會揹著新娘在房間走繞，以象徵願意對她負起責任。

參加婚禮的賓客們會將禮金放在信封袋裡當作禮物，由於婚禮的花費龐大——尤其是在酒店舉行的婚禮——這是完全可以理解的。一位朋友告訴筆者：「我必須在我父親退休以前結婚。」這是考量到經濟因素，因為他那身為銀行主管的父親，過去多年來經常參加同事及同事子女的婚禮，每次都送出禮金。如果父親在他結婚之前退休，銀行大多數的同事就不會來參加婚禮了，他也無法收回多年來的「投資」。

參加婚禮的人愈多，就可以收到愈多的禮金，賓客人數也與「聲譽」有關，有些父母認為邀請愈多客人愈好，以彰顯他們的身分，地位高的家長更是這麼想。有時這會引起某些新人的埋怨，因為他們覺得許多婚禮的賓客他們都不熟識。

年輕人的浪漫

到目前為止所描述的韓國婚配模式，似乎與浪漫愛情脫勾，而與自由市場經濟有較多的共同點。但我們因此認定這個國家的人民不浪漫，是不正確的。在韓國，年輕人的戀愛往往會排滿紀念日（如第一次見面後的一百天、成為情侶後的一百天等等），情侶們也會一起看電影、在週末出遊及贈送花束和巧克力。在這段時間裡，做出浪漫的表現是很常見的，韓國有個來自英語的詞彙「event man」，是用來形容那種會在心儀的女孩家窗外唱情歌，或是到女友辦公室獻上一百朵玫瑰花的男性。

南韓的月曆上也有許多特別浪漫的節日，大多是由一些商人為了銷售產品構思出來的。

除了情人節外，還有日記節，情侶們在這一天應該買日記送給對方，記下未來一年裡所有特殊的時刻；玫瑰節是情侶們交換玫瑰花的節日；白色情人節則是男士送糖果給女性的節日。有趣的是，十一月八日是胸罩節，男士們會在這一天購買內衣送給他們心愛的女人。而在綠色情人節，情侶們會雙雙穿著綠色的衣服，一同到綠林中散步；單身漢在這一天則可能會藉酒澆愁，這些燒酒也是以綠色瓶子來盛裝的。

「情侶戒指」是一種以浪漫為訴求的產品，雖然它的重要性不如訂婚戒指，但它還是有某種宣告意味，表示戴它的人正與某人相戀。此外，這裡還流行「情侶裝」，也就是相愛的男女會有相同的穿著；如果女生穿紅色的毛衣配藍色牛仔褲，男生也會做一樣的打扮。沒有人表示他們喜歡這種情侶裝的風格，但是很多情侶裝的都會這麼做。

關於離婚

在很多年前，離婚在韓國人眼中是一件不合情理的事，社會對此會極力勸阻並施予壓力。一對夫婦不論是吵架或是不再相愛，人們都期望他們為了家庭的和睦及名譽繼續在一起。但到了一九七〇年代，離婚的人數開始持續上升，從一九八〇到二〇〇〇年代，離婚率增加到原來的五倍，年均每一千人中有三・五人離婚。在這段時間的末期，離婚的增長率十分令人吃驚；在一九九八年有十一萬六千三百件婚姻無效的申請，到了二〇〇三年有十六萬六千六百件申請（那年有三十萬三千件新婚申請）。在此同時，結婚率卻降到有史以來的最低點；在整個一九八〇年代，平均每年每千人中有九人結婚，但到了二〇〇〇年代初期下降到六點多人。

一九九八到二〇〇三年間離婚率快速增長，部分原因可能是社會中積壓了許多多年來就想要離婚的人，這些人趁著社會道德觀念改變的時候離婚，而一九九〇年代晚期的經濟危機也是因素之一。在這段期間以後，離婚率的確又降回到一九九八年的標準，但是人們對於離婚的態度已經完全改變，例如，一九八〇到二〇〇九年間，與離婚婦女結婚的單身男士幾乎增加了三倍。在二〇〇九年結婚的夫妻，其中二三・五％有一到兩人曾經離過婚，比一九九〇年的一〇・七％增長了不少。在南韓，名人離婚率日益升高，這也助長了人們接受離婚的風氣。雖然一般人還是不太贊成單親家庭，但這也已經變成了一種趨勢；現在有超過一百萬名韓國人獨自撫養子女。

南韓聖潔大學申燕姬（音譯）教授進行的一項調查顯示：七三・四％的男性和六七・二％的女性贊成婚前同居，其中大多數的人認為，如此能夠給伴侶們相互了解的機會，以減少未來離婚的風險。目前成年人的父母大部分還無法接受這個觀念，但到了下一代，這可能會成為相當正常的現象。

18 英語狂熱

雖然韓國文化裡充滿了強烈的民族優越感，也因此對他們的母語感到自豪，但到南韓的訪客一下飛機就可以注意到，這個國家對於學習英語近乎痴迷。這裡的孩子從小到大就讀的學校都會教英語，先從專門的英語幼稚園開始，再長大一點就會到「學院」這種課後輔導班繼續上英文課，這些「學院」如果經營得好，可以很賺錢。韓國家長不計代價讓子女學會說英語，許多成人也不斷努力精進自己的英語能力，希望能說得更流利。英語能力不但是獲得較好就業機會的保障，也是一枚驕傲的勳章。

南韓重視英語學習的原因在於，如果希望國家更有競爭力，企業主和員工就必須會說這個國際商業語言——這是大多數先進經濟體的思維方式。但韓國在教育方面過度競爭，為學習英語帶來許多社會問題，即使擁有會說英語的國民，也可能得不償失。

痴迷的程度

根據《紐約時報》和許多韓國報紙的報導指出，南韓有些醫師會進行一種特殊的舌頭開刀手術，因為有人相信這有助於英語的發音。這種手術稱作「舌繫帶切除術」，也就是將舌頭下方與口腔連接的舌繫帶稍微割開，讓舌頭變得更靈活。儘管有成千上萬在西方出生的韓國人不須透過這種奇怪的方法就能說出相當標準的英語，但有些韓國家長求好心切，他們堅持讓孩子接受這種手術。

這當然是個極端的例子，但這種手術的存在也說明了韓國人對於英語狂熱的程度。對大多數的韓國人來說，精通英語的方法是透過長時間的學習。舉國上下的家長都相信孩子必須英語流利才能有所成就，因此許多幼稚園的孩童在把自己的母語說好之前，就被送到教英語的托兒所，孩童們在這裡每天花一整個上午的時間學習英語。

孩子們開始正式上學之後，每天學校的放學鈴聲並不代表他們的課程就此結束。大多數的孩子會接著去「學院」（又稱補習班）參加課後輔導，課輔班所教的科目包羅萬象，包括藝術、數學和音樂等等，但其中費用最高且最普遍的就是英語。這些課輔班聘請來自美國、英國、加拿大、澳洲、愛爾蘭、紐西蘭和南非等國家以英語為母語的人士，提供他們免費住宿及合理的薪資。由於美國過去對韓國有很多影響，所以美國口音最受歡迎，另一方面，許多人將英國口音的地位看得很高，但對他們來說，這個口音比較難懂。這些老師通常不須具備任何特定的教學資格或經驗，因為在英語教育方面的需求如此大，按照京畿道一所「學院」教師詹姆士（非其真名）的說法：「只要是有脈搏、白皮膚的人就可以了。」

不論是在學校或是在補習班學習，目的是希望能在托福這類考試中獲得良好的成績，而在這種考試得到高分可能比口說流利更受重視。托福考試和韓國的「大學修學能力試驗」，與過去幾個世紀的朝鮮科舉考試一樣，考到好成績能夠改善生活——比英語說得流利更有幫助。這是因為頂尖的公司有太多應徵者，所以他們會以求職者的英語分數作為篩選的額外條件，即使公司空缺的職位不須用到英語能力。根據「Incruit」人才招聘顧問公司所進行的一項研究發現，五〇%的韓國公司會用這種英語測驗分數來淘汰應徵者。

由於韓國文化非常重視成功，所以人們很難接受不佳的表現。這裡的父母會用盡一切努力和花費，來確保子女未來申請大學或工作時，不會因為英語低分而被棄置於最底層。由於每個人都極渴望達到最高分，大多數的人必定會失望。即使那些成績優異的人，也被這個只接受滿分的社會說服，認為他們必須做得更好。在南韓經常可以聽到人們說：「對不起，我的英語很差！」，但通常事實並非如此。

這種考取好成績的壓力會一直持續到成年。筆者的一位友人說：「我的父親已經六十多歲了，而且是韓國一家大型油漆公司的主管。他的工作從來都用不到英語，但是如果他想要升遷，就必須向公司證明他有很好的托福成績。這一點道理也沒有。」

教育費用

按照一家補習班負責人朴金震（非其真名）所說：「在首爾，單薪家庭每月收入在扣除所得稅後約為三百萬韓圜（大約三千美元）。一間好的英語幼稚園學費一個月要一百萬韓圜，這表示有三分之一的家庭收入花費在子女的英語教育上，而且這是很平常的事。」

當孩子進入正規學校以後，就會開始上課後補習班，每個月大概要花上幾十萬韓圓。此外還有測驗本和參考書的費用，有時還要支付由外國人進行的一對一私人英語家教費用，這種家教每小時的收費大約是五萬韓圓或更高。韓國政府一直試圖勸阻家長不要僱用家教（外籍教師提供家教，在韓國實際上是違法的）但為了追求完美的英語能力及實力，這些規定就被人們晾在一旁了。

負擔得起的家庭可能會將子女送到國外的學校就讀，尤其是美國或加拿大辦的學校，這是為了讓子女能夠高人一等。有些家庭有時也會因為英語教育不得不「分離」。「野雁爸爸」的現象就是一個例子，這是指父親一人留在韓國工作，讓妻子和子女住在國外，以提升子女的英語程度。根據一些估計顯示，南韓這種「野雁爸爸」至少有十萬名。當然，他們其中有些人可能會喜歡這種類似回到單身的生活。

一點也不令人意外的是，在英語教育上的花費極為龐大。二○○九年所有韓國補習班加起**來的獲利為七・六七兆韓圓（大約七十三億美元），這比三星電子（韓國最大的企業）在同年的盈利還多**。這其中大約有一半來自英語補習班的貢獻，而這數字還不包括私人家教、課本、測驗、電子辭典，以及到國外學習的費用。

有些父母和專家聲稱這種對於教育的投資不但具有遠見，也對南韓有好處。英語能力或許對於一些人來說相當有價值，但這是否真的值得一個家庭付出三分之一的收入呢？根據張夏准教授（韓國發展經濟學泰斗）指出，教育費用龐大是「現代人不敢生育更多孩子的最大原因」，而英語教育就是占這筆花費中相當大的一部分。因此，教育的花費，特別是英語教育的花費，是韓國生育率特別低的主因，每名女性平均生一・二個孩子，而這也進一步威脅到國家未來的經濟和活力。

代價超過利益

在這個競爭十分激烈的社會中，有許多問題與過度學習有關，尤其是英語。在首爾鬧區的補習班通常開到很晚，即使法令規定從晚上十點到清晨五點間不得營業。高中生常常天一亮就起床，在上學以前讀書，放學後直接到補習班進行課後輔導。這些高中生面對學校和補習班的作業，每天晚上能夠睡六個小時以上就算是幸運的了。**最悲哀的是，大家都知道這麼做不是好辦法，但是當別的家長強迫他們的孩子在應該睡覺的時候念書，人們很難不會感受到必須採取相同作法的壓力**，尤其是擔心孩子可能會因為跟不上同儕，而無法進入那些頂尖的大學，而這些大學則是他們未來事業和成就的基石。

這裡的公立學校所提供的英語課程太重視文法，而不是溝通的能力。補習班教授英語的方式比較好，但並不是沒有問題。家長們不斷地要求補習班將自己的孩子「升級」，以顯示孩子們有進步，並讓他們進入比較難的程度。**補習班的業者們因為害怕流失客戶，所以經常會自行為學生的成績加分，以配合家長的要求。**結果是，家長感覺好多了，孩子們鬆了一口氣（因為沒有進步父母會不斷地嘮叨），業者們也保住了他們的收入。但這並不表示孩子們真的有進步。

在許多科目上，韓國學生都榮獲全世界最好的成績。二〇一〇年經合組織進行了「國際學生能力評估計畫」（Program for International Student Assessment, PISA），在數學和閱讀項目上，韓國學生在所有會員國中排名第一。但是，這項成就是以相當低的效率得來的，按照張夏准教授的說法，「這些孩子是靠雙倍的努力和雙倍的花費……才得到這種成績的。」他以芬蘭作為反例，這裡的孩子也經常在「國際學生能力評估計畫」中名列前茅，但他們還是可以遊戲、與朋友交流並享受他們的童年。如果這裡的教育品質能夠提升，讓學生們可以「**聰明地學習，而不是辛苦地學習**」，並且有足夠的睡眠，這個國家就會更具有生產力，也會變得更幸福。

因此，在英語學習上付出過多的時間和金錢會造成某種代價。任何略懂韓語和英語的人都知道，這兩種語言天差地遠，一個韓國人花一個小時學習中文或是日文，會比他花一個小時學習英文更有收穫。如今中國已經取代美國，成為南韓最大的貿易夥伴，把對英語的重視轉移一些到中文上，或許也是合乎情理的。

對於英語學習的推動，也是造成社會不平等的因素之一。韓戰結束後，這個國家在基本上重新開始，社會上已不再存有過去那種菁英般的兩班貴族，朴正熙總統曾經在一九六〇和七〇年代試著確保國家經濟成長的利益能平均分配。但**近年來，南韓又有一種「新兩班」階層開始形成**，這個可以被定義為社會菁英的群體，地位並不是來自世襲，而是**來自他們在教育和財富方面自我加強的循環**。大約從一九八〇年代開始，那些用功考進「SKY大學」——首爾國立大學（Seoul National University）、高麗大學（Korea University）或是延世大學（Yonsei University）——的人，後來得到最頂尖的工作機會，並開始超越眾人。由於他們比較有錢，便可以透過昂貴的私立教育讓自己的子女跑在前頭，超越他人。他們對英語的教育更是如此，在英語能力測驗上拿到高分是大學和就業申請中最重要的項目之一，因此負擔得起的人，會聘請外籍人士當家教，或是將子女送到美國、加拿大等國，將英語學習得更熟練。

這群新菁英的中心地帶，位於首爾的江南地區，這個地區的孩童占有較大的優勢，而位於首爾西部木洞地區的孩童們也日益有這種趨勢。韓國政府以成立頂尖的學校來發展這些地區，鼓勵家長們搬進附近的新公寓。過一段時間，自由市場經濟就會解決在這些地區的競爭，這裡的公寓價格飛漲，以至於誰能上那些好學校，端看誰的父母比較有錢，而最好的私人家教和補習班，也隨著商機轉移到江南和木洞地區。到了二〇〇五年，江南地區畢業的高中生進首爾國立大學的機會，大約是首爾北部麻浦區的十倍，但是麻浦並不算是條件特別差的地區。

江南地區是現代南韓極端的象徵，它不但是英語狂熱的中心，也是競爭激烈及炫耀性消費的中心。在江南的青潭洞或狎鷗亭洞附近，經常可以看到年輕女性手提要價兩千美元以上的名牌皮包。這裡的年輕人必須努力擠進「SKY」大學，也有愈來愈多人的目標是進入美國的長春藤盟校，如果他們沒有做到，自己和父母都會大失所望。首爾七〇%的整形診所都分布在江南地區，但這裡的人口只占全首爾的五・五%，從這一點就顯露出這裡的實際情況。

英語教師是必要之惡

在南韓的外籍人士，人數最多的是中國人，但最醒目的則是來自美國和加拿大這些國家的英語教師，在韓國的西方人經常被問到「你在哪裡教英語？」而不是「你來這裡做什麼？」，可見這裡的外籍英語教師人數之多。南韓對於英語教師的需求量很大，在二〇〇六年針對英語教師發出的簽證就有一萬五千張，這可能只占實際入境人數的一小部分。許多韓國僑胞（他們持有特殊簽證）、韓國人的外籍配偶，以及持觀光簽證在此違法工作的人，也都在這裡教英語。

外籍英語教師與韓國社會的關係，令人聯想到薩滿教巫師與社會的關係。韓國人被問到對外籍英語教師的看法時，通常會有負面的評價，但這些教師的報酬不少，而且總有很大的需求量，這就如同薩滿教的巫師。但可悲的是，這與教師的種族背景有很大的關係。對外行人來說，有一張白皮膚面孔就等於會說英語，而這些課程特別需要藍眼、金髮的年輕女性。筆者在首爾的第一份工作就是在一家補習班教英文，這家補習班的業者有個只僱用白人的不成文規定。業者當時解釋：「我知道這很愚蠢，但家長們就是這麼要求的。」

當然，這些外籍教師在課堂上及課外的表現，會影響韓國人對他們祖國的看法。若有令人懷念的好老師，學生在電視上看到這位老師所屬的國家運動團隊時，常會有欣喜接納的感覺。但是，這裡也發生過不少外籍人士的醜聞。在南韓的年輕男性英語教師人數很多，其中有些人會做年輕男性出國時喜歡做的各種事情。這些舉止在媒體的渲染以及保守的民族主義影響下，讓這裡的人普遍認為西方人都是放蕩不羈的。

有一個稱作「英語光譜」（English Spectrum）的網站，曾經因為論壇上的留言而成為爭議焦點，有些男性英語教師留言聲稱韓國女人很輕易就跟外國人上床。這激起了防禦性的民族意識，不久後就有一個「反英語光譜」（Anti-English Spectrum）的網路團體形成。這個團體特別成立一個網站和論壇來揭發「劣質的外籍教師」，其中一些成員甚至跟蹤外籍英語教師，並在公共場所騷擾他們。

主流媒體也受到這種氣氛的影響，例如，當媒體發現教學品質不良時，就會展開反外籍教師運動，而不是責怪補習班。當地報紙經常將外籍英語教師與販毒這類犯罪行為牽連在一起，儘管這個群體的犯罪率並沒有比其他社會群體高。筆者結識的一位英語教師甚至曾經受騙，以為自己參與一齣電視劇的演出，結果實際上是一部假造的紀錄片。他按照劇本演出，並且被拍下他鼓勵未成年少女喝酒的行徑，在不知情的情況下協助這些人對他的職業妖魔化。

韓式英語

南韓人對於英語的狂熱也助長了許多英語借用詞，以及類似英語的詞彙加入韓語。韓式英語與日本發展的那種「和製英語」有些類似（例如：日本人用「pasocon」來表示「個人電腦」，即「personal computer」），並且有許多有趣的例子。譬如，在南韓，一個「mama-boi」（由「mama's boy」或「mummy's boy」衍生而成，代表「媽寶」）。發現有人作弊，就勸告他不要「cunning」（狡猾）；在英文原本是形容詞的「cunning」，在這裡就被當作動詞了。只看不買的逛街「window shopping」（櫥窗逛街），在南韓被稱作「eye shopping」（眼睛逛街）。「touchy-feely」（喜歡以親近的肢體接觸來表露感情）的人則被形容成有很多「skinship」（皮膚關係）。胸部豐滿的女性被稱作「glamour style」（惹火型）。

英國的時尚公司Burberry如果得知南韓人將暴露狂稱作「Burberry men」一定會很難過，這個說法是因為Burberry製作的長風衣被人們視為代表暴露狂的穿著。有些公司則在廣告活動中運用韓式英語而引起注意，近來令人印象深刻的例子包括：代表健康食品的「well-being」（健康），以及形容女性身材曲線優美的「S-line」（S曲線）。

南韓目前有數以千計的外來語彙，其中大多數來自英語。如果有一天南、北韓真的統一的話，北韓人得知原本共同的語言有了如此大的變化，而且南韓目前正在使用，一定會感到相當困惑。北韓人一直堅定地持續使用原有的詞彙，比方說，「songicheok」除了有「手勢」的意思外，也用來表示敲門，南韓現在就直接用「knock」（敲門）這個英語詞彙。

| 第四部 |

日常生活

19 住屋：「韓屋」的演變

到南韓的外國旅客經常會提到，首爾等大都市到處興建公寓大樓不甚美觀，而且這些占地廣闊又千篇一律的公寓大樓，似乎與周邊環境沒有一點關係。這些建築的興建來自兩個因素：第一，這個小型多山的國家有眾多人口住在首都，高樓層住宅可以充分利用土地；第二，南韓戰後的經濟發展和都市化快速，當局無暇顧及都市計畫和美觀方面的問題。

然而，這種韓國傳統的韓式住宅（人稱「韓屋」）保留了重要的歷史資產。在千禧年時，「韓屋」曾經被視為過去的產物，在韓國未來前景中不占一席之地，它甚至可能被看成是「鄉土」的或是過時的建築。但現在愈來愈多南韓人在尋找自己與傳統文化的連結，他們要求生活中的事物除了講究功能性外，還必須有更多的可持續性和美觀性。有些人發現，這一切都可以從那些重新修建的現代式「韓屋」中找到。

韓屋和風水地理

「韓屋」是什麼？身為現代韓屋專家的建築師黃斗進（音譯）表示，這種傳統形式的房屋「經過大自然與韓國文化長期交互作用，所流傳下來的結果」，形成適合人類居住的住所。這些房屋是用木材、泥土和石材等自然質材建造而成，規模依照所在的位置而定。朝鮮半島北部的韓屋由於北方氣候寒冷，往往建造成四面閉合的正方形，南部的韓屋則通常是比較開放性的長方形。不論是在南部或是北部，按照韓國「背山臨水」的風水原則，韓屋的理想地理位置應該是前面有河流，背面依靠著山。

住宅居於正確位置的重要性，最初是由韓國的僧侶道詵國師（西元八二七—八九八）在韓國宣揚的，這是他「風水地理」當中的一門風水哲學。風水是中國一種研究實物位置的學問，主要是針對促進「氣」的正當運行。道詵國師的哲學思想深受中國風水觀念的影響，但他比較重視宏觀，例如：住宅的位置、城鎮及村落的選址，甚至是整個國家的「氣」與山巒河流間的關係。中國風水不但重視住宅的位置，也注重室內物品的擺設位置。韓國的「風水地理」有非常大的影響力，它甚至激起對高麗王朝的反抗：在西元一一二〇年代後期及一一三〇年代早期，一位名為妙青的僧侶曾試圖推翻朝廷，創立一個以平壤為首都的國家，部分原因在於他相信平壤所在的位置比當時高麗朝廷所在的開城更為吉祥。

在韓屋內木條製的門窗上都會貼上「韓紙」，這是一種桑樹皮製造的紙張，在經過處理後可以防水但透氣，貼上「韓紙」的窗格和門板，會讓韓屋有自然光並且通風。韓屋的屋檐有彎曲的邊緣，它的長度是依照所需的光線和室溫而定。歷史上富裕的兩班貴族所住的韓屋，屋頂是用一種稱作「葺瓦」的瓦片蓋成的，比較窮的百姓就以稻草來鋪蓋。兩班貴族也喜歡將自己的房屋蓋在較高的位置，如此就能居高臨下，俯視為他們效力的佃農和那些小而簡陋的農舍。

傳統韓屋反映出儒家的社會道德觀，屋內有男女各自所屬的房間，分別是「舍廊房」和「裡屋」，前者是士大夫接待客人的房間，後者則供婦女們使用，然而也會因地區不同而有差異。到現今還是相當保守的尚慶道，遵循著男女嚴格的分界；而在比較開明的全羅道，婦女們可以在舍廊房內招待自己的友人。

現代化的入侵

韓國的住宅建築在二十世紀起了巨大的變化。早在日治時期，首爾的新堂洞和獎忠洞地區就建有公寓樓房。這些樓房主要是給日本員工居住的，他們來這裡的目的，是將韓國人改造成日本的工業生力軍，進而協助日本將勢力繼續擴展到滿州地區及更遠的地帶。這些建築通常只有兩、三層樓高，裡頭有五十到七十間的寓所。在這之後，又興建了一些租給韓國人和日本人的公寓，例如，一九三二年位於首爾中正路的儒林豐田公寓。

一九四二年在首爾惠化洞地區首次出現了韓國人自己興建的公寓，但是，直到一九六〇年代初期朴正熙執政後，經濟快速發展，這裡的公寓居住生活才真正開始盛行。位於首爾桃花洞麻浦區的麻浦公寓就是在一九六四年完工的，這是第一個大型住宅區，如今住著數百萬居民。

隨著首爾人口膨脹（南韓一半的人口現在住在首爾及其周邊），韓屋變得愈來愈難維持。遷入首爾的居民需要廉價的住宅，這意味著必須興建高樓，將他們的住家層層疊起。那個時代的目標是不惜一切代價追求成長，也表示當時並沒有將重點放在美觀上。公寓大樓都是盡可能以快速和便宜的方式建造，在設計上沒有花費太多精神。那時也不太重視計畫，任何可用的空地都會被用來興建公寓大樓，不管它們對周遭環境會有什麼影響。按照黃斗進的說法，人們「只需要一個居住的地方」。

他補充說：「我不會說公寓住宅是百分之百不好的，因為我們有理由這麼做。」公寓生活和韓國社會過去五十年來經歷的許多變化一樣，造成了一些負面影響，但它是促使經濟騰飛的有效方法。這些公寓可以和英國北部磨坊小鎮上那些無盡的雙層排屋相比擬，儘管這些排屋如今看起來大多不美觀，但當時有特定用途。

此外，這些公寓十分便利。許多人認為韓屋比公寓難保暖，維持韓屋必須花費許多精力，但對於住在公寓的人來說，清洗窗戶、保全及公寓外部的修護等，都不再是自己的責任。住戶們每個月支付管理費給公寓住宅管理公司，它們就會負責處理這些事務。對於一九七〇年代每週工作五十一・六個小時（還有未列入計算的加班時數）的人們來說，這是完全合理的。

許多人相信，這種公寓文化是造成彼此日益疏遠的原因。人們不再像以往生活在社會團體中，這種居住空間的封閉性，使人們與大自然和鄰居隔離。但另一方面，我們或許也可以說，公寓的疏離現象反映出一個大型工業城市分裂和孤立的真實情況。在這樣的城市裡，整天待在辦公室或工廠裡工作的人，在閒暇之餘也已經沒有心力和欲望去培養任何鄰里精神。

韓屋沒落？

以前這裡所有的城鎮都可見到許多韓屋，但是，自從一九六〇年代開始工業化和人口增長，大批韓屋被拆毀來興建公寓大樓和工廠。據估計，南韓全國原本有超過一百萬間韓屋，到了二〇〇〇年只剩下一萬間。那時人們將這些傳統房屋看作過去的遺跡，讓人回想到韓國從前那種落伍的景象，對一個追求現代化的國家來說，這些韓屋勢必淘汰。到了一九八〇年代，黃斗進等年輕建築系學生們，依然會學習到有關「韓屋」的知識，但他們從來不會期望能夠進行一些有關韓屋的工作。和公寓相較之下，韓屋被認為不符合潮流又不方便居住。

於是，公寓便成了南韓人普遍採用的住宅，即使在鄉村，人們還是可以看到這些巨大的灰色水泥大樓，整齊地分割成一個個小單位，讓住在其中的人們方便但與周邊環境完全不協調，甚至十分醜陋。這種公寓是由一些韓國大型建築公司負責建造，這些建築企業成功地運用了它們的影響力，推廣公寓是唯一可以解決居住問題的這種觀點。

但是，我們還是可以看到正在增長的一線希望，自千禧年以來，社會中有些人開始認為生活品質比快速成長更重要，我們可以在一些方面看到這種現象，譬如，人們對於藝術和公共空間的美化更為關注、環保意識提升、文化產業發展，以及對休閒娛樂有更強烈的要求等等。此外，人們現在也開始重新發掘過去。

正如我們在本書第十二章所提到的，韓國人對於他們的歷史有一些羞恥感，這讓他們比較喜歡向前看而不是回頭看。但是，現在的社會菁英（不論在經濟或文化方面）開始在歷史文物中尋找價值感，這種興趣風氣已延伸到韓國老歌、傳統韓服和家具等等。在韓屋方面，懷舊的趨勢促使人們興建改良式的韓屋和維護舊有的韓屋。這些曾經用韓屋換公寓的菁英們，現在正引領著一個反向的趨勢。

建築韓屋，對於二十一世紀全球所關注的能源消耗和環保等問題，帶來了許多好處。由於韓屋是用木材、石材等天然質材建造而成，它們對環境的衝擊比水泥來得少（生產一公噸的水泥會釋放約一公噸的二氧化碳、數公斤的一氧化二氮及排放懸浮微粒）。韓屋的一些簡單特徵，例如拉長及凸出的屋簷，讓它在冬天保暖，在夏天通風涼快。這些環保特性吸引了一批年輕的愛好者。

傳統派與先進派的拉鋸

當然，在費用、實用性、有限的建築空間及經濟現實情況的考量下，意味著韓國人永遠不會完全放棄公寓生活。但是，人們對於興建「現代化」的韓屋需求愈來愈多。由於土地的價格昂貴，目前只有富裕的人才買得起這些韓屋。然而，現在也出現一些建蓋普通式的韓屋及韓屋住宅區的計畫，這自然會降低一些韓屋的價格。黃斗進甚至提出建造有地下室和樓層的韓屋計畫，以解決人口密度高的問題。這些新式韓屋會使用傳統質材，但以大規模的方式興建。這兩種觀念都很新穎，它們代表著傳統韓國住屋與現代都市生活的結合，但有些人對這兩種觀念抱著懷疑的態度，比方說，傳統人士並不喜歡多層的韓屋這種概念，其他人士則質疑這些韓屋的能源效率。

現代韓屋通常有公寓或西式房屋所具備的生活便利設施，例如衛浴設備和空調設施等，有些韓屋甚至以水泥作為建材。這些創新雖然吸引了一些過去屏棄韓屋的人，也造成所謂的先進派和傳統派人士的對立，尤其是在歷史悠久的首爾北村地區。

位於繁華且綠樹成蔭的三清洞附近的北村，離總統府不遠，但具有滄桑的歷史。這裡原本是兩班貴族的高級住宅區，到了近代卻成了被忽視、蕭條的貧民區，這裡的房價因此比別的地區都低。但在一九九九年，韓國政府推動了一項獎勵政策，給予那些投資重建韓屋的建商豐厚的補助，這項政策吸引了一群新的韓屋屋主。在此同時，現代式韓屋也動工興建，於是北村便經歷了快速的現代化。許多舊房子不是被修復，而是乾脆予以拆除，然後再新建成大型現代式的（而且受到補助的）超級韓屋。北村現在已經像個暴發戶的精華區，並且吸引大批手拿相機的外國觀光客。

北村的傳統派人士認為，由於這裡幾乎是首爾唯一還保有優美、傳統韓屋的地區，因此必須繼續以傳統的方式來維持，而不是新舊住宅並存。幾位堅持這種看法的提倡者，實際上是在韓國長住的西方人士，在之前韓國人不想住這些韓屋時，他們以相當低的價格購得這些房子。當地人對這個爭論意見分歧，支持保留傳統方式的人，發現保護韓國文化遺產的任務，似乎落在外國人肩上而感到悲哀。反對人士則認為，那些舊房屋對現代生活相當「不方便」，這樣維護傳統的行動只是浪漫主義者的一種干涉。

首爾的未來？

當韓國人開始了解降低能源和資源消耗的必要性後，便產生了一個日益明顯的矛盾。黃斗進指出，「如果人們每天都必須花兩小時通勤，建立一個有利於生態的社會，就變得毫無意義。」因為通勤會造成大量的溫室氣體排放。很明顯的，首爾這個巨大城市如章魚爪般向四面八方延伸，占據了太大的空間。自從韓國工業化以來，這個首都一直具有將外地人吸引進來、再向外擴展的趨勢，它逐漸向周邊城市延伸，並將它們納入大首爾都市的一部分。

然而，雖然這個都市中有一些地區建有龐大的公寓大樓，但值得注意的是，首爾一般較小的建築物平均只有二・五層，這比巴黎、紐約等城市的樓房低得多。一些用來作為商店的樓房通常層數不高，如果這些樓房的層數可以加蓋到五至六層，透過混合使用的方式，例如第一層作為商店，中間樓層為辦公室，上面的樓層作為住宅（如巴黎），如此就能節省許多空間。這將減少對龐大公寓大樓的需求，並且會有更多空間來蓋都市韓屋、公園等等。如此一來，未來首爾的樓房可能會變得較小、更高也更環保。

有些人現在意識到，發展南韓其他地區以形成一個在地理上較為平衡的國家，是一種相當明智的作法。如果該國家無法同心協力限制首爾的增長，南韓就會成為和新加坡類似的城市國家，但附著數萬平方英里的空蕩鄉野，還有釜山和一些小城市。**南韓在教育、商業及行政方面都過度集中於首爾，首爾對南韓的影響力可說是倫敦對英國的兩倍。這種不平衡不僅相當浪費，也會造成對空間的過度競爭、過高的房價，以及過多的通勤和塞車，繼而降低國家的生產力。**此外，全副武裝的北韓離首爾大約只有馬拉松長跑的距離，因此也有重大災禍發生的可能性。雖然恢復任何有意義的平衡會是個巨大的政治挑戰，但還是絕對值得一試。

20 韓國料理

韓國國會某議員曾經埋怨，他每次出國，外國人想和他討論的話題除了北韓以外，就是吃狗肉的問題。韓國食物和它的國家一樣，無疑受到許多誤解，而且未獲得正確的評價。韓國料理實際上是相當豐富的，這個國家的料理種類多到超乎人們所想像。對於那些習慣重口味且嗜辣的人來說，韓國一些著名的菜餚很容易讓他們上癮。

然而，有關韓國料理辛辣的描述似乎有些言過其實，像「蔬菜燉雞湯」（dakdoritang）和「泡菜鍋」這類菜餚的確很辣，但韓國廚師在傳統上只使用一種辛辣的佐料：紅辣椒。在韓國烹飪中更重要的是發酵過程，韓國廚房裡必備「苦椒醬」、「韓國大醬」和「韓式醬油」這三種經過發酵的調味品，經常運用在各種肉類、海產以及蔬菜佳餚中。此外，韓國最著名的代表食品「泡菜」，也是一種經過發酵的蔬菜。這種保存食物的方法在韓國料理中已有千年歷史，而發酵食物與韓國主食米飯一樣普遍。

講究均衡

講究均衡是韓國料理的基本原則，一頓韓國料理絕對不只有一道菜或是一種味道而已。標準的烹飪過程必須出自幾道相互調和的菜餚，因此，一頓飯會包括好幾道蔬菜、肉類和湯等，每道菜的溫度、辣度和鹹度都各有不同。在特別的盛宴中，「飯饌」（即小菜）的數量可能會高達兩位數。

根據全羅道（韓國人認為這個省分有最優秀的廚師）餐廳老闆暨美食專欄作家韓永勇（音譯）表示，「餐桌上也應該有四季」。韓國的四季分明：冬季寒冷乾燥，夏季炎熱潮濕，春秋則溫暖乾爽，首爾一月的平均溫度會降到攝氏零度以下。可以自然種植的蔬菜依季節而定，那麼，如何才能達到上述的均衡呢？答案是，透過食物的發酵過程。長久以來，人們會將菠菜、茄子和豆芽等蔬菜經過發酵後食用。韓永勇指出，甚至連韓國創世神話中也提到發酵食物。韓國神話中的熊女原本是一隻熊，牠在洞穴中待了一百天後變成一名女子，這段期間只食用桓雄給她的蒜頭和艾草，桓雄後來和她生下了檀君——也就是傳說中的韓國創建者。那些蒜頭可以長時間保存，必定是經過發酵過程，這也表示這個故事發生的時代可能就有發酵防腐的觀念，甚至是在更早之前，而四季均衡的口味或許也出自於這個以需求為基礎的傳統。

泡菜

韓國料理中最著名的發酵食物無疑是韓國泡菜，這種發酵蔬菜可能是目前人們最熟悉的韓國食物。韓國泡菜的確已經成為該國的代名詞，不少外國人也經常將韓國稱作泡菜國。許多韓國人表示，一餐沒有吃韓國泡菜就會令他們感覺不對勁。如果在首爾街頭調查「韓國人生活中不能沒有什麼？」十個人中大概有七個人會不加思索地回答：「泡菜」。韓國的一些企業主管出差時，往往會攜帶幾盒泡菜和麵條，以預防他們所住的五星級飯店提供令他們失望的餐飲。

最常見的泡菜是辛辣的高麗菜，裡面的紅辣椒為其帶來辛辣氣味和鮮紅色彩，但這只是約兩百種韓國泡菜中的其中一種，其他種類例如，「蘿蔔片泡菜」是將白蘿蔔和高麗菜加入紅辣椒、蒜頭、青蔥一起浸泡發酵，口感非常清爽。另外還有「黃瓜泡菜」，是將調味料塞入黃瓜，然後發酵一到兩天。韓國泡菜正如許多發酵食物一樣，「試一次會討厭它，試十次就會永遠愛上它」，韓國父母們一開始可能必須強迫他們的孩子吃泡菜，他們一旦愛上這個味道，就會終身喜愛。因此，即使是在賣披薩的餐廳，提供醃漬蔬菜作為小菜，對韓國人來說似乎是很自然的事。

外國人不愛吃韓國泡菜，主要是因為口味通常太辣。傳統的高麗菜泡菜，在放入石缸釀造之前會先塗上厚厚一層由紅辣椒製成的苦椒醬，許多泡菜都是以類似的方式加進辣味。然而，還是有其他味道比較清淡的種類，例如，「小蘿蔔泡菜」就是一種比較不辣，而且適合炎熱夏天食用的泡菜。

醬料

苦椒醬，是韓國料理最不可或缺的三種發酵調味料之一，是一種由紅辣椒、發酵過的豆醬和食鹽混合釀成的醬汁，也是韓國菜餚中常用的辛辣調味料。但是，我們如果檢視這個國家悠久的歷史，就可以發現這種醬汁是在近年才研製而成的。它的基本材料紅辣椒，是一五九二到一五九八年間壬辰倭亂時期由日本入侵者帶進韓國的。據韓永勇指出，紅辣椒受到農民的喜愛而推廣。因為韓國嚴寒的冬天對窮人來說實在難以忍受，他們發現這種日人引進的食材具有讓身體發熱溫暖的效果，因此十分喜愛，不久之後，每個農民都爭相種植紅辣椒，並在每餐飯中食用。此外，菸草也是在這時由日本引進的。到了十九世紀後期西方人開始定居韓國時，韓國食物已經變得相當辛辣，大多數的人也在抽菸草。

用來製作苦椒醬的發酵豆醬本身也很重要，有些受歡迎的菜餚都會使用這個稱作**大醬**的調味料，比方說如濃湯一般的「大醬鍋」，它有點像日本的味噌（韓國廚師認為味噌是仿效大醬鍋的），可以配米飯當作一餐，也可以搭配菜式較多的餐點食用，例如韓國烤肉，這也是在美國的韓國城餐廳裡最受客人喜愛的菜餚。對許多人來說，包括筆者在內，不論是韓國烤肉中的豬肉或是牛肉，沒有配上一碗大醬鍋和一盤泡菜，味道就是不太對。

接下來要介紹的是**韓式醬油**，它是由黃豆釀製而成，像「燉雞」（jjimdak）這道加入粉絲和蔬菜之類的菜餚，都會用韓式醬油作為底料。韓式醬油與大醬都是同一個製程的產物，一般作法是將黃豆煮過後磨成粉狀，然後壓成塊狀的「豆醬餅」（meju），豆醬餅經過一星期的乾燥後，浸泡在缸裡的鹽水中發酵，如此會產生一種液體和固體的殘渣，前者是醬油，後者就是大醬。

韓國的廚房裡除了上述三種主要調味料和紅辣椒以外，還有許多其他的調味料、香料和佐料。芝麻油可以用來烹調，也可以作為烤肉的沾醬；大蒜時常被用來調製各種泡菜，也用於像燉煮這類較為費工的菜餚。在一些養生菜餚中有時會用到人蔘，例如「蔘雞湯」。薑有時會用於醃肉醬汁中，或是添加在飯後的清涼飲料中，例如以薑和肉桂調製成的飲品「水正果」。此外，在一些以苦椒醬為基底的菜餚（如蔬菜燉雞湯）中，也會添加一些糖來緩和辣味；食鹽則大多是用在烹調過程中調味，而不是放在餐桌上的小鹽瓶中。

肉類

對於外國人來說，他們最喜歡的韓式料理就是韓國烤肉中的「烤排骨」（豬或牛的肋骨）和「五花肉」。在韓國烤肉的餐桌中間通常會放一個炭烤爐，烤好的肉可以包在生菜葉中和韓式豆醬一起吃，這種豆醬是由苦椒醬和韓國大醬調製而成的沾醬。此外，也可以配上一碗米飯，讓人更有飽足感。

這種料理最有意義的地方，在於餐桌上的集體經驗。除了米飯和醬料以外，幾乎所有的東西都放在餐桌中間。肉類食品、大醬鍋、生菜及各種碗盤中的泡菜等等，都放在餐桌中間一起享用。這種每個人都可以將自己的湯匙放入同一碗湯裡的方式，讓許多外國人感到不太習慣，但是可以克服這種感覺的人，可能會因為參與這種韓式的文化分享，進而感到與他們變得更親密了。

令人意外的是，像韓國「牛肉燒烤」這類韓式烤肉料理，實際上受到很大的外來影響。在新羅和高麗王朝期間（西元六六八年以後）佛教相當興盛，該宗教道德教義的普及，降低了人們對肉類的食用量。一直到蒙古軍入侵朝鮮後（一二三一—一二七〇年）烤肉才又盛行起來，這是因為這些具侵略性的北方人喜歡吃烹調過的紅肉。「韓式餃子」（mandu），也是由蒙古人引進的。在整個亞洲及其他地區有許多同類型的麵食也有類似名稱，例如，在離韓國甚遠的土耳其和亞美尼亞也有稱作「manti」的餃子，足以證明可汗具有十分廣闊的影響力。

韓國政治的發展改變該國食物文化的例子，不只有韓式水餃、韓國烤肉和紅辣椒，各個統治者的作法有時也會帶來一些影響力。朝鮮肅宗和他的妾（以前是負責倒水的宮女）所生下的朝鮮英祖，飲食極為簡樸，為了對他出身低微的母親表示敬意，他三餐僅吃三份「飯饌」，而且很少吃肉。他這種苦行主義將全國的飲食帶入一段樸實的階段，當時的人民認為，如果連國王都如此約束自己，每餐僅以三份「飯饌」果腹，其他人就沒有理由吃得更多。所幸，朝鮮英祖對於韓國料理的影響已經隨著歲月而衰退。

海產

四面環海的韓國是海鮮愛好者的天堂。雖然神經衰弱的人大概不會想嘗試吃活章魚，但這裡還有其他各式各樣可以享受的海產。除了稱作「膾」的韓式生魚片以外，還有鱔魚和烤鯖魚，以及在西海岸泥灘上撿集的許多蛤和蝦。位在首爾汝矣島金融區的「布帳馬車」（路邊帳篷下的小吃攤），最受客人喜愛的就屬烤鯖魚，在工作一整天後，他們喜歡到這裡喝燒酒配烤鯖魚。在釜山或束草市這類海邊城市的魚市，絕對可以找到最鮮美的海鮮。在魚市裡，人們可以在攤子前自己挑選活魚，然後看著「阿朱媽」（中年婦人）把魚捉起，熟練地放在砧板上，切掉亂動的魚頭、清腸並將魚身切片，然後將處理好的魚包起來放在袋子裡，這靈巧的絕活在可憐傢伙的魚鰓停止跳動之前就結束了。

擁有歐洲廚藝的廚師李秦豪（音譯）雖然只有二十幾歲，卻已經在晨間電視節目中有一個專屬時段，並在雜誌上撰寫美食專欄。他津津樂道，韓國的海產種類多得不可思議，他記得有次跑到蔚珍郡這個靠海的小鎮，買到一條當地人稱為「japeo」（意思是「捕到的魚」）的魚，因為沒有人知道魚名，但是「味道真鮮美，像鮟鱇魚一樣好吃」。

大多數的外國旅客不會像這裡的人那麼喜愛「生醃魟魚」這道全羅道的特產，它嘗起來有很強烈的阿摩尼亞味道，只要一小片就能直衝人的口腔、鼻腔和淚管，讓人難以消受。生醃魟魚應該是這個國家最獨特的一種食物，可能會有人對你說：「如果你喜歡它，我們就真的應該發給你一本韓國護照。」

也試試看這些菜

韓國的雞肉料理也很豐富，筆者本身最喜愛的是「達卡比」，這是一道鐵板辣雞，放入洋蔥、高麗菜和地瓜等蔬菜，並加上一種以苦椒醬為基底的醬料。另外還有營養豐富的「蔘雞湯」，是將糯米塞入整隻雞後和人蔘一起燉成的湯。這道蔘雞湯通常是熱騰騰地端上桌，而且是韓國人在「三伏天」（夏季最炎熱的幾天）最喜歡吃的食物。韓國人似乎喜歡以流汗的方式來散熱，所以他們會喜愛這種夏季進補的傳統，還有洗溫泉和桑拿浴。韓國人常在大熱天一邊吃著滾燙的蔘雞湯，一邊叫著：「啊！爽快啊！」這讓對韓國不算熟稔的外國人感到困惑。

韓國有一道稱為「部隊鍋」的料理，這道「融合菜」起源於南韓以前那段艱苦的日子，那時似乎只有駐紮在各地的美軍才有足夠的好伙食。這道以苦椒醬作為湯底的濃湯，裡頭放的是一些看起來不協調的美軍食物，例如斯帕姆罐頭肉（SPAM）和義大利通心粉，雖然南韓人早就不必吃這種奇怪的混合菜，他們卻愛上了這個口味。事實上，斯帕姆罐頭——由於它的廉價以及英國蒙提派森（Monty Python）劇團的喜劇中時常以此為笑柄，讓它在西方成為被嘲笑的食品——在韓國則被視為佳餚，也因此成了節慶禮品之一。

即使在韓國消費最低廉的地方，也可以享受到絕佳的用餐體驗，這裡的街頭上經常出現兜售辣炒年糕的小貨車或是路邊攤。辣炒年糕是用年糕和炸魚餅加上苦椒醬炒出來的一道簡單菜餚。辣炒年糕、烤雞串和「hott eok」（包裹糖漿的一種煎餅）這些小吃，吸引著傍晚下班的人們大排長龍，他們希望在回家途中先吃點東西墊墊肚子。另外，還有一種常見的韓國小吃「韓式紫菜飯捲」，這是用紫菜包著米飯和蔬菜的飯捲，這種用手捲成的簡餐可以讓匆忙的人們快速果腹，有點類似吃三明治的道理。

韓式拌飯不登大雅之堂？

據韓永勇表示，韓國最具代表性的食物應該是「韓式拌飯」，這種拌飯裡有各種顏色的蔬菜、米飯和肉類，並用苦椒醬當作調味料。這些拌飯的食材整齊地排放在鍋裡，讓食客自己用小勺子將這些食材攪拌均勻。韓式拌飯中含有營養均衡的調味料、蔬菜和米飯，所以是一道具代表性的韓國料理，也因此成為往返韓國的航班中最常見的機上餐點。

韓式拌飯美味可口，但是從那鍋攪散的蔬菜和米飯裡，可以透露出韓國料理為什麼無法像日本、泰國等亞洲料理一樣聞名世界。韓式拌飯的食材經過攪拌後，看起來很普通，在視覺上也缺乏吸引力，正如李秦豪在評論中指出，韓國料理與日本料理相較之下，在視覺上一點也不雅緻。他表示：「我們不知道如何將食物變成產品。」結果是，無論韓國政府多麼賣力推廣，甚至在《紐約時報》這類報紙上刊登韓式拌飯的廣告，韓國料理在世界美食中依然默默無聞。

李秦豪繼續說明：「韓國並沒有『食物是一種視覺享受』的觀念。」他堅持日本的味噌湯是源自於韓國的大醬鍋，但日本比較講究視覺呈現技巧，使味噌湯變得舉世聞名，而大多數的外國人卻從未聽聞大醬鍋，這點令他感到懊惱。他嘆息：「韓國還沒有形成餐飲的服務文化，餐廳的服務人員只會說：『您好，您要點什麼？』我們沒有意識到米其林星級中有五〇%的評分跟服務和視覺設計有關，甚至在《查格首爾指南》（*Zagat guide to Seoul*）中的十大最佳餐廳裡也沒有韓國料理。」

然而，近來有些韓國廚師開始對這個問題採取行動，權英民（音譯）大概是他們當中最負盛名的一位。他曾經是首爾、杜拜和舊金山等地高級酒店的名廚，他以英國名廚蘭姆西（Gordon Ramsay）主持的《地獄廚房》（*Hell's Kitchen*）為藍本，自己主持了電視烹飪節目《*Yes, Chef!*》，並在美國擁有很高的知名度。曾經為美國前總統小布希掌廚的權英民，負有將「韓國料理全球化」的使命，並自述他的料理是用韓國食材「配合全球性的烹調技術，創造出各種不同的風味」。他經營的餐廳非常重視服務和視覺設計，他在向全球推廣韓國料理上的成就，無論政府採取多少措施也無法比擬。

不得不提到的狗肉

是的，狗肉的確是韓國傳統料理之一。但事實上，韓國並不是唯一吃狗肉的國家，眾所皆知，中國、越南和菲律賓這些亞洲國家也會食用這個備受爭議的肉品。這些國家都有烹調狗肉的悠久歷史，並且區分作為狗肉與作為寵物的狗品種。

在韓國，狗肉通常是上了年紀的男人偶爾會吃一回的食物，很少有年輕人或是女性食用。有些人在小時候吃過幾次，但每次都是在吃完了以後，父母才告訴他們這鮮嫩的肉其實是狗肉（嘗起來有點類似油膩的牛肉）。

但是，這些狗被宰殺的方式很殘忍，傳統方法是將牠們活活打死，如此可以使肉裡充滿腎上腺素，據說這樣會讓肉質比較可口，目前在鄉村裡還會使用這種屠宰方式。基於這個原因，以及人們將狗視為人類最好的朋友，許多韓國人都不會碰狗肉。很不幸的是，這道在韓國最不普遍的菜餚，卻因為它引起的爭議，往往引發了最多的關注。有些外國人對韓國人的印象是嗜吃狗肉，因而對韓國料理戒慎恐懼；筆者推薦這些人應該到附近的韓國餐廳嘗試一些韓國烤肉和大醬鍋，或是一份豐富的韓式拌飯。

21 電影：繁榮、衰退和卓越的才華

南韓的電影產業，是這個國家最偉大的現代文化成就。這是少數幾個能夠挑戰好萊塢電影業的國內產業之一，不論是在創造力或是財力方面都是如此。西方影迷或許會很熟悉像二〇〇三年《原罪犯》這類的電影，這部電影以暴力、令人震驚的結局和絕佳的視覺效果而成名。但是，這部電影無意間形成「極端的亞洲」形象，掩蓋了後續各種類型且數量繁多的動人作品。

韓國電影產業在一九九〇年代晚期經歷了一場轉變，隨後而來的成就出乎人們的意料。二〇〇九年以低成本製作卻造成轟動的《窒息暴戾》，據女主角金花雨指出，韓國的電影作品是如此多樣化，若問到「韓國電影是什麼？」除了用「是在韓國製作的電影」來回應之外，實在令人難以回答。但是，韓國電影的確具有與眾不同的特色，比方說，它們相當直接和坦率，願意以寫實手法呈現暴力和悲劇，並含有來自於「恨」的那種深沉憂鬱的風格。這些特性讓韓國電影在亞洲和其他地區意外受到大眾喜愛。

審查和配額制度

朴正熙總統在任期間，電影製作受到嚴格約束，尤其是在一九七〇年代實施維新憲法期間。那時的審查政策禁止任何對於政治或社會來說太過「尖銳」的影片，只准許一般的動作片和通俗劇。國內外的影片都必須通過這項審查，當時有位撰寫阿根廷題材的電影編劇被監禁，因為有關當局從未允許任何阿根廷電影在韓國上映，所以認定他一定是違法偷看這些電影。

但審查制度只是問題的一部分，旨在推動韓國電影產業的電影配額制度，卻造成了反效果，導致電影產業衰退。那些想要進口外國電影的公司，必須製作三部國片來「抵銷」一部外國片。於是，這些公司做了對他們來說合乎情理的選擇，也就是用最短的時間製作最便宜的電影。那些進口的外國電影大多是以大筆預算製作的美國鉅片，相較之下，讓人覺得「韓國在這方面永遠都不可能追上」。

當然，在這段期間偶爾也會有一些傑作。專拍另類電影的導演金綺泳，被影評家視為那時最偉大的導演，他所拍攝的《下女》（一九六〇），主要在描述一名勾引已婚男雇主的冷血女子。這部電影演得太傳神，以致在場的觀眾對著銀幕大喊：「殺了那個賤人！」即使在一九七〇年代那段最黑暗的時期，還是有一些像金綺泳、河吉鍾（曾經與科波拉〔Francis Ford Coppola〕同時在加州大學洛杉磯分校電影學院學習）這樣的導演，能夠拍出如《異魚島》（一九七七年）和《傻瓜大遊行》（一九七五年）這類電影。

民主化和金融危機創造機會

對於那些在一九八〇年代開始執導的導演來說，獨裁政權所遺留下來的影響，在某些方面反而讓他們因禍得福，這些導演中最知名的有朴贊郁和奉俊昊等人。目前住在首爾的美國影評人帕克特（Darcy Paquet，創建了網站Koreanfilm.org，這對韓國電影迷來說是個很好的英語資源網）指出，這一代的導演就像一群沒有父親的孩子，他們踏入的產業一直處於近乎休止的狀態，也因此免於受到過度強烈的影響。這種環境促使這些新一代的導演能以自己的藝術感作為引導，有些壓抑已久的創造力終於可以在一九九〇年代發揮出來，這也是九〇年代後期傑出電影突然大量激增的原因。

許多導演也參與了一九八〇年代的民主化運動，並從中受到啟發。據帕克特指出，拍攝《殺人回憶》（二〇〇三年）以及一度成為最受歡迎的韓國電影《駭人怪物》（二〇〇六年）的導演奉俊昊，曾經因為投入政治活動而遭到逮捕，他的電影充滿了對掌權者的不信任，並經常強調警察的無能和殘暴。獨裁統治時代是現代韓國電影中最重要的題材之一，而朴正熙總統則是在這些電影中經常被提及的人物。在這些與他相關的電影中，最吸引人也是最具爭議性的一部，即是導演林常樹所執導的《那時的人們》（二〇〇五年）。這部片以朴正熙暗殺事件為題材，但片中對朴正熙的描繪有損他的形象，導致朴正熙的家人對林常樹提出告訴，保守派的媒體也對他有所批評。這部影片令人神經緊繃，但也帶有黑色幽默的風格。

一九九七到一九九八年的亞洲金融危機，不但改變了韓國的工作文化和經濟結構，對韓國電影業也有重大影響。在金融危機之前，韓國電影的主要投資者是三星集團和大宇實業等財閥，這些企業採取直接干預的方式，甚至連電影角色的決定權都經常落在財閥經理手中，而不屬於電影專業者，這自然會導致製片品質拙劣。但到了一九九七年，這些財閥對於電影產業失去興趣，金融危機讓他們明白自己必須回到原本的核心業務，三星集團和大宇實業開始撤出對電影製作的投資，雖然諷刺的是，三星投資的倒數第二部影片《魚》（間諜驚悚片）成了一九九九年賣座的鉅片，上映不久後就賺回了八百五十萬美元的製片成本，在韓國的票房紀錄遠超過《鐵達尼號》。

後來，一群創業投資者取代了這些財閥，成了這個產業新的援助者，並以被動方式投資，這讓那些才華洋溢的導演得以在極少的干預下發揮才能。這群投資者因為這個近乎完美的時機而受益，亞洲很快地渡過了這場經濟危機，緊接著出現以網路為主導的投資熱潮，此時銀行貸款利息很低，借貸相當容易，這是因為受到政府提倡小規模企業創業方面的支持。

南韓民眾一直是忠實的電影迷，即使在電影受到限制和審查的那段時期也是如此。在一九六〇年代晚期，韓國民眾每年平均上電影院六次。後來在不受政治干預和投資人參與的新時代，創業投資者發現這個尚未被開發的市場有龐大的賺錢商機。在一九九〇年代後期，南韓網路公司並不是唯一的熱門投資產業。

有些創業者成立了專屬網站，讓一般民眾能夠加入新片的投資製作，充分利用了網路和韓國電影的熱潮。金知雲執導的《茅蘆王》（二〇〇〇年）是人氣演員宋康昊首次主演的電影，這部韓國最佳喜劇片就是以這種方式籌得一億韓圓的拍片資金，而這部電影的四百六十四位投資人也因此各自獲得九七％的報酬。Simmani.com這個網站可以讓投資人將投資權像股票般自由地交易。因此，投資人在電影參與分配權的價值，每天也都會隨著飾演主角的明星受歡迎程度等因素而起伏。

黃金年代

韓國電影早期的成功讓觀眾和投資人更加熱衷，繼而形成了一種創作與利潤的良性循環。就是在這樣的環境下，《原罪犯》才能夠成為韓國二〇〇三年第五大賣座電影，在全球票房收入高達一千五百萬美元。這部精彩且黑暗的電影涉及虐待和亂倫等主題，其中還包括一隻章魚（由於鏡頭必須重拍，所以實際上是四隻章魚）在銀幕上駭人的死亡影像。這部影片的男主角崔岷植和導演朴贊郁，在國際電影巡迴展上成了備受矚目的人物，朴導演在二〇〇四年的坎城影展獲得了評審團大獎，並受到塔倫提諾（Quentin Tarantino）的高度讚賞。

《我的野蠻女友》（二〇〇一年）則是一部較偏向主流的賣座電影，由模特兒出身的全智賢飾演一位任性但迷人的女孩，車太鉉則飾演她的工程系男友，故事裡女孩讓愛著她的男友過著如地獄般的生活。這部影片的成就如此持久，以致被中國觀眾選為「想到韓國腦海就會浮現的十個項目」之一。這部電影甚至引起了好萊塢及寶萊塢導演們的注意，後來重新拍製此片，但都不及原片精彩。

在這段黃金時代，廣受歡迎且優秀的電影創作包括聲勢浩大的韓戰電影《太極旗：生死兄弟》（二〇〇四年）；《原罪犯》導演朴贊郁早期拍攝一部比較主流的作品《共同警戒區ＪＳＡ》（二〇〇〇年）；描寫黑社會的《朋友》（韓語漢字寫作「親舊」，二〇〇一年）；以朝鮮時代同性戀為題材，紅極一時的《王的男人》（二〇〇五年）；以及根據真實事件改編而成的《殺人回憶》（二〇〇三年），描述一個小鎮上出現一名連續殺人魔的驚悚故事，這也可能是上述影片中表現最突出的一部電影。

這段時期中最優秀的特點，就是電影創作多元化。例如，二〇〇二年發行兩部誇張大膽的性喜劇片《色即是空》及《芳心朵朵開》（這兩部片都在年度電影賣座排行榜上榮登前十名）；《醉畫仙》以優美手法描述一位飽受折磨的藝術家的故事，擔任主角的崔岷植在片中再度展現他的才華；《愛慾銀髮世代》則是以令人吃驚的性愛鏡頭描寫兩位老人的浪漫愛情；《人民公敵》是一部純粹的動作驚悚片；韓國電影大師李滄東執導的《綠洲曳影》以感人手法描述一位智能不足的男子與一名患有腦性麻痺的女子（由極具天賦的文素利所飾演）相戀的故事，同時也反映出社會對於身心障礙者的態度。

亞洲民眾也是在這個黃金時期開始使用「韓流」一詞，主要用來表示這個地區對於韓國電影、音樂和電視節目日益增長的興趣，現在已經成了一個相當普遍的名詞，用來形容在各地受到歡迎的韓國文化產業。首先獲得「韓流」成就的電影大概就是《我的野蠻女友》，女主角全智賢目前在中國依然相當有人氣，甚至以Gianna Jun的名字打入了好萊塢。影星裴勇俊則是「韓流」的最大受益者：他在日本的魅力很大，尤其深受中年婦女們喜愛，有個小鎮的影迷甚至為他豎立了雕像。據說他的財富高達一億美元，主要都是來自於他的日本影迷。

泡沫化和創意復甦

不幸的是，二〇〇〇年代早期那種輝煌的日子無法長久維持下去。到了二〇〇五年，韓國電影在亞洲愈來愈受到人們喜愛，在日本更是如此，這個現象造成韓國演員的薪水暴漲，韓國電影業只顧著為影片尋找最有名的演員，而不是拍攝好電影，比方說，全智賢曾經參加幾部如《愛無間》（*Daisy*，二〇〇六年）這類以明星為號召但內容乏善可陳的電影。這個現象導致韓國電影整體品質下滑，繼而使原本將韓國視為文化創新國的國家，對它產生了反感。韓國的電影出口收益在二〇〇五年高達七千五百萬美元，但到了二〇〇六年下滑到兩千四百五十萬美元，到二〇一〇年則降到一千四百萬美元以下。

韓國電影在國內市場也開始受挫，二〇一〇年外國電影在韓國市場所占的比率高達五三・四%，但在二〇〇六年外國電影只占市場的三六・二%，這讓韓國的電影業又衰退到二〇〇一年剛起步的景象。帕克特表示：「中等規模的電影開始在電影業衰退。」韓國的電影業依然製作如《極速緋聞》（二〇〇八年）和《海雲臺》（二〇〇九年）這類叫好又叫座的電影，但一般電影大多很難從投資中得到回收。

但是，這個產業已經開始從失敗中學習，並且正在經歷一段鞏固時期。名聲響亮的「韓流」電影愈來愈少，低成本的電影則被視為向前邁進的一種手段。在二〇一〇年，《流氓的盛宴》這部片得到幾個獎項，但它其實是一位導演的處女作，而且整部電影的製作成本也僅以導演向祖母借來的一千萬韓圜（大約一萬美元）完成。《牛鈴之聲》（二〇〇九年）則創造了另一個奇蹟，這部紀錄片描寫一名農夫和他的牛，意外吸引了三百萬的觀影人次。

曾經締造韓國電影輝煌成就的那些創意人才，現今依然十分活躍。朴贊郁在二〇一一年首次使用iPhone為主要工具，拍攝了一部具有「電影品質」的電影；李滄東執導的《生命之詩》（二〇一〇年）榮獲坎城影展的最佳劇本獎，女主角尹靜姬則獲得二〇一一年美國洛杉磯影評人協會最佳女主角獎。就在她得獎的前一年，另一位韓國女星金惠子以她在奉俊昊執導的另一部佳作《非常母親》中的演出獲得同樣獎項。但或許更重要的是，新一代的獨立電影製片者崛起，這是由於韓國電影學院的入學人數激增。這些製片者在藝術方面有時會達到如黃金時代的標準，雖然他們的作品尚未帶來可觀的收益，譬如由梁益俊執導、金花雨主演的《窒息暴戾》，就在國際電影展中贏得了十三個獎項。

儘管「韓流」衰退，韓國電影在亞洲仍然獲得很高的評價。在二〇一一年香港舉辦的「亞洲電影大獎」中，最佳導演、最佳男主角、最佳女配角以及最佳編劇等獎項都被韓國團隊一手包辦。韓國演員也在歐洲的電影巡迴展中受到重視。像全度妍這些才華獨具的藝人，在歐洲受到極高的賞識，她在李滄東執導的《密陽》（二〇〇七年）中所扮演的悲情角色，為她奪得了二〇〇七年坎城影展的最佳女主角獎。

韓國電影的魅力

《窒息暴戾》的女主角金花雨認為，這部電影之所以能引起觀眾的共鳴，主要是因為能夠「觸及人們的內心深處」。電影中描述的人物經歷了極惡劣的家庭情況，但觀眾「即使沒有片中人物的經歷」，也可以感同身受。自編、自導和主演這部影片的梁益俊表示，故事靈感完全來自於他自己的生活經歷，而他在片中的演出，對他來說是一種「解恨」的方法。

許多當代韓國電影都蘊含這個道理，**韓國電影帶有直率的風格，有一種真實感並富有感情，這是由於這個環境中的導演和演員都願意真正地表達感情，而不是過度地矯揉造作來粉飾**自我。「恨」與「興」是這個國家在生活中深切的悲哀和喜悅，也成了該國電影的一部分。無論什麼類型的韓國電影都有這個特性，甚至如描述幫派故事的電影《朋友》，也深受這方面的影響。帕克特表示，**富有感情「是韓國文化的一部分」，而韓國導演們「也不怕表達感情上的衝擊」**。

韓國電影有時會被批評過於濫情，比較缺乏藝術感的導演的確會拍製出這樣的電影，而一些如喪親或失戀這種催人淚下的經典主題，通常只是以盡量讓人感動為目的。這些通俗劇有助於我們理解像裴勇俊這類明星紅遍亞洲地區的現象，這些劇中男主角在面對相當痛苦的情況時，往往富有情感卻依然保持男性魅力，讓東亞的女性認為韓國男性十分迷人。

有少數的西方人則是因為其他原因愛上韓國電影。像朴贊郁和與他完全不同類型的金基德這些導演的電影，透過片中那些道德觀念模糊的人物、殺人復仇這類較黑暗的主題，以及非常直接的暴力表現手法，得到了所謂「極端」電影的名聲。對於那些厭倦好萊塢好人與壞人的塑造方式，或是受害者總是一槍斃命等情節的人來說，極端的韓國電影賦予他們一種新鮮的刺激感。導演梁益俊甚至表示，西方影迷「並非真正對韓國感興趣——他們只是喜歡朴贊郁和金基德」。

但是，有鑒於他自己的電影在國際間享有盛名，他的推論可能有些言過其實。《窒息暴戾》在歐洲十分賣座，但主要並不是因為影片中的暴力（雖然也這可能有一點關係），而是因為它的感情核心。二〇一〇年三月英國電影協會將這部影片選為該月的佳片，並評論這部片描述的是「歷經萬難而達到道德贖罪」這種「不尋常的善良」的故事。

特別收錄：崔岷植的訪談

崔岷植是目前在歐洲和北美洲最受矚目的韓國影星，他在《原罪犯》這部片中飾演吳大秀這名原因不明就被監禁十五年的男子，不論是在肢體或是精神方面的詮釋，都有卓越不凡的表現。此外，他也在許多傑出的韓國電影中扮演各種不同類型的人物，包括《白蘭》（二〇〇一年）和《醉畫仙》這兩部電影。以下記錄崔岷植對於演藝工作的想法。

你第一次讀到《原罪犯》的劇本時有什麼想法？你那時候可以想像這部電影會有如此傑出的成就嗎？

這部電影獨特的題材和風格，實際上讓我感受到某種自由。其實，我那時以為觀眾對這部片會有許多負面的反應……但說實在的，我在參與電影創作時，並不會將觀眾的反應納入太多的考量，所以這並不是很大的負擔。因為我那時好像一隻餓狼般在尋找可以扮演的角色（當然現在還是如此），所以很高興看到《原罪犯》這齣劇本。至於那些褒貶不一的評論和反應，我心裡原本就已經有些準備。

這部戲的打鬥場面和相當出名的章魚鏡頭，讓人覺得演這部電影對體力一定有很大的要求，你覺得演出時最困難的地方在哪裡？

在拍片的過程中，當然會有身體疲勞的時候。但是，電影製作愈到後來，我就愈能從中得到滿足和樂趣。讓我舉個例子，假設我按照自己想要的模式蓋一棟房子，建造房子的過程中一定會有一些嘗試和失敗，也會因為勞動而感到疲勞，但我可以感覺到那房屋愈接近完工，我身體的勞累就跟著轉換成快樂。我的身體在這部電影上所付出的辛苦，只不過是快樂的汗水。但是，我在拍攝期間的確面臨一個苦惱，那就是吳大秀這個角色本身的問題，他是一個在自己不了解原因的情況下被關十五年的男人，關於他的長相和個性應該是什麼樣子，我只能完全靠自己去想像，因為我無法以實際的基礎來分析這些情況，但既然這個情況在現實生活中不可能發生，這也給了我鑽研創造這個角色的自由。

你覺得《原罪犯》為什麼會受到西方觀眾的熱愛？對於在美國重拍的計畫似乎被取消一事，你有什麼看法？

我覺得《原罪犯》的題材非常具哲理和經典價值，又不失為一部成功的商業電影，所以這部電影不論是在西方或是東方，都能夠打破與觀眾之間的隔閡。有些人可能會說朴贊郁導演的電影風格有時候讓他們感到不自在，但我個人覺得這種風格很獨特。他總是避免讓自己做出單調乏味的事情，或是敷衍了事，我在這方面也十分尊崇他。雖然一般來說，我對影片的重拍並不是很感興趣，但我（對這部片的重拍）很好奇，能夠看到不同的詮釋和表達方式，一定很有意思。所以，這個重拍計畫被取消，我是有點失望。

你最喜歡自己的哪一部電影？

我在決定參與任何一部電影之前，都會先深入地思考，所以不論這些電影有沒有任何商業性的成就，我對它們都有很深厚的感情。但是在拍製電影的過程中，與導演有良好的溝通很重要，我在《原罪犯》和《白蘭》這兩部電影的拍攝過程中，就與導演有很好的溝通。

你最喜歡與哪一位演員和導演合作？

我覺得《哭泣的拳頭》（二〇〇五年）裡的柳承範是一顆未經雕琢的寶石。我認為對工作持有認真和誠懇的態度、樸實的個性，以及狂放不羈的思考方式，是一位演員應具備的重要素質。我覺得他就擁有這三項特質，所以很期待看到他未來的發展。至於導演方面，當然就是朴贊郁了。他是一位藝術家，我跟他一起工作的時候學到很多。

你表演的範圍十分廣泛，從《醉畫仙》中苦悶的藝術家，到《白蘭》中不入流的流氓，你如何去選擇一個角色？還有哪些是你沒演過但特別想演的人物？

首先，我在考慮是否接一部片的時候，不論這部影片是什麼類型，我都會先考慮這部片的故事是否能夠說服我，比方說，我是否立刻對劇本著迷。然後，我就會考慮該片的導演是誰。如果劇本很好，但導演不是很高明，也是沒有什麼用的。其他考量像是故事中人物的「顯現」，包括主角和配角，另外還有這部電影對整個電影世界有多少貢獻……。（至於我想要演什麼人物的問題）所有的人物，不論是虛構的或是真實的。

可以聊一下你現在正在拍攝的電影嗎？

尹鍾斌的《與犯罪的戰爭》將在四月（二〇一一年）開拍，這是一部具啟發性、談人性的震撼故事，講述一位來自普通家庭的海關官員揭發一樁走私案的過程。（這部電影已經在二〇一二年一月上映）

你認為韓國最傑出的演員和導演是哪些人？

我相信所有對工作秉持著認真和誠懇態度的導演和演員，都是最傑出的。

你覺得韓國為什麼在電影藝術方面特別優秀？

韓國有一種來自於「我們的歷史」的藝術特質，即使處於戰爭和政治混亂期間，韓國人民還是可以藉由文化來相互支持和鼓勵，包括享受每日生活中的娛樂、幽默和諷刺。這些元素都不會受到政治和意識型態約束，而會隨著人們想要溝通的欲望蜂湧而出……這也是因為韓國的視覺媒體創作者以及從事文學、藝術和音樂等「純」藝術的創作者，本身也同樣蘊含著這些感情。

22 韓國並非只有流行音樂

韓國流行音樂（K-pop）這種由韓國三大娛樂經紀公司，即SM、YG和JYP等娛樂公司培養組成的男子和女子「偶像」團體製作的音樂，近年來相當盛行，這種韓國流行音樂在韓國及日本、泰國和中國等東亞地區受到大眾喜愛，並開始在其他更遠的地區擁有歌迷。

在韓國，這些流行音樂團體與浪漫抒情歌手會在歌曲排行榜上互相較勁。雖然「抒情」這個詞在英語表示任何柔和、感性的歌曲，但這個詞在韓國卻有特別的含意。這些抒情歌手受過某種訓練，能夠發出一種獨特的顫音，加上鋼琴和矯揉造作的樂隊伴奏，形成甜膩、陳腔濫調的歌曲。甚至連韓國人自己也常說：「所有的抒情歌曲聽起來都一樣。」

時下的主流韓國流行音樂缺乏變化，但以前並不是如此。一九六〇年代後期和一九七〇年代，如申重鉉——韓國第一位真正的搖滾樂明星——這類先鋒，創作了既有創意又具商業性的音樂。此外，南韓也有一些獨特的非主流音樂人，例如除了搖滾也擅長舞蹈和饒舌的歌手徐太志，在一九九〇年代對韓國歌壇造成很大的影響。如今，最好的音樂是在學生聚集的弘大地區附近的酒吧裡，這裡的樂團表演很少能在電視或是廣播中聽到，但他們透過現場表演和網路傳播，愈來愈受到大眾歡迎。

朴正熙對流行音樂的影響

朴正熙總統對南韓現代社會的影響是無與倫比的，不僅包括經濟和南韓人民積極的工作理念，也延伸到流行音樂。朴正熙政權在一九七〇年代變得日益專制的這段期間，明令禁止任何被視為「妨害社會道德」的歌曲。音樂創作者必須在每張專輯中放入一首「健全歌謠」，歌詞通常含有讚美朴正熙政權、勉勵人們努力工作以協助建立新國家的內容。當時任何唱片在發行以前，都必須通過政府的審查，這助長了一種缺乏想像力的流行音樂文化發展，其中除了歡樂、空洞的流行歌曲以外，還有令人感動落淚的浪漫抒情歌曲，因為其他種類的歌曲很少會被政府接受。

那些違抗政府命令的人會受到嚴厲打壓，韓國的「搖滾樂教父」申重鉉在一九七二年被要求寫一首讚美政府的歌曲，他婉拒說：「我不知道怎麼寫，請別人寫吧。」在這之後，他不但受到警察的騷擾，他創作的許多專輯也遭到政府查禁，其中包括他最賣座的單曲《*Mi-in*》（美人）。據申重鉉本人表示，有關當局認為《*Mi-in*》是一首「聒噪又墮落」的歌曲，而年輕人將歌詞改編後，讓情況變得更糟。它歌詞的開頭應該是「我看她一次，我看她兩次，我想要一直看著她。」但那些年輕人將它改成「我操她一次，我操她兩次，我想要一直操著她。」

一九七五年，他因為吸食大麻（一些嬉皮歌迷提供給他的）而遭到逮捕和監禁，他先是在首爾中心靠近南山一所惡名昭彰的監獄裡飽受折磨，然後被強制送到一間精神病院裡待了好幾個月作為懲罰。記者們特意被找來這裡拍攝他的照片，然後刊登在報章雜誌上，描述他因毒品上癮而幾近發狂。他在服完刑期後，被禁止發表任何音樂或是進行公開的表演，這個禁令一直到朴正熙被刺殺後才解除。

中重鉉：韓國搖滾樂的泉源

雖然申重鉉被迫中斷將近五年的演唱，他依然被視為韓國搖滾音樂的泉源。父母在韓戰期間雙亡的他「四處流蕩」了幾年，在這段時間替人幫傭，並趁空閒時自學吉他。後來，他決定帶著吉他以「Jackie Shin」的藝名參加美軍基地的公開甄選。美軍第八部隊非常重視基地人員的娛樂節目，該部隊的軍官會專程從美國飛到韓國的基地，親自試聽這些參選者的演出，並按照能力將他們分成四等。多年收聽駐韓美軍廣播電台（AFKN）的申重鉉早已熟悉了經典的鄉村、搖滾、藍調和爵士等音樂，所以被分到最高等。他在一九五〇年代晚期深獲這些軍中人士的喜愛，他回憶：「那些美國士兵會大喊，我們要Jackie！我們要Jackie！」。在這之後，他與基地其他表演人員一起組成韓國第一個正式的搖滾樂團「Add 4」。

那時候，韓國的年輕人時興去一些有現場演奏的咖啡廳，如首爾市中心武橋洞的「C'est Si Bon」，或是和朋友一起到特別的音樂房聽ＤＪ播放唱片，而不是去樂團現場表演的地方跳舞。據申重鉉表示，那時有品味的都市人喜歡聽如辛納屈（Frank Sinatra）或是貓王（Elvis Presley）唱的西洋流行歌曲，其他人則會聽所謂的「韓國演歌」（trot），這是日治時期遺留下來的一種日本演歌風格音樂。美國基地的舞台和駐韓美軍廣播電台則是屬於前衛音樂的園地，並成了未來音樂進入韓國的管道。其他有名的韓國歌手，例如在歌壇貢獻了五十四年後才於二〇一二年退休的金帕蒂（Patti Kim），也是發跡於美軍基地，並在同時吸取了美國音樂的精華。

一九五〇年代晚期到六〇年代期間，申重鉉仍繼續在美軍基地表演，並在同時為韓國聽眾灌製專輯。那時，首爾只有兩間錄音室，其中一間「是在某個人的家裡」。他回憶說，那時沒有多軌錄音器材，所以「我們都只是聚集在房間中央的麥克風前」。他在一九六八年與「珍珠姐妹」（Pearl Sisters）這個女子二重唱組合編寫並錄製了一張專輯，她們原本也在美軍基地演出，並且準備和申重鉉一起到越南為當地的美軍表演。但當他們的〈Nima〉這首歌竄紅之後，唱片公司便向美軍購買與他們的合同，於是他們便這樣留在首爾，並以〈Coffee Han-jan〉（一杯咖啡）這首單曲再創佳績。

申重鉉因此獲得了賣座作曲家的名聲，於是他身邊總是圍繞著一群有抱負的年輕人。他們其中有些人後來成了韓國流行音樂的知名歌手，例如大學生金車賢（音譯）就是其中之一，她每天在申重鉉的工作室進進出出，直到申重鉉願意讓她試唱。申重鉉的吉他風格（愈來愈受到如「傑佛森飛船」這類的迷幻搖滾樂團影響，但具有某種韓國旋律感）與金車賢低沉、感性的聲音十分契合，他們一起合錄了《趁尚未太晚以前》（*Neutgi-jeone*）。如今，對收藏家來說，這張專輯的黑膠唱片相當珍貴，但是有興趣的人還是可以買到這張專輯的CD。此外，申重鉉專輯中除了錄製他個人的作品，還有他與金車賢、珍珠姐妹、「Add 4」以及金正美（音譯）合作的歌曲。他與金正美後來在一九七三年錄製了《*Now*》這張混合民謠與迷幻搖滾特色的出色專輯。

雖然申重鉉的職業生涯因他在一九七五年吸大麻被監禁後縮短（他表示自己只吸食過一次，因為大麻「讓他頭痛，並讓他無法集中精神在創作上面」），他對韓國歌壇永久的影響力以及在一九六〇和七〇年代早期所表現的才華，讓他成為最著名的韓國音樂創作者。在二〇一〇年的一項調查中，七%的韓國人將他選為最能代表他們國家的現代文化人物，其中在音樂家中排名第一。

受到申重鉉在一九六〇和七〇年代走紅的影響，「韓國演歌」因而邊緣化，但它至今還是存在的。這種音樂風格有時也稱作「彭恰」（樂隊中大號節奏的擬聲詞），是一種深受老年人喜愛的音樂，經常可在鄉下的慶典或是在公園跳舞時聽到。雖然韓國演歌沒有受到一般音樂愛好者的重視，但目前如張允瀞等歌手用這種類型的音樂自創歌曲，讓它再度活躍起來。韓國演歌具有歡樂的曲風和誇大的歌詞，特別吸引那些想要跳跳舞、暫時逃離現實的人們。

從民歌到抒情歌曲

一九七〇年代，韓國興起了一種類似巴布狄倫（Bob Dylan）風格的抗議性民歌，這些抗議歌曲創作者中最受歡迎的大概就是《晨露》（*Achim Iseul*）的作曲家金珉基，這首由楊姬銀（也是申重鉉的門生）演唱的歌曲在當時造成轟動。這首歌後來成了民主運動的代表歌曲，金珉基和申重鉉一樣惹惱了政府。他在一九七一年灌製的專輯中收錄了這首歌曲，有關當局在不久後就將它查禁，並沒收燒毀所有錄製的唱片。這首歌曲本身受到嚴格的限制，甚至連其他歌手翻唱也會被視作違法。儘管如此，那些熱衷於民主運動的人士還是會有管道私下獲得這些被查禁的唱片，並與志同道合的友人分享，特別是在大學裡的社運人士。

受到政府明令禁止公開表演和錄製音樂的金珉基，仍然持續著他的工作，他所創作的戲劇和音樂劇，在一九八七年民主化以後，終於可以上演。他的一齣音樂劇《第一線》（*Line One*）由於廣受喜愛，在首爾連續上演了十三年。此外，金珉基也是一位製作人，曾經協助金光石等歌手錄製他們的首張專輯。金光石那帶著哀傷的聲音唱出了人們心底的感情，可惜他在三十一歲的時候自殺身亡。他的專輯銷售了五百萬張，這對韓國藝人來說是相當卓越的成就，可以見得他對韓國的影響是永遠存在的，而他在歌壇的地位也是無可動搖的。

一九七〇年代後期和八〇年代這段期間，最有名氣的歌手大概是趙容弼，他演唱流行、搖滾及韓國演歌等類型的歌曲。他在韓國主流的音樂市場成名之前，也和申重鉉一樣在美軍基地表演，在他演唱事業的高峰，曾於釜山在一百萬名觀眾面前演出。八〇年代電吉他再度成為「野菊花」和「山回音」等搖滾樂團主要使用的樂器，那些受到如「毒藥」（Poison）和「白蛇合唱團」（Whitesnake）等西洋樂團影響而形成的長髮搖滾也開始流行，一些正統的重金屬樂團也同時崛起，如「Sinawe」樂團。

然而，矯情的浪漫抒情歌曲也在八〇年代開始流行。這種抒情曲風在某些方面來自民歌，但兩者在精神和歌詞內容上有很大的不同。這些歌曲披著流行歌曲的外衣，帶著藍調節奏的元素，發展成一種獨特的音樂。如今的抒情歌曲幾乎都是由受過訓練的演唱者所唱，他們的歌聲在技巧上完美無缺，但加上一種過度感性的顫音，為了激起人們的情感，每首歌裡至少會有一次以圓滑低沉的聲音唱出「我愛你」（sarang-hae），特別是在合唱結尾的時候。抒情歌曲可能反映出韓國的「恨」文化和豐沛的感情，但它們卻缺乏深度，這或許是因為在這種音樂的發展時期，社會環境受到了審查的影響。申重鉉抱怨，朴正熙和全斗煥政權**「不喜歡會思考的**

人」，所以會鼓勵這種沒有想像力或是藝術價值的音樂文化，他說：「這種文化在當時非常盛行，到現在甚至還沒有退散。」

徐太志的音樂革命

一九九二年，徐太志以舞曲、搖滾和嘻哈樂在韓國歌壇掀起了一場革命。他認為學校是個只會摧毀想像力而一無是處的地方，因此毅然選擇輟學，這對南韓人而言相當罕見。他創作的一些歌曲批評南韓的教育體制，比方說，備受爭議的〈Gyoshil Idea〉（教室思想）就是在悲嘆教育把「全國九百萬孩童的心靈」標準化。他深受年輕人喜愛，迅速在韓國樂壇贏得一般流行歌手無法比擬的地位，並且被尊稱為「韓國大總統」。

他在音樂方面像是一隻喜愛蒐集寶貝的喜鵲，不斷地追隨各種西方音樂的新趨勢（饒舌、重金屬、電子舞曲、鼓打貝斯等等），並將這些音樂介紹給韓國的歌迷。但他最大的成就，就是以原創而非模仿的方式來傳播這些音樂，並且嘗試用不同類型的音樂創作，卻不會與他那群廣大的歌迷產生距離。他在富實驗性的同時，在排行榜上依然維持優異的成績，在南韓歌壇可說是絕無僅有。如果在韓國商店或是在電視上聽到一首不尋常、或刻意挑戰主流音樂的歌曲，很可能就是徐太志的歌。

身為在韓國推廣饒舌樂的第一人，徐太志為嘻哈藝術家開啟了大門，讓他們在一九九〇年代後期到二〇〇〇年代期間找到大批的歌迷。其中最出色的團體包括「Drunken Tiger」、「Dynamic Duo」、「MC Sniper」和「Epik High」。可能會令人訝異的是，南韓現在有一個相當發達的嘻哈文化，而這個文化已經超越了音樂，滲入了時尚和舞蹈。現在韓國大約有十個被視為世界級並經常在國際舞台上參與競賽的霹靂舞團。

弘大地區的獨立音樂

弘大地區的獨立音樂景象在一九九〇年代後期開始蓬勃發展，弘大這個名稱來自於弘益大學（以藝術系聞名），但實際上，這附近還有其他三所大學：西江大學、延世大學和梨花女子大學。因此，這裡很自然會形成一個音樂環境。遺憾的是，從弘大地區崛起的音樂人，他們的音樂很難讓一般韓國人接受，民眾大多習慣聽流行歌曲或是過度感情化的抒情歌曲，這讓南韓的主流音樂與地下音樂之間畫出涇渭分明的界限。

因此，韓國的電視和媒體很少提到弘大地區的樂團，這是非常可惜的，其中一些優秀樂團如果到倫敦或是紐約以英語演唱，或許會吸引大批歌迷。在這個環境裡，除了像龐克樂團「Crying Nut」等三、四個樂團以外，其他的音樂創作者都必須另有正職才能生活。這與英國的音樂環境大不相同，在英國許多有名的樂團都是先在小酒吧駐唱，再逐漸發展到國際大型體育場巡迴演唱。

但是，令人感到欣慰的是，弘大地區那種純粹為了音樂而創作的精神，支持著這些表演者堅持他們的理想。這裡有許多各種不同風格的傑出團體，其中最優秀的有「Windy City」（由極有才華的歌手兼鼓手金阪章〔音譯〕所帶領的一個放克／雷鬼音樂團體）、「Nastyona」（將油漬搖滾和鋼琴混合的一個奇特團體）、「Galaxy Express」（精力十分充沛的車庫搖滾）、「The

Black Skirts」（悅耳的流行搖滾），以及由獨唱歌手將電子舞曲與民歌結合的「Heureun」（流動）。

這當中最出色的是「Third Line Butterfly」，這個團體的音樂有時會以喧鬧的實驗性質加上油漬搖滾的感覺，有時則演奏出溫柔的抒情歌曲，或是如〈在深夜的霧〉（Gipeun Bam Angae-sok）這首歌一樣，用一種強勁的聲音帶動，從非常簡單的方式開始，但逐漸增加至最激烈的境界。在弘大音樂圈打滾已久的南生亞就擁有這種嗓音，她與團長承其元（音譯）在一九九九年相遇。她回憶說：「我那時原本是Huckleberry Finn『某獨立樂團』的成員，和他的樂團隸屬同一家唱片公司。他請我幫他的一首歌曲合聲，我們就這樣產生了默契。」從那之後，他們一起錄製了三張專輯和一張迷你專輯（EP），在過去十多年來的表現一直相當出色，是弘大音樂圈內受到新樂團崇拜的音樂人。

遺憾的是，他們受到的賞識大多只限於這個地區。南亞生表示：「大概一年一次，有人會在超級市場認出我，但大多都是在我穿著短褲、一頭亂髮的時候——就這樣而已。」韓國獨立音樂人大多將這種受到極少的認同視為命運，但這實在是個遺憾，因為他們其中有些人的才華極為出眾。

流行音樂進入企業時代

在此同時，如ＳＭ和ＪＹＰ這類娛樂公司所組成的一些相當成功的女子和男子團體，也開創了韓國流行音樂（K-pop）。自一九九〇年代以來，這些公司就開始招募一些年輕人，並讓他們接受為時數年的舞蹈、歌唱和外語等的訓練，以準備在未來成為青少年的偶像，他們之中有些人年紀小得驚人。在娛樂公司認為這些年輕的表演者已經做好準備時，便會將他們組織成團體，例如「2NE1」、「the Wondergirls」或「2AM」等，讓他們站在舞台上面對台下無數尖叫的女孩。這些公司製作的歌曲大多容易琅琅上口，音樂製作人朴軫泳（JYP娛樂公司就是以他命名）特別擅長創作容易讓人記住的旋律。全球對於韓國流行音樂不斷增長的熱愛，證明了這種音樂的魅力，譬如流行音樂歌手「Rain」曾經在紐約麥迪遜廣場花園演出，並且風靡全亞洲。在《時代雜誌》所舉辦的「世界最具影響力的人物」網路投票中，對「Rain」十分狂熱的歌迷不斷灌票，不可思議地將他捧上領先地位，遠超越歐巴馬和胡錦濤等人。

韓國流行音樂已經成了一個很大的企業。二〇一〇年SM娛樂公司的總收入高達八百六十四億韓圜（大約八千萬美元），SM娛樂公司的規模當然無法與三星集團相比，但近年來它的總收入每兩年都會加倍，讓該公司成為這個成長中產業的核心，該公司在韓國股市的市值（公司總價值）將近十億美元。SM的對手YG娛樂公司的市值則是二・五億美元，他們旗下的藝人不但要會唱歌，還要代言從手機到飲料等各種不同的產品。新款的手機或是電視推出時，記者們經常會接到慶祝會的邀約，會場會有最新的男子或女子團體。這些「偶像明星」也會跨足到電視界或電影界，例如原本隸屬「FinKL」女子團體的李孝利，後來不但展開個人獨唱生涯，也開始演出電視劇、參加電視談話性節目，以及擔任各種產品的廣告模特兒，這些產品包羅萬象，包括燒酒、電子產品和韓國牛肉等等。這種結合音樂、電視和贊助式的收入策略——全都在那些「斯文加利」*式的經理密切注視下進行，他們對創作具真正感情的音樂不感興趣——讓人聯想到日本的流行音樂產業。

成立一個年輕偶像團體必須投入大量的時間和金錢，所以一切都經過完善的規畫，每位藝人的生活和形象都受到相當嚴格的管控。除此以外，這些團員所獲得的酬勞非常少，這也導致一些團體與他們的經紀公司掀起一些引人注目的官司，例如東方神起（TVXQ）。但是這些年輕歌手與他們的父母在簽約時，都知道他們將來的路會怎麼走：多年的舞蹈、歌唱和外語訓練；從早到晚無止境地在媒體前曝光，並進行商業性的錄音；沒有私人生活。最後，他們得到的是相當微薄的酬勞。這些想要成名的歌手希望得到長久的演藝事業，以及走紅後收入不菲的個人事業生涯，就像李孝利及其他人一樣。但對於大多數的年輕歌手來說，這永遠是個遙不可及的夢想。

據傳，這些公司錄製音樂的收入，從一九九〇年代的高峰下降了九〇％，這主要是非法下載造成的結果。以前韓國有成千上萬的小唱片行，現在只有少數幾家生存下來，顧客通常來自弘大及新村地區一些迷戀音樂的大學生（Purple Record和Hyang Music是其中最有名的兩家）。主要歌迷是年輕女孩的經紀公司，如ＳＭ娛樂公司，現在面臨很大的壓力，必須另尋其他收入來源。除了贊助以外，它們現在也積極推出演唱會，並在海外尋找新歌迷。

在此同時，超過三十歲的韓國人卻在抱怨「沒有可以聽的音樂」。韓國的流行音樂除了幾

＊譯註：「斯文加利」（Svengali）是英國小說家莫里哀（George du Maurier）所著的《崔爾碧》（*Trilby*）中一位用催眠術操縱他人的人物。意指那些惡意左右他人服從命令的人。

個特例——如「Clazziquai」或「Rollercoaster」這種比較成熟且感情豐沛的流行樂團——其他幾乎完全針對年輕人，這在藝術方面十分令人失望。韓國的音樂產業完全忽視了年紀較長的聽眾，申重鉉說：「在英國，一些樂團的音樂可能會受到以前音樂的影響，但在韓國，現在年輕人的音樂與以前的音樂沒有任何關聯。時下的年輕人似乎以為音樂只是來自於ＭＰ３播放器，他們從沒聽過由大型擴音器流瀉出來的那種真正的現場演奏音樂。」

23 整日工作，整晚玩樂

一般人可能很難想像，在一九四五到一九八二年間，每天從午夜到凌晨四點這段時間，南韓人民不能在街上逗留。這個全國性的戒嚴是從第二次世界大戰和韓戰後的混亂期間開始，並在軍事獨裁期間被沿用。在朴正熙執政期間，他所採取的獨裁專政、家長式統治，以及讓職工盡量努力生產和服從的方式，構成了一些限制，如裙子的長度、髮型和晚上外出這種很單純的行為。如今從這種管控中解放出來的韓國人，可在這三方面擁有極度放縱的自由，而且很多人的確會如此放縱。這裡的夜生活特別活躍，並且被許多人視為日常生活的一部分。雖然在國際上並非人盡皆知，但事實上，**首爾是一個派對城市**。

有人將韓國人稱之為「東方的愛爾蘭人」，意指韓國人如愛爾蘭人一樣愛唱歌、跳舞，並且具有歷史悠久的醉酒傳統。韓國的飲酒歌舞這種自我形象的確印證了這個觀點，而這個「飲酒歌舞」的座右銘自然為許多人帶來了晚間的娛樂。飲酒也可能會是一件必要的事情：在公司強制性的喝酒聚會中，與上司一起飲酒是司空見慣的事。

「讓我們喝到死！」

根據世界衛生組織指出，南韓每人每年的平均飲酒量為十四・八公升，這數字稍稍超越英國，也超過與英國同屬凱爾特族的愛爾蘭。除了歐洲人以外，就屬韓國人最會喝酒，而且他們這十四・八公升並不是以偶爾喝兩杯啤酒，或是進餐時配一杯葡萄酒這種有規律的方式飲用，而是像北歐人一樣，不是待在家裡很早去睡覺，就是出門玩到通宵達旦——並且整夜喊著「讓我們喝到死！」（Mashigojujka!）。

韓國人的好酒量，很久以來就是眾所皆知的事；歷史學家聶夫（Robert Neff）在二〇一〇年英國皇家亞洲學會的演講中曾經提到，西方海員在十九世紀到韓國的時候，韓國人的酒量早就超過他們。但很多人認為直到一九六〇和七〇年代工業化之後，這種喝到爛醉如泥的習慣才開始普及。公司的喝酒聚會原本是為了讓辛苦工作一整天的員工們聚一聚，但實際上，人們在這些聚會中經常飲酒過量。根據韓國國家統計局調查顯示，一九八三年南韓每十萬名死亡人數中有四百九十四人是死於肝病，到了二〇〇九年人數又攀升到四千四百一十七人，這個死亡人數上升十倍的現象，以及肝臟疾病飆升的情況，與「喝酒聚會」文化及民眾習慣狂飲有很大的關聯。

但韓國人都喝些什麼酒呢？這個國家的酒類有很多的選擇，除了來自世界各地的啤酒、烈酒和葡萄酒以外，本地出產的酒品項也很豐富，其中最普遍的即是「燒酒」（soju），是一種用米製成的傳統酒。如今，一些如「安東燒酒」的高級燒酒還是以大米為主原料，但大眾市場的燒酒可能也會用馬鈴薯或是其他澱粉類食物製作。燒酒絕對不是有品味的人喝的酒，但它的好處就是廉價：一瓶三百七十五毫升的燒酒（酒精濃度二〇％）在便利商店裡的售價不超過一千五百韓圓（約一・四美元），在餐廳大約賣四千韓圓。

燒酒是一般平民喝的酒，它沒有特別的味道，價錢也極為低廉，但它的效果卻格外好，有人會說是過度的好。大多數的人通常會將燒酒倒入小酒杯中喝純的，但也有很多人喜歡將燒酒跟啤酒混合成一種強烈的「炸彈酒」，並以「人浪」（pado）這種一人接著一人乾杯的方式來喝這種酒。「燒酒調酒」則是將燒酒與果汁或是優酪乳混合，讓它變成比較好喝的調酒。由於它喝起來完全沒有酒精的味道，這會讓喝的人以為自己一點醉意都沒有——直到站起來，才發現雙腿已經不聽使喚了。

燒酒就跟韓式餃子一樣，與蒙古人有關係，這些入侵者在十三世紀帶來了燒酒的前身「阿剌吉」（arak）。這種酒的起源可以追溯到黎凡特地區（Levant，義大利以東的地中海地區），並從這裡往東傳到亞洲，往北傳到保加利亞一帶，也就是「拉基亞酒」（rakia）的前身，如今北韓有些地區還是將燒酒稱為阿剌吉酒（arakju）。燒酒不僅經歷了絲路那原始全球化和貿易的千年歷史，也將各地看似無關的文化牽連起來。

其他用小酒杯喝的酒還有「百歲酒」（baekseju），這也是一種由大米釀製而成的烈酒，但比較順口且酒精濃度也比較低，裡面也含有各種中藥及高麗蔘。「百歲酒」顧名思義，就是喝了可以讓人長命百歲，當然沒有人會信以為真。有些人喜歡將百歲酒和燒酒混合，並將其稱作「五十歲酒」（oshipseju），意指喝這種酒只能活到五十歲。另外，還有以本地產的覆盆子製成富水果香氣的「覆盆子酒」（bokbunja），以及味道有點像日本清酒的「韓國清酒」（cheongha）。

韓國實際上有太多的酒類，南韓文化遺產管理部門列出了八十六種酒，其中有許多是地方性的酒，所以沒有大量生產。但烈酒之王永遠都是「韓國燒酒」，根據韓國放送公社（KBS World）網站資料顯示，二十歲以上的韓國人在二〇〇六年平均每人喝掉九十瓶的「燒酒」，報告所附的文字即說明了一切：**燒酒是「韓國的能量來源」，它不但「烘熱了孤獨人們的心」，也「建立新的感情並增強舊有的感情」**。

在所有發酵製成的酒類中，有一種以大米為原料的「馬格利」（makgeolli），人們通常是用大杯子來喝這種牛奶色的米酒。這種酒的味道甜美，但常喝的人都知道它會造成十分嚴重的宿醉。馬格利從前是農夫的飲品，被城市人視為沒品味，因此不願意沾碰。但這種酒在二〇〇〇年代晚期再次興起，因為它的熱量比較低。現今一些時尚酒吧會以高價供應馬格利給那些不久之前絕對不願碰它的人，目前在市面上還可買到傳統的馬格利，而且在超市一瓶只售一美元。

下酒菜和帳篷酒吧

喝燒酒不配菜——即「Kkang-soju」——不是這裡一般喝燒酒的方式。對韓國人來說，喝酒應該要搭配下酒菜，這些配酒小菜叫做「anju」。外國旅客在這裡的酒吧坐下來點一杯啤酒，有時候會因為店家要求消費一盤他們並不特別想吃的炸薯條或是水果而感到困擾。韓國人認為各種酒類應有特定的下酒菜來搭配：例如「samgyeopsal」（「韓國烤肉」中的五花肉）配燒酒，「jeon」（一種煎餅）配馬格利，或是炸雞配啤酒。其中炸雞配啤酒是近年來的新習慣，在一些繁忙的都會區都可見到專賣炸雞和啤酒的地方。一種名叫「藥念」（yangnyeom）的韓國醬料可以用來沾炸雞，這裡的年輕人甚至還發明了「chi-maek」這個詞，代表炸雞和啤酒（maekju）這個絕佳的組合。

一般來說，由於人們必須在喝酒的場所點食物，酒客常常會在一個地方待上幾個小時，然後可能再換一、兩個地方。一整晚下來，有時可能會持續十個小時，換三、四個地方。例如可能先在「肉家」（gogi-jip）點一些五花肉配燒酒，再跑到「hof」（借自德語的「酒吧」一詞）點一些燒酒或啤酒（或兩者都點），搭配一些如墨西哥玉米片或是水果等點心。

另外還有一種喝酒的地方，就是之前提過的「布帳馬車」，這是一種在戶外搭建的帳篷酒吧，大多是用橘色的防水布覆蓋，裡面擺放一些塑膠桌椅。這些小攤子通常都是由燙著一頭鬈髮的「阿朱媽」或是「祖母」（halmeoni）經營，並且會端上海鮮配燒酒，在規模比較小的地方，很容易就可以與老闆娘或是其他客人聊開來。對外國客人來說，這是一個能真正體驗韓國的機會，與單調的觀光景點完全不同。在這些布帳馬車中，人們除了喝酒以外，還可以感受到這個國家的人情味和特色。

這裡的當局總是試圖打壓這些帳篷下的酒吧和路邊小吃攤，如奧林匹克、世界盃足球賽以及二十國集團（G20）高峰會等重大活動舉辦期間，他們更會加強取締。這些官員都有一種錯誤的想法，他們覺得這些四處林立的小吃攤看起來很落後，會給外國旅客留下不好的印象，反倒認為吸引外國旅客最好的方式，就是提供讓這個國家看起來很衛生的——也是很無趣的——印象，例如皇宮、泡菜和傳統舞蹈。韓國與中國等古國太過接近，就拿中國的紫禁城來說，它比韓國任何古蹟都來得宏偉，在這樣的情況下，當局這種政策似乎註定會失敗。他們如果以推廣的方式，讓人們享受韓國這些特殊的經驗——如「布帳馬車」，可能會收到更好的效果。

唱歌和跳舞

在韓國，當一群朋友覺得酒喝得差不多的時候，經常就會到「練歌房」繼續玩樂。他們在這些每小時收費約在一萬到兩萬韓圓之間（大約十到二十美元左右）的私人包廂裡盡情歡唱。這裡除了韓國歌曲以外，還可以找到許多英文歌曲，像是所有披頭四的經典歌曲。其他不唱歌的人也可以隨時站起來跳舞，或是搖著練歌房供應的鈴鼓。有些豪華的練歌房還會提供以某些風格為主題的房間，例如在首爾弘大地區的一家練歌房，就設有一間以樂團為主題的房間，裡頭有一個舞台和一套鼓供客人使用。

弘大地區是全國最著名的歌舞場所，這個被視為夜店聖地的地方，是由附近新村地區的酒吧發展而成。這些酒吧在一九八〇年代播放搖滾音樂錄影帶讓客人跳舞，後來有些酒吧因為弘大地區的租金較便宜，便遷移到那裡。在這之後，「Club Drug」（如「Crying Nut」這些韓國龐克樂團演出的地方）的開張帶動了當地龐克搖滾的崛起，而由當地一名大學畢業生所開的「發電廠」（Pachulso）這家酒吧，也帶動舞曲的流行。那時還有其他專門為某種時興的音樂所開的酒吧，如雷鬼、瞪鞋搖滾和嘻哈音樂等。在這些具開創性的酒吧中，只有幾家曾經獲利，但它們的業者主要是基於愛好音樂而經營。弘大地區因此成為年輕人找樂子的地方。

現今在韓國所有的主要城市中，都可以找到音樂酒吧聚集的地區，而且通常是在大學附近，例如，釜山的釜慶大學和慶星大學附近就有許多酒吧。此外，每週日接近午餐時段，也會看到有些人從「後夜店」裡搖搖晃晃地走出來。這種夜店都是在一般夜店打烊後才開門，江南一帶有很多這類的夜店。

上了年紀的人也有他們專屬的娛樂場所。對於那些六十多歲的人來說，他們年輕時流行的大多是「韓國演歌」這種具有兩拍節奏的音樂。播放這種音樂的舞廳在下午也會營業，筆者之前的住所附近有一家名為「成人可樂俱樂部」（Seongin Cola-tec）的舞廳，裡面就像以前專為青少年開的「可樂音樂俱樂部」一樣，只賣汽水、可樂而不賣酒。在一些如首爾鍾路三街附近的塔洞公園裡，有時候可以看到上了年紀的人們因為「受到馬格利的激勵」，進行一段即興的戶外舞蹈。

在韓國，老年人往往比年輕人更會享受戶外活動。這裡和中國一樣，公園裡到處都有老年人在下棋，像是類似中國象棋的「將棋」。那些不下棋的人們，通常都會圍在旁邊賭誰會贏棋。在韓國爬山，經常會遇到許多朝氣蓬勃的老年人（有時甚至會被他們超前）組成的團體，這些老人的背包裡一定會裝著燒酒或是馬格利。

梨泰院的多元文化

對本地人來說，多元文化的梨泰院，是首爾正在崛起的娛樂區。但這地區並非一直具有如此的好名聲，這裡以前曾被韓國人視為惡名昭彰的異域。據說，梨泰院原本叫做「異胎院」，這與它的歷史有關。一五九二到一五九八年壬辰倭亂期間，入侵的日本人在此大規模地強姦僧院裡的尼姑，受孕的尼姑們被帶到這裡養育她們的孩子，於是這個地區便被稱為「異胎院」。這個不雅的名稱後來取諧音正式改為「梨泰院」，現在首爾地鐵上也用「梨泰院」的漢字名稱來標註。

在二十世紀早期占領韓國的日本部隊，在梨泰院附近的龍山區設立了一個基地，日本勢力在一九四五年被擊潰後，龍山區的基地在美國軍隊接收後加以擴大，成為美韓聯軍司令部（US-ROK Combined Forces Command）的總部，許多美國士兵和後勤人員都居住在這裡。鄰近的梨泰院在一九六〇到七〇年代便發展成美軍人員購物和晚間外出娛樂的地方。

有士兵的地方自然表示娼妓行業也會跟著繁榮。雖然娼妓在韓國並不合法，但這個社會對它的容忍，讓它變成了一個龐大的產業，梨泰院這地區也不例外。直到今天，梨泰院依然保有「妓女山」這個地區，並以外國男子為主要客群。梨泰院的娼妓盛行，再加上一般人對美國士兵的偏見，使得想保持良好聲譽的韓國人將此處視為禁地，對女性來說更是如此。此外，那時與外國男子交往的女性都會被醜化為「洋公主」，並在街上被人奚落。類似《蜂后》（一九八五年）這類的電影，可以反映出人們對梨泰院的這種印象，它們將這個地區描寫成一個墮落的角落，到處都有西方男人伺機玷汙韓國女孩。

一九九七年，在梨泰院漢堡王的洗手間內發生了一件駭人的命案，更讓一般韓國人確信梨泰院是個令人生畏且道德敗壞的地方，最好避而遠之。但在接近二〇一〇年的那幾年，這裡開始出現一種令人意想不到的轉變。在韓國憲兵對美國士兵的夜間娛樂進行一連串強制取締後，這地區開始縉紳化。像洪錫天（韓國首位公開自己是同性戀的名人）之類的知名人士，開始在梨泰院開設酒吧和餐廳，提供一種高消費且高品質的娛樂。這裡的租金開始暴漲，許多原本專為美國士兵所開設的老酒吧也接連關閉。現在，晚上在梨泰院享樂的大多是韓國人，而且通常是一些不在意花十美元點一杯啤酒的「雅痞」。龍山區美軍基地即將關閉，基地的人員也將遷往其他城市，這一定也會助長上述這種趨勢。對於那些希望在首爾投資的人士來說，梨泰院一帶當然是最佳的投資地點。

大約自一九九〇年代中期以後，梨泰院也成為首爾主要的同性戀聚集地區，從它原本就特殊的歷史來看，該地區扮演這樣的角色也是很自然的。但梨泰院近年來在洪錫天帶領下而縉紳化，讓它的同性戀環境變得更主流化。到了二〇一二年，年輕韓國女性上同性戀酒吧已經見怪不怪了，甚至在這些場所觀賞變裝秀也成了很普通的事。但就在不久以前，只有少數人知道這種地方的存在。

咖啡館和服飾店

雖然這裡的人晚上常常外出喝酒，但南韓也有許多咖啡的愛好者——或許用「咖啡館耽溺者」來形容他們更恰當。如今在首爾、釜山、光州、大田、大邱等大城市都有如星巴克等國際咖啡連鎖店，也有「咖啡陪你」（Caffe Bene，三年內開了五百家分店）這種本地的咖啡連鎖店，以及在熱鬧的街頭上獨立經營的咖啡館。在這些咖啡廳裡，可以看見一桌桌的女性們整個晚上一邊聊天，一邊啜飲著在十年前人們還搞不清楚是什麼、也唸不出名字的焦糖瑪奇朵、摩卡法布奇諾等飲品。一九九九年韓國第一家星巴克在首爾的梨花女子大學附近開幕，到了二〇一一年，星巴克已在韓國開設了三百六十家連鎖店。

這個驚人的增長，原因並不在於韓國人喜愛喝咖啡，而是因為這些咖啡廳具社交功能。韓國是個群居的國家，這裡的人特別偏好聚集在一起，而不是單獨一個人。他們感到無聊的時候，就喜歡安排一些即興的聚會，而不是回家。他們如果不想喝酒，咖啡廳大概就是最可能的去處了。不論白天或晚上，這裡的咖啡廳裡總是坐滿了人，而這些咖啡廳是如此的普遍，僅在首爾中區這個鬧區大約就有四千家，其中有些店甚至一天營業二十四小時。

深夜在首爾東大門地區喝咖啡的人，可能會想順便去買衣服，甚至在凌晨四點也可以這麼做。這個地區的商店有三萬家，其中大多數是擺在美利來（Migliore）、Hello aPm這些市場大樓中的小攤子。這些市場大樓要到很晚才會活絡起來，許多攤子都是晚間八點才開張，直到天亮才打烊，也是基於這一點，南韓觀光指南將這個地區稱為東大門夜市。在這裡擺攤的商販過著日夜顛倒的生活，而且大部分的人可能都睡眠不足，但是以整體的情況來看，在這個以「努力工作，盡情玩樂」為座右銘的國家裡，實在也不足為奇了。

| 第五部 |

成為「我們」的一分子

24 防禦性的民族主義

韓國長期以來一直被較強的國家當作墊腳石或是戰略資產，因此形成了一種以「排外」心態為基礎的民族主義。年紀較長的韓國人有時候會提起他們在學生時代，曾被教導「純正血統」的重要性，據說這是傳自第一代韓國祖先並且歷經五千年的直系血統。這個血統的概念主要是在二十世紀初期發展的，那時日本宣稱韓國人是日本民族的支系，這個概念就是為了反抗日本的殖民主義。民族主義後來受到南韓軍事政府的宣揚，希望能夠藉此培養韓國人民的團結心和榮譽感，進而促使人民支持國家的經濟發展，這個目標本身來自於超越韓國悲慘歷史的必要性。

韓國的民族主義是外來強勢入侵的結果，或者可以說是對於該強勢入侵自我防衛的反應。由於這一點，這個民族主義具有防禦性而不是攻擊性。如今南韓變成了一個富裕的國家，並在文化及政治實力方面日益強大，因此獲得自信，這種畏懼也開始消退。同時，南韓人開始在很多方面對外國人採取比較開放的態度，南韓的外國人口也大幅上升，目前該國的跨國婚姻已經超過全國新婚總數的一〇％，這個國家著名的排外意識也緩和了不少。

日本的殖民統治

整個朝鮮時代，中國在政治和文化方面對韓國具有極大的影響力。對於韓國的儒家學者來說，那時的中國是韓國的兄長，不僅是韓國哲學、道德以及文學的根源，也是用來書寫信件、文獻和官方文件的優美漢字的起源地。韓國的君王每年向中國進貢三、四次，這也是「事大」政策中的一部分，而「事大」本身意指「向強者屈服」。此外，朝鮮君王建造的皇宮也不得比北京的宮廷更為宏偉，不然即是對中國這位大兄長的一種侮辱。

那時朝鮮與中國的關係雖然不平等，大致上來說還算平和。但在同一時期與日本的關係卻十分惡劣。日本將軍抵達朝鮮，並不是來取貢品的。豐臣秀吉將軍率領的日本軍在入侵朝鮮的壬辰倭亂期間，讓成千上萬的韓國人消逝無蹤。這些入侵者犯下令人髮指的行徑，包括大肆強姦當地婦女，以及將死去的韓國人的耳朵或鼻子割下做為戰利品。令人訝異的是，他們將這三萬八千多人的耳朵和鼻子埋在日本京都市的「耳塚」，如今這個離「豐國神社」不遠的遺跡依然存在。

日本在一九一〇到一九四五年併吞朝鮮期間也相當殘暴。那時，反抗殖民統治的韓國人民都會被監禁，並施以酷刑或處以死刑，韓國人被強制改用日本姓名和說日語，數以千計的婦女被迫作為性奴隸。韓國人如今依然對日本反感就不足為奇了，有些日本人完全理解這一點，但許多日本人在學校從未學習過這段悲慘的歷史，他們一點也不明白「情緒化的」韓國人為什麼對日本有那麼深的怨恨。

在日本殖民統治之前，韓國的民族主義並不是那麼的強烈。這種以血脈和種族為基礎的民族觀念，是在一九二〇年代經由身為獨立運動人士、無政府主義者暨歷史學家的申采浩等人的努力而受到推廣。申采浩在他的著作中將朝鮮歷史以「單一純血脈」的方式，一直追溯到神話中的朝鮮建國者檀君，這當然是一個令人質疑的概念，但這個概念能夠增進人們反抗外來勢力的決心。日本帝國那時聲稱韓國人是日本民族的一個支系，並以此做為日本併吞朝鮮半島的理由。申采浩的目的在於駁倒這個論點，並同時建立一個扎實的韓國民族意識。韓國初期的民族主義，主要是基於對獨立的渴望和抵抗外來的統治而誕生的。

分裂之後

日本帝國隨著二次大戰結束崩解後，許多在海外領導獨立運動的人士都回到了韓國。除了蘇聯和美國以外，他們對這個國家的未來也有不同的看法。其中最突出的有曾經參與游擊隊的金日成，他想建立一個共產國家；曾經在中國重慶組織韓國光復軍的金九，他認為國家的獨立和團結比所有意識型態更為重要；曾經在哈佛及普林斯頓大學受過教育的李承晚，不但親美也公然地表示擁護民主，後來卻以獨裁的方式來統治南韓。

蘇聯、美國以及韓國各黨派之間的爭奪，最後得到的並不是韓國人民心中真正想要的結果：這個國家分裂成兩個部分。其中一部分是由蘇聯支持的金日成統治，因為蘇聯政權相信他將是一個很好的傀儡。他所帶領的政權（後來演變成一個實際的君主政權）比蘇聯政權還持久，如今由他的孫子金正恩執掌。另一部分則是由李承晚來治理，李承晚曾經擔任在上海成立的大韓民國臨時政府大統領，後來因為受到金九指控挪用公款，於一九二五年被革職。到了一九四五年，因為他接受了美國教育、基督教信仰和表面上支持民主價值的背景，得到美國軍方的信任，因此獲得治理朝鮮半島南部的權力。

這個分裂和後來的韓戰，讓韓國人民了解到，即使沒有日本人的統治，他們的命運還是無法掌握在自己手中。南、北韓的分裂局面是因為受到蘇聯和美國干預，以及它們自身的利益糾葛而形成，後來雙方在一九五〇年開戰，之後也是靠外國軍力才能各自生存下來。以蘇聯為後盾的北韓，在一九五〇年六月二十五日入侵南韓，屬於共產主義的北韓軍力很快就幾乎拿下整個朝鮮半島，只剩下南部的釜山這個海港城市附近的一部分。美國的麥克阿瑟將軍在一九五〇年九月在仁川市登陸，與釜山「突圍而出」的聯合國軍隊會合後，將北韓軍力一路打退到中韓邊境一帶，幾乎占領了整個朝鮮半島。中共領導人毛澤東在一個多月後決定派兵加入戰爭，接著打退聯合國軍隊，繼而形成對峙局面，並在最後宣布停戰，以北緯三十八度線作為南、北韓的界線。

在如此的背景下，韓國人自然很難擺脫祖國被其他強國當成棋盤上的一個小卒這種感受——就像在朝鮮王朝末期，中國、蘇俄和日本三國為了在朝鮮半島上的勢力彼此角逐。南、北韓分別仰賴資本主義和共產主義大國給予的資金和軍事支援才得以存活，而朝鮮半島上的這種分裂卻導致許多家庭和親友們分隔兩地，造成無數人民的心理創傷。因此，這個分裂也讓這裡的人們形成一種對於外國畏懼和不信任的氣氛。除此以外，有了兩個彼此競爭的韓國，也意味著這兩個政權必須彰顯自己是韓國真正的守護者，而不是其他國家的傀儡政權。因此，韓國分裂絕對沒有導致民族主義消失。

在韓戰之後，最容易勾起南韓男人的民族性並點燃其怒火的，大概就是美國士兵與「他們的」韓國婦女在一起的景象。英國人對美國士兵曾有的觀感（性慾過高、薪資過高，而且還侵門踏戶）南韓人感受得更為強烈。那些與美國士兵交往的女性，可能會被貼上妓女的標籤，並且被視為背叛祖先所流傳「純血」的叛徒，或者被看作待解救的性殖民主義受害者。遺憾的是，儘管南韓如今已成為一個富有且現代化的國家，許多老一輩的男人還是抱持著這種態度。

對威脅敏感的力量

「純血的民族主義……是個讓人民變得服從且容易掌控的有效工具。」這是引用慶北大學哲學系教授金錫樹（音譯）在《韓國時報》的說法。李承晚政權將所謂的「一民主義」加入了他的政治宣傳，至少有部分原因是為了轉移人們的注意力，不致察覺他的幕僚中有多少人之前曾為日本政府工作。李承晚認為提倡具韓國民族主義的形象，可以讓他的政府在人民眼中看起來更具合理性。朴正熙政府（一九六一—一九七九年）也採用了這種純血民族主義，鼓勵人民遵從朴正熙的經濟發展計畫。

如果要將南韓人民變成朴正熙的「工業尖兵」，就必須讓他們有值得獻身戰鬥的目標，據著名的韓國民族主義學家申起旭教授指出，這個目標就是「大韓民族」的生存和昌盛。於是，當時政府編印了教科書來教導孩童「純血」的重要性，學校老師們也鼓勵孩童們相信韓國人具有五千年毫無間斷的血脈。他們畢業後進入職場，官方張貼的海報敦促他們「超越日本」這個曾經侮辱過韓國的國家；為了讓國家強大，他們在艱困的工作條件下，一天工作十二個小時，即使到了週六也不停息。如同第21及22章所提到的，朴正熙也利用國家的文化產業來傳播他那具民族主義、以發展為目標的政策，甚至親自創作了〈新村之歌〉（Saemaeul Norae）激勵人民「勞動和奮戰來建立一個新的父祖之國」。這首歌在一九七一年推出後，南韓的電台就不斷地強力放送。

韓國就如其他東亞國家一樣，對於中國人做生意的本領感到畏懼，這種情況很普遍，朴正熙採取的對策，是保護韓國企業不受中國商人影響。他除了阻止學校教授漢字以外（他比較重視韓國的諺文），並限制居住在南韓的中國人擁有土地或經商，導致約一萬名中國居民移居到其他國家。此外，朴正熙也盡力呈現一種他愛用國貨的形象，比如說，他飲用馬格利米酒，而不是昂貴的洋酒。將購買外國貨的人視為叛徒，這種觀念助長了那時的重商主義發展政策，並且為進口貨課徵重關稅提出了在道德上的正當理由。

近年發生的亞洲金融危機，可以揭示韓國民族主義的防禦性，以及該主義鼓勵龐大群眾集體努力的潛力。一九九七年亞洲金融危機期間，曾經叱吒風雲的亞洲四小龍都一樣瀕臨絕境。韓國的政治人物和企業領導者歸咎於外國的貸款人和投資人，認為他們將資金從短期投資（如韓國的股票）中抽出，造成韓圓暴跌。當「國際貨幣基金組織」以援救計畫向南韓開出嚴峻條件時，許多韓國人都深感他們的國家正遭受襲擊（這次不是在軍事上而是在經濟上的攻擊）韓國的歷史讓他們有這種感受。

那些債台高築的財閥原本應該到受許多譴責，但他們卻以民族主義「受到攻擊」的方式回應。記者柯克（Donald Kirk）針對這場經濟危機撰寫了一本書，提到一位現代集團的經理宣稱：

「國際貨幣基金組織和美國想要瓦解韓國財閥。」自朴正熙時期開始，這些財閥企業就一直被韓國政府推崇為「國家的選手」。柯克繼續指出：「韓國人在電視和新聞媒體上指責國際貨幣基金組織，認為該機構以太過帝國主義的方式干涉，按照當時財政部長林昌英（音譯）的說法，這個國家在一場艱難的戰役中被打敗。」根據英國國家廣播電台（BBC）報導，當時南韓大眾對這種自視為攻擊的反應，即是對於任何「到國外渡假或是購買外國奢侈品」的韓國人進行汙名化攻擊。

柯克所述的那種「艱難的戰役」心態，或許是南韓民眾受到的誤導，但這種心態的確為韓國經濟帶來了利益，因為它促使這個國家的人民團結一致，幫自己的國家脫離困境。這時的企業領導者和政府與朴正熙在一九六〇年代的作法一樣，以呼籲的方式，喚起人民的民族主義和集體精神。例如，現代汽車公司的董事長鄭夢九在公司總部前舉行集會，並且宣布：「現代公司高舉起著旗幟，要為韓國經濟發展做出貢獻。」此外，員工也在聚會中高唱公司歌，並向空中揮舞拳頭。現代公司鼓勵員工感受自己的努力是為了國家，而不只是製造汽車或是為公司的成就做出貢獻。另外，所有財閥也發起一個倡導民眾向國庫捐獻黃金的運動，據傳，經過他們的呼籲後，一週內就募到了八噸黃金，其中主要是首飾。這個運動不但增加了國家的外匯存底，也藉由人民的實踐，顯現了令人讚嘆的團結心，繼而提升了全國的士氣。

如果與居住在南韓的外國人聊到這裡的生活，常會聽到他們談論韓國人那種草木皆兵的心態，這種心態不但讓韓國人對那種自我想像的海外威脅過度敏感，也「隨時準備扮演受害者的角色」。這種評論有時候是公平的，但**韓國的防禦性民族主義可以形成強而有力的社會黏著**

劑，並且可在這個祖先傳下來的血脈受到威脅時加以運用。在人們了解南韓國內是多麼的分裂——在政治上、地域上，以及年輕人與長者之間、窮人與富人之間日益增長的分歧——之後便可體會，這種感受外來威脅時會立刻激起的使命感和團結心，實在不可思議。一九九七到一九九八年金融危機期間，韓國工會、大型企業和政府一起組織了一個「超級委員會」，並且僅在二十天內就針對財閥改革及勞工政策達成一個全方位的協議。這個協議對於財閥和員工雙方來說都很艱難：財閥必須解散許多毫無成效的附屬公司，並且實施更嚴格的會計標準，員工們則必須贊同邁入一個有彈性勞動條例的新時代，至今仍侵害著他們的權利。然而，雙方為了國家的復甦，很快就達成協議。

南韓人民在「國際貨幣基金組織的救助期間」感受到的屈辱，讓我們理解南韓人為何總會對經濟政策的外來批評極度敏感。英國財政大臣達林（Alistair Darling）在倫敦舉辦的一場高峰會中，與各國的財政部長展開一連串的會談。大多數國家的部長都針對二〇〇八年金融危機後的金融調整措施提出討論，據傳韓國的部長卻一直追問：「為什麼英國的《金融時報》一直在批評我？」達林只好回答：「那你應該看看他們是怎麼寫我的！」

二〇〇二年世界盃足球賽

韓國歷史性的轉捩點僅在亞洲金融危機的四年後呈現：韓國與日本在二〇〇二年共同舉辦的世界盃足球賽。這是一場受數十億觀眾矚目的全球性盛會，也是南韓首次得以向世界展現自己已晉升先進國家的機會。雖然一九八八年在首爾舉辦的奧林匹克運動會也是一場國際型的盛會，但南韓那時的人均國內生產毛額（GDP）為四千五百美元，並且仍然處於一個不明朗的民主轉型期。到了二〇〇二年，南韓不但已經從一九九七到九八年的經濟危機中站起來，GDP也超過了一萬兩千美元，並且還擁有一個穩健民主的政府。到南韓觀賞世界盃足球賽的人數據估計有一百萬人，他們不僅看到了壯觀的運動場，也看到了一個先進的國家，絕對不像《風流軍醫俏護士》電視劇中所呈現的景象。

韓國國家足球隊超越了大眾的期待，晉級到準決賽，這似乎更為這個國家的成就錦上添花。隊長洪明甫認為這項成就是「超越極端」的，也讓韓國人感受到「只要我們用心，就可以做到任何事情。」韓國隊與西班牙、葡萄牙和義大利競爭後獲勝，激發了強烈的國家榮譽感，鼓舞了上百萬名韓國人身穿紅色衣服（跟國家足球隊運動衫同顏色）、在街頭上歡樂地慶祝。「紅魔」球迷俱樂部的會員們，揮舞著「我們是一體的，我們是韓國」這類標語；而長久以來被老一輩批評沒有愛國心的年輕人，臉上塗著韓國國旗的顏色，身上披著國旗。

外國人對於南韓國家進步的肯定，為韓國人帶來了榮譽感，加上該國足球隊打進準決賽，為他們帶來出乎意料的喜悅，讓韓國人首次感受到一種正面且令他們自豪的民族主義，而不是以前那種具防禦性且自覺受到威脅的民族主義。**世界盃足球賽在韓國人民心中植入了一種想法，那就是與外國人互動可以為彼此帶來利益，甚至是樂趣**。據韓國經濟研究所（Korea Economic Institute）的洛李（Florence Lowe-Lee）指出，韓國世界盃足球隊的球迷「為民族主義重新下了定義，在其中加入了一種新的國家信心和榮譽感」。她表示這種民族主義與韓國傳統的民族主義不同，後者是以「脫離各種外來的殖民者」為中心。《足球與南韓人的想像力》

（*Football and the South Korean Imagination*）的作者崔元成（音譯）也指出，世界盃足球賽為南韓帶來的國家榮譽，讓韓國人能夠在心理上矯正或消除國家歷史為他們帶來的一些痛苦。

這個成果在足球隊的外國教練希丁克（Guus Hiddink）努力參與下達成，有相當重要的意義。希丁克榮獲南韓政府授予的榮譽公民頭銜，這是南韓政府首次賦予公民身分給一位沒有韓國血統的外國人。在一篇標題名為「南韓的『全球在地化』英雄」（South Korea's "Glocal" Hero，二〇〇七年）的文獻中，釜山大學的研究學者們認為這個身分的授予可以激發「針對種族、民族和國籍定義進行文化和法律方面的基本改變」，並指出韓國的種族背景同質性觀念也「可能會有改變」。生於菲律賓的李賈思敏（Jasmine Lee）在二〇一二年當選韓國首位非韓裔的國會議員，就是這項改變正在全面進行的一個證明。當然，還是有許多人不願意接受這個事實——李女士在當選後曾經接到網民的威脅——但這種敵意在這不可逆轉的趨勢下，看起來似乎只是很小的阻力。

民族性和防禦性民族主義的衰退

近年來，韓國的純血民族主義，以及對於非韓裔人士的質疑，已有明顯的消退。以前在首爾的外國人經常抱怨：「為什麼這裡的人總是對我怒目而視？」現在他們可能比較常問：「現在的人們為什麼都不再看我？」跨國婚姻也愈來愈受到認可，根據韓國性別平等與家庭事務部（Ministry of Gender Equality and Family）二〇一一年的調查顯示，只有九%的韓國人表示他們絕對不會與外國人結婚。移民職工發現現在比以前更容易申請到簽證和居留許可證，這也反映出該國執政者在思維上的轉變。如今南韓政府不再像以前一樣灌輸人民「純血」的觀念，反而以張貼宣導海報的方式，鼓勵人民接受多元文化。

居住在韓國的外國人也急速增加到一百四十萬人，在二〇〇〇年，這是絕對無法想像的數字。此外，如今這裡到處都是進口貨。這不僅是由於韓國不再實行重商主義，以及自由貿易協議的新時代來臨造成關稅降低，也是因為大眾對於外國貨物的態度改變，導致出於愛國而購買國貨的心態消退。如今大多數的人認為開賓士車的人富有且帥氣，而不是像以前一樣，認為他是一個傲慢得不願意開現代汽車的浮華叛徒。

如今韓國人還是有一些防禦心態，但沒有像以前那麼容易付諸行動。自二〇〇二年以來，比較明顯表現出這種防禦心的事件，只有二〇〇八年的「夏日抗議」。二〇〇三年在華盛頓州發現一隻感染狂牛症（bovine spongiform encephalopathy，BSE）的牛以後，南韓就禁止美國牛肉進口，直到李明博政府與美國達成協議，取消對進口美國牛肉的禁令。這項協議的反對者認為李明博出賣了韓國人民的健康，以獲得與美國良好的關係，而左派的批評更是嚴厲。媒體歇斯底里地誇大報導實際的危險，成千上萬的民眾受到這種報導煽動，開始在首爾市區街頭舉行燭光集會抗議，自民主運動以來，這是抗議政府最大規模的一次集會。

但如果我們深入考量當時的背景，就會了解這些抗議也是民眾對李明博的不滿所引起的，狂牛症牛肉的威脅其實只是部分原因。李明博在二〇〇七年時二月當選總統後，迅速而徹底地改變了許多在金大中和盧武鉉執政期間——李明博的支持者稱之為「失落的十年」——所實施的主要政策。比方說，他停止了「陽光政策」，並採用支持財閥的經濟政策。這自然激怒了左派人士，但一般選民也開始對李明博產生不滿。雖然他在總統選舉中贏得了壓倒性的勝利，他的支持率在二〇〇八年六月卻只有一七％，這是由於一般大眾認為他採取的政策過於右派，以及他與民眾之間溝通不良所造成的結果。因此，在這場抗議之前，早就潛伏著以國內政治考量為基礎的反政府情緒。

那年夏天，反對李明博的教育改革、公營機構私有化和費用龐大的河川復育計畫的人們，加入了反對牛肉進口的抗議群眾，顯示這些示威抗議主要是針對這位不受歡迎的總統來表達不滿，而不是純粹因為對一項外國產品引起的健康憂慮激起的防禦性民族主義。統計數字似乎也支持這個觀點：美國牛肉在二〇〇八年後再次進入韓國，並且很快就在韓國達到二〇％的市占率，到了二〇一一年，該數字上升到三七％。

根據大韓民國國家報勳處（South Korea's Ministry of Patriots and Veterans' Affairs）在二〇一〇年針對兩千四百名學童所進行的調查顯示，南韓年輕一輩的人並沒有很強烈的民族意識。這項調查除了詢問南韓學童的國家榮譽感程度外，也對中國、日本和美國這三大國（至少對韓國來說是大國）的學童提出相同問題。根據該部門的調查數據顯示，中國學童在這個項目上得八四・二％，美國七〇・六％，南韓為六二・九％，日本則是五五・三％。在針對為國家戰鬥的意願這個項目，南韓人以五六・三％排名第二，稍微領先美國卻遠遠落後中國，而中國在這個項目上的比例為七四・八％，實在令人感到訝異。

25 多元文化的韓國？

雖然許多年紀較大的韓國人可能不願意接受這個事實，但南韓社會正隨著經濟進步和國際化對外敞開它的大門。移民人口增長，讓該民族變得更多元化，二〇〇一年住在南韓的外籍人士大約有二十萬，到了二〇一一年已經增加到一百四十萬，當中有半數是中國人，其他移民人口則來自將近一百個國家，每個國家大約有三十名以上的移民人數。很多外籍人士會與當地人結婚，現在每十對新婚夫婦中，就有一對是外籍配偶。這個變化發展得很快，在二〇〇〇年的跨國結婚率只有三・五%，在一九八〇年代更是低得讓人以為是統計異常。這些跨國婚姻家庭的子女，也開始讓韓裔與非韓裔之間那條清楚的分界線變得模糊。

根據統計數字顯示，韓國的年輕世代開始接受對外國人採取開放態度的新時代。在這種變化的同時，一般民眾也逐漸願意接受外國文化，如料理、藝術和進口產品等等。多年來以種族作為國籍定義的韓國社會，開始允許外國人將一隻腳跨入「我們」，而不再以純粹的「他們」來予以排拒。對於非韓裔人士來說，這表示他們能夠在韓國發展較深層的社會人際關係，而不再像以前一樣被社會排斥。這是一件可喜的事情，因為外國人口可以為韓國嚴重的少子化問題提供明顯且實際的解決辦法。

滴在漢江裡的墨水

在二〇〇六年一場南、北韓召開的會議上，北韓代表提出關於南韓種族混合的問題。南韓代表（謬誤地）表示該國種族混合的總數還不如「漢江裡的一滴墨水」，但北韓代表斷然地回答：「連一滴墨水也不能讓它流進漢江裡。」

當然，北韓並不是一般的共產國家。它或許可以被稱作隱遁王國的真正繼承者，並提倡以種族為基礎的強烈民族主義，在某些方面與法西斯主義相似。但不論怎麼看，北韓的代表團完全處於錯覺中。在整個韓國歷史中，韓國人曾經與中國人、蒙古人以及整個東亞地區許多其他種族的人們通婚並混合基因。甚至在忠烈王（一二七四—一二九八年在位）時期有個韓國氏族，是由來自中亞的維吾爾族人所創立，這個稱作德水張氏的氏族（姓氏為張，起源地為德水）創建者原名參嘉（音譯），曾經擔任一名蒙古公主的隨扈，而這位公主被許配給忠烈王。這在韓國歷史中並不算罕見，特別是在高麗王朝時代。

雖然純正血統是個虛構的想法，但如我們所知，不論在韓國或是其他地方，這是個很有用的想法。它讓韓國人形成以共同血脈為基礎的民族團結觀念，能全力奮戰克服日本的殖民主義。在面對韓戰對韓國造成的破壞時，這種有助於團結的民族主義，對國家的重建產生很大的效用。

但這種意識型態帶來的後果之一，就是會歧視那些與外國人結婚的人。嫁給美國士兵的女性更是特別受到憎惡，她們不但受到侵擾，還被冠上許多綽號，例如「洋公主」這種在韓語中特別具有貶意的字眼。韓國的家庭禁止家中女兒與外國人結婚，有些家庭甚至會與執意這麼做的女兒斷絕關係。這些跨國婚姻家庭的子女會受到社會排斥，嫁給外籍人士的女性和她的子女實際上已不再被視為這個民族的一分子。

一九八〇年代的跨國婚姻是如此的罕見，在統計中占絕大多數的，是文鮮明創立的統一教所配對的婚姻。文鮮明本身是韓國人，他會為彼此不認識的信徒配對，並讓他們立即結婚，有些外籍人士會因為這個目的而來到這裡，尤其是日本女性。教主文鮮明相信他具有神賜的能力，能夠為信徒選擇完美的伴侶，而他的信徒也對此堅信不疑。他撮合了無數的跨國婚姻，並且許多都是以集體婚禮的方式結婚，有時由於參加人數過多，還必須在體育館內舉行。但對於一般民眾而言，與外國人結婚依然受到嫌惡。到了一九九〇年，韓國跨國婚姻的比例仍只有一・二%。

過去的二十年來，由於生意往來、海外留學、旅行以及人們與外界增加接觸，讓南韓人改變了對外國人的態度，並且變得更為開放。現在已不難見到韓國人結交外國朋友，獨自一人到國外自助旅行，或是住在國際宿舍與各國人士交往。在此同時，這裡的人們也愈來愈能接受跨國婚姻，曾經受到鄙視的混血兒，現在他們的外貌受到讚美，並且有無數廣告公司邀約他們擔任模特兒。這個轉變過程如此快速，以致住在這裡四、五年的外國人表示，他們可以明顯感覺到短時間內發生的變化。根據韓國國家統計局的調查數據顯示，二〇〇八年的跨國婚姻比二〇〇二年增加了二・五倍。

農村的轉變

但是，南韓日益增長的全球化（在貿易、旅遊、外國文化等方面的開放）只是韓國跨國婚姻的第二大推動力。可能會令人感到驚訝的是，**韓國的多元文化中心實際上是在農村，但這並不是來自全球化，而是因為農村的男人迫切地需要配偶**。由於大多數的韓國女性不願意嫁給貧窮的農民，導致許多越南、中國農村和菲律賓的女性來到韓國，即使是最貧窮的韓國男人所擁有的財富，也是她們的家庭所夢想的。這與在西方國家的「郵購新娘」現象相當類似，但它的規模更大；二〇〇九年，在全羅南道結婚的務農男子中，有四三・五%的男子娶了外籍妻子，她們大多數都來自上述國家。因此，婚姻仲介成了一個重要的行業。比方說，在農村到處都可以看到介紹越南新娘的仲介公司廣告。這些外籍女性嫁到韓國之前，韓國給她們一種假象，尤其是首爾被塑造成很迷人的地方，亞洲地區流行的韓國電視劇和電影也為其添翼。基於經濟的考量，許多父母希望自己的女兒嫁到韓國。

當然，並非所有事情都如此順利。一位四十來歲的孤單農民與電視上充滿魅力的男演員是截然不同的，而全羅南道雖然景色優美，卻不是首爾的市中心。據報導，這些婚姻中有五三%的夫婦生活在貧窮之中（以南韓社會為標準）。家庭暴力、思念故鄉、無法溝通以及新娘逃跑的案例很多——多到有些廣告特別強調新娘「不會逃跑」。

但是，根據韓國問題專家蘭科夫（Andrei Lankov）在二〇〇九年一篇文獻中所引用的研究報告顯示，大多數的外籍新娘並不後悔嫁到韓國，顯然在南韓的貧窮與在泰國或柬埔寨的貧窮有很大的差距。對自己生活「滿意」或是「非常滿意」的外籍新娘占五七%，觀察敏銳的人會發現這個數字與其他國家相較，並不特別低。此外，韓國政府正積極實行一些計畫來協助外籍配偶融入社會，包括提供語言課程和推廣宣傳活動，鼓勵民眾接受多元文化。

首爾地鐵車站到處都張貼著幸福的多元家庭廣告，畫面特別呈現那些東南亞新娘樂於為丈夫烹調韓國菜餚、學習韓語，並且忠於職守，而丈夫則對她們衷心感激。這些海報將她們描繪得親切、順從（不具威脅性）並且盡可能像韓國人，以增加社會對她們的接受程度。但長遠來看，這種方式必須有所改變，雖然政府的立意原本是好的，但塑造的是一種已經過時的婦女形象，而且宣揚的只是移民者適應韓國文化，並沒有提到韓國社會也可以從移民者身上學習到一些東西。

嫌貧愛富的種族歧視

張夏准教授表示，大韓民族「會變得更多元化，不論人們喜不喜歡」。但這裡的人們到底喜不喜歡呢？根據大韓民國國家報勳處針對南韓、中國、日本及美國的年輕人所進行的一項調查發現，儘管純血理論還是留下一些影響，南韓的年輕人大概是這四個國家中最願意接受移民和多元文化主義的。廣泛地說，這種接受是一般性的。正如人們所預料的一樣，年輕人比年紀較長的人願意接受這些改變，這自然表示，這個國家對於跨國婚姻的接受程度會隨著歲月增長。

不過，他們的態度通常還是會依照移民者來自哪個國家而定。梨花女子大學教授邦希正（音譯）在二〇〇九年針對一百二十一名韓國學生進行一項調查，發現這些學生對白人較有好感，對黑人較無好感，而對東南亞的人最沒有好感。此外，國際特赦組織在二〇〇六年的報告中指出，來自東南亞的人比較容易被警察攔下來臨檢盤查。

這種對東南亞人士的強烈偏見可能是基於經濟因素，並不是特別因為種族的關係。居住在韓國的西方人都來自較富裕的國家，所從事的工作不是在教育、商業領域，就是在美軍部隊。來自東南亞的人由於祖國經濟狀況不佳，不論他們擁有什麼學歷或技能，在韓國從事的大多是工資低及非技術性的工作。很不幸的是，南韓人經常會因此而看不起他們，韓國工廠老闆毆打東南亞勞工和扣薪水等虐待事件層出不窮。印度學者侯賽因（Bonojit Hussein）與他的女伴曾在公車上受到一名韓國男子的歧視，後來侯賽因對他提出告訴，並打贏了這場具里程碑意義的官司。侯賽因後來接受《韓國先驅報》的採訪時表示：「我認識許多外籍勞工，他們都在事件發生後對我說：『這其實不算什麼，媒體之所以會報導，主要是因為你是一名教授，我們面對的情況更嚴重。』」

很遺憾的是，在南韓迅速對外開放的同時，在這方面改變的步調還是比印尼、菲律賓這些國家緩慢。由於韓國對這些外國人產生的歧視主要來自貧富差距，因此儘管純血的民族主義有所衰退，這種歧視還是可能存在。

國際化勢在必行

南韓渴望對外開放經濟的同時，就意味著這個國家已經決定採用多元文化的政策。當一個國家的經濟體發達，並且在投資和貿易方面自信地敞開大門時，外面的人就會跟著湧入。這其中包括來自貧窮國家的工廠工人、來韓國學語言的學生、尋找投資機會的富有外國人，以及基於其他原因到這裡的人，比方說記者，目的是滿足各國人民對韓國的好奇心。

南韓如果想要在經濟方面成長，就需要這些人，並且需要他們留下來。張夏准教授表示：「我們需要更多外國人來建立一個新的國家。」這完全是基於人口問題的考量，南韓在一九五〇年代晚期和六〇年代的嬰兒潮世代顯然正在老化，如今韓國婦女的生育率（即每位婦女平均一生所生的嬰兒總數）只有一・二％。這兩種趨勢讓南韓現在成為全球人口老化速度最快的國家，根據聯合國報告的預估，以如此的趨勢發展下去，該國到二〇二六年將會成為一個「超高齡社會」，其中有二三％的人口超過六十五歲。到時候，該國將以人數較少的勞動人口來支付龐大高齡人口的老人年金，這種不平衡的情況將會拖累經濟成長，根據韓國開發研究院（Korea Development Institute）預估，南韓二〇三〇年的GDP增長率最高僅達一・七％，「銀髮韓國」的現象可能是主要原因。

有幾種對策可以用來解決這個問題，而且鑒於問題的嚴重性，這些對策應該全部採用。包括**提高退休年齡、提高育兒福利等激勵措施來鼓勵生育，以及讓更多女性加入職場等**。**然而，應付這個問題最快的辦法就是引進更多外籍勞動人口**。這些移民不但會增加勞動人口，所支付的稅金也可用來負擔人數日益增長的高齡人口，同時，他們所生育的子女可在未來負責他們這一代退休人口的生活。能夠創造就業機會的創業者應該格外受到歡迎，雖然老一輩的人可能希望維持韓國傳統文化，以及所謂的「純血」，但反對外國融合政策只會損及自己的退休基金，並可能造成如日本所面臨的情況，這個超高齡社會缺乏足夠的青年勞動人口，卻依然堅決反對授予外籍工作者永久居留權的主張。

進一步國際化還可為韓國帶來其他好處。南韓缺乏國際認可的原因之一，在於沒有良好的公共關係，根據英國國家廣播電台在二〇一一年針對二十五個國家進行的調查顯示，只有三六％的人對南韓有良好的印象，三二％的人有不好的印象，另外還有三二％的人沒有意見；令人驚訝的是，這數據跟之前相比，實際上已有所改進。在這項調查中有關受到認可這方面，只有一些較受爭議的國家排名比南韓低，例如：俄羅斯、巴基斯坦、以色列、北韓和伊朗。南韓絕對不像這些國家一樣糟，或是被人們看得那麼糟，**這個國家不受歡迎的唯一原因，在於人們對它缺乏認知**（除了對它與北韓之間的誤解）。如果有更多外國人擁有韓國姻親、朋友或是貿易夥伴，韓國的公共關係問題就會愈早消失。愈多外國人了解南韓並找到它令人喜愛的特點，就會讓這個國家愈有保障。南韓軟實力的潛在價值，就像它所擁有的全球化商業利益價值一樣，是絕對不容被低估的。

趨於開放成熟

韓國社會走向國際化的趨勢，是這個國家日益成熟的跡象。我們也可從南韓與其他國家互動的方式看到它成熟的一面——曾經身為窮困受援國的它，僅僅在幾十年後的今天變成了援助國。雖然該國的捐款以絕對值來看不多，但預估到二〇一五年將會提高到三倍。這表示南韓人民開始了解他們的國家不再是貧窮的受害者，而是一個富裕的菁英國家，並且在國際上具有重要地位和責任。該國派遣代表團到越南等國，提供經濟發展方面的建議，證明南韓渴望表現自己的領導能力，並分享從GDP奇蹟中獲取的經驗，這無疑也會為它帶來正面的外交關係。此外，雖然南韓過去對日本有敵意，二〇一一年日本發生海嘯，南韓不吝給予慷慨的援助，實在令人感動。

南韓正在成長中，二〇〇五到二〇一〇年間韓國的外籍配偶增長了八五％，這個事實並不像一些人所比喻的是對漢江的汙染，而是一種開放和成熟的徵兆。

26 輪到我們了！

韓國人長久以來被視為孤立且過於遵從儒學，但現在許多亞洲人認為他們非常時髦和先進。這種改變應該歸功於所謂的「韓流」現象，從一九九〇年代後期開始，韓國的電影、電視劇和流行音樂開始在中國和日本等鄰近國家，以及泰國、柬埔寨、越南和菲律賓等東南亞國家受到歡迎。到了二〇〇〇年代後期，韓流甚至開始進入了西方國家。

熱衷於增強國家的軟實力，並將文化產業發展成新出口收入來源的南韓政府，一直在鼓勵這種趨勢。除了經常邀請「Rain」等流行歌手為觀光旅遊宣傳代言，也會發給補助支持在海外推廣韓流。此外，韓國媒體也為韓流大肆宣傳。實際上，韓國流行文化變得鋒芒太露，以致後來引起一些國家的反彈。在日本曾有一些「反韓流」的抗議活動，中國政府也開始限制國內電視台播放韓國節目的時數。但中國前國家主席胡錦濤曾對韓國的一位政治人物表示，他純粹因為忙於治理國事，而沒辦法收看韓國電視劇《大長今》的每一集。

但我們如果再多加思考就會發現，韓流的影響範圍實際上已經超越青少年流行音樂、通俗電視連續劇或第21章所提到的電影等文化產業。南韓已經在體育、科技等各種領域上受到肯定並且具有影響力。韓國在一九九六年加入經合組織後，多年來一直被公認為經濟強國。韓流現象顯示該國在國際的文化地位正在追上腳步。

「有很長一段時間，我們一直在接受別人的影響，現在輪到我們了。」朴貞淑簡明地表示。她曾經身為電視主持人和演員，並在《大長今》中扮演文定王后，目前是首爾慶熙大學國際關係學院的教授，並在哈佛大學擔任客座講師，教授有關韓流的現象。韓國不但具有獨特、豐富和充滿活力的文化，該國的經濟成就以及在成為優秀、富有和工業化國家的一員之後，也為它帶來了更多的自信。這也表示它現在可以很坦然地接受真正的文化交流，而不是僅以一種不平等且單向輸入方式接受外來的觀念。韓流的力量實際上提升了南韓的國際關係，如果南、北韓有統一的可能性，這也可能會讓該統一的道路變得更加平穩。

文化殖民、傾銷及交流

許多韓國人喜歡提到，他們的國家在許多世紀以前曾經影響了日本文化，並且是日本皇室血脈的起源。在西元第六世紀，日本的欽明天皇（五三九—五七一年在位）邀請韓國醫學、文學和薩滿教的學者專家們到日本傳授他們的知識。朝鮮半島上的百濟王國也與日本這個島國有一些交流，例如在西元五五二年將佛經傳入日本。日本的聖德太子也在六〇一年僱用了百濟的建築師為他建造宮殿和廟宇。桓武天皇（八七一—八九六年在位）本身即是百濟王國武寧王（五〇一—五二三年在位）的後裔，日本明仁天皇也在二〇〇一公開承認這個事實。此外，明仁天皇也指出，韓國不僅是日本宮廷樂的起源地，也曾經是佛教和儒學進入日本的管道。在日本入侵朝鮮的壬辰倭亂期間（一五九二—一五九八年），韓國的陶瓷工匠被強制送到日本，並製作了薩摩燒瓷器。日本薩摩燒瓷器在一八六七於巴黎展覽後，深受歐洲大眾喜愛。

但在十九世紀後期，日本對韓國採取殖民政策之後，這兩個國家之間的文化交流就開始以反方向的單向輸入。在日本控制整個韓國後，日本帝國強迫韓國人說日語、信奉神道並使用日本姓名，尤其是從一九三〇年代晚期開始。到了一九四〇年代早期，大約有八四％的韓國人使用日本姓名。韓國解放後對日本文化強烈反彈，韓國政府禁止日本文化輸入長達五十三年，直到金大中政府在一九九八年撤銷禁令為止。日韓混血歌手澤知惠後來因此得以公開演唱兩首日本歌曲，此後日本的動畫、流行音樂、漫畫、電影和藝術都在南韓擁有許多愛好者。

儘管韓國曾經在一九一〇到一九四五年間被迫接受日本化，中國對它的影響其實更大。儒家思想的源頭來自於中國，這種思想到今天還影響著韓國的社會關係。此外，韓國的科舉制度也來自於中國，整個朝鮮王朝時期就是採用這種制度來挑選加入「兩班」階級的人選。那時的兩班貴族大多都對中國的哲學、書法、文學和藝術等方面痴迷。韓國在第十五世紀發明諺文之前，所用的漢字也是來自於中國。即使到了現在，具有完備漢字知識的韓國人，也會被視為有高尚的文化修養。

除了日本和中國，自一九四五年以來，韓國文化一直受到第三個主要的外來影響，在美國軍政府抵達韓國以後，李承晚、朴正熙和全斗煥政府採取親美政策，讓美國文化持續不斷地湧入韓國。南韓有超過二〇％的人口信奉基督教新教，這是由於與美國接觸的關係。南韓的政治體系也受到美國影響，正如我們在第14章概述的。南韓民眾學習的是美式英語，而不是英式英語，以前有些韓國人甚至將英語稱作「美語」。

韓國民眾可以藉由電視上不斷重播的《CSI犯罪現場》、《法網遊龍》和《越獄風雲》

這些美國電視影集來增進英語聽力。韓國政府甚至認為美國的行為規範值得仿效，從二〇〇〇年代後期開始，韓國政府持續不斷以海報宣導，鼓勵民眾走路靠右側，這些宣傳標語也總會指出，走在右側是在美國採用的習慣。對於那些渴望賺取高薪的人來說，獲得美國大學的工商管理碩士學位是必備條件。此外，韓國許多頂尖的律師、醫師或是高等公務員，幾乎都有美國知名大學的碩士或博士學位。如今的韓國菁英過度受到美國文化和思考方式的影響。

南韓受到日本、中國和美國的影響其實並不令人訝異，因為這些國家不但自古以來一直是韓國命運的塑造者，也是文化輸出的佼佼者。應該引起我們重視的是南韓本身那驚人的力量，這個小國不僅繼承了它本身五千年來的文化傳統，在國家重建、民主和經濟成長方面也是一個現代奇蹟。此外，南韓也是各種產品製造的世界領導者，包括：船隻、汽車、網路線上遊戲、半導體、手機和化妝品等。儘管南韓有如此高的成就，它長久以來一直保持低調。但大約從二〇〇〇年開始，情況出現了一些變化。

運用流行文化進行外交

韓國演員朴貞淑，曾經被選為一九九三年大田廣域市世界博覽會的南韓親善大使，她表示，每次到國外為這個盛會做宣傳時，經常會有人對身穿傳統韓服的她用日語或是中文打招呼。當她表明自己其實是韓國人的時候，對方就會問：「啊，那是北韓還是南韓？」如今，她發現人們會主動問她：「你是韓國人，對不對？」並且能夠說出一大串自己喜愛的韓國電視節目和偶像明星。

韓國如《大長今》（朴貞淑在其中飾演朝鮮王朝的文定王后）這類電視節目、寶兒（BoA，專輯銷售量超過兩千萬張）這些歌手，以及裴勇俊（日本影迷暱稱他為「勇様」〔Yonsama〕）等演員，在國際上廣受喜愛，助長了人們對韓國的肯定。「勇様」是一位極為成功的名人，他的財產據說高達一億美元，使他成為韓國最富有的非財閥人士之一。在好萊塢之外，他是全球報酬最高的演員之一，每部影片的片酬高達五百萬美元以上。

韓流初期的成就是以《冬季戀歌》（二〇〇二年）這類的電視劇開始的，《冬季戀歌》由「勇様」和崔智友主演，由於這齣劇深受廣大群眾的歡迎，日本放送協會（NHK）在二〇〇三年就重播了兩遍，製作人隨後趁勢針對日本觀眾推出相關書籍、DVD和其他周邊商品。日文版的《冬季戀歌》小說銷售量超過一百萬本，「勇様」在二〇〇四年抵達日本成田國際機場時，共有三百五十名鎮暴警察在場維持秩序，確保狂熱的女影迷們與他保持安全距離。

《冬季戀歌》是當時在海外第一部賣座的電視劇，但其他電視劇很快也受到了海外觀眾的喜愛。古裝劇《大長今》在台灣、香港獲得收視率冠軍，在柬埔寨、泰國、中國和日本也深受觀眾喜愛，甚至有一段時間在伊朗成為最受歡迎的電視節目，收視率高達五七％。描述高句麗建國君王的故事《朱蒙》（二〇〇六年），也在伊朗、烏茲別克斯坦和哈薩克斯坦等國受到民眾青睞。另一齣韓劇《咖啡王子1號店》（二〇〇七），用西班牙語配音後在拉丁美洲播放。二〇〇六到二〇一一年間，泰國三大電視台總共播放了一百一十八部韓國連續劇，這些電視台在這段期間每天平均播放一百分鐘的韓劇。根據韓國企業泰國法人（Korea- Thailand Communications Center, KTCC）進行的一項調查顯示，這是近五年九七％的泰國人對韓國印象提升的主因。

韓國的電影出口在整個亞洲地區也非常成功。二〇〇四年韓國電視劇出口收入為五千七百萬美元，電影的收入則高達五千八百萬美元。這些電影的收益主要來自《太極旗：生死兄弟》這部戰爭片和《我的野蠻女友2：蠻風再現》，後者是第一部受到非韓裔人士矚目的韓國電影《我的野蠻女友》的續集。《我的野蠻女友》系列的女主角全智賢，後來在中國成了家喻戶曉的明星，在這之後她又主演了《雪花秘扇》（二〇一一年）這部在美國製作、並且由媒體大亨梅鐸（Rupert Murdoch）的妻子鄧文迪監製的電影。二〇〇五年由「勇樣」主演的《外出》，在日本上映後二十七天內吸引了兩百二十萬名觀眾。

韓國電視劇和電影在泰國、越南、柬埔寨和印尼等較為貧窮的國家，有某種期盼性的價值。故事通常是出身貧寒的女孩最後嫁給英俊富有的青年，這種陳腔濫調、一成不變的題材，有時會受到韓國人的批評；但我們不難想像，對於生活艱苦的人來說，這種題材有很大的吸引力。這些灰姑娘的故事有一種與韓國消費品牌相似的力量，比方說，在一些發展中國家，樂金的平面電視是一種地位象徵。正如朴貞淑的觀察：「我們無法將這些品牌與純粹的文化做分割。」它們是一種組合，並且形成了一種韓國夢，一種可能說服這些國家的年輕女性嫁到南韓的夢。不同國家對韓流有不同的反應方式，日本人在財富方面不須仰望韓國人，但在這些日本人稱之為「dorama」的電視劇中，日本婦女特別容易因為韓國那種「情」與「恨」交融的獨特情感而感動。據朴貞淑指出，日本以前可能也曾經有過這種感情，但現在已不復存在，因此韓劇給這些婦女溫馨懷舊的感覺。一位酷愛韓國事物的日本女性解釋：「日本男人不但冷漠又不浪漫，電視劇裡的韓國男子看起來總有豐富的熱情和感情。」

但是，韓國的流行音樂就不一樣了。它的特性不是來自於情感，而是靈活巧妙的舞蹈動作、受美國流行音樂影響的迷人旋律，以及表演者外表的魅力。基本上，這是針對青少年的一種純粹脫離現實的娛樂。韓國流行音樂目前在經濟方面具備的力量，已經超越了韓國的電視劇和電影。歌手出身的李秀滿創辦的ＳＭ娛樂公司，是韓國最大的流行音樂製作公司，目前在韓國的股價大約在十億美元左右，該公司旗下最有名氣的歌手寶兒，在全亞洲賣出了上百萬張專輯。如Super Junior和少女時代這些由經紀公司刻意培養而成的團體，都會進行國際性的巡迴演出，而在紐約麥迪遜廣場花園舉行的韓國流行歌舞表演，門票總是銷售一空，「SHINee」這個團體更曾經赴日本東京巨蛋在五萬五千名名觀眾面前演出。二〇〇九年Super Junior在上海世博文化中心演出時，有五千名歌迷由於無法入場而感到失望，繼而引發推擠踩踏，造成一人死亡、數百人受傷的慘劇。

明洞是首爾最繁忙的商業區，街道上總是擠滿來自日本、中國以及其他亞洲國家的女遊客，忙著選購印有韓國流行偶像明星照的小飾品。有些特別迷戀韓國的女性，甚至會搬到首爾居住，並且報名參加韓語課程。在著名的西江大學韓語中心高級班裡，日本女性大約占學生人數的一半。此外，這裡還有一些整形外科診所，專為那些想要整容成韓國明星模樣的人開設，並提供外國人多種語言服務。

從表面上來看，幾個有名氣的演員或是流行音樂團體，對南韓長期的利益貢獻似乎不大，但是這個國家的軟實力在亞洲地區已經出現了一些意想不到的正面成果。朴貞淑被指派負責提升韓國與越南兩國之間的友好關係（南韓在越戰時協助過美軍，因此這兩國之前為敵國），她表示，如果民眾對某些事物的喜愛到了一定的程度，政治人物就得跟著情勢走。**韓國影視一直「像是個外交使節，不須靠資金或是強迫的手段來傳播韓國文化」**。李明博總統是這個概念的信徒，他表示韓流是韓國在國際地位上最重要的一項發展。他在二〇一二年二月帶著男子團體「JYJ」中的金在中到土耳其進行正式訪問，並在土耳其總統茍內（Abdullah Gul）位於安卡拉的宅邸共進晚餐。在二〇一二年三月，JYJ也在李明博總統的官邸表演，慶祝首爾核安高峰會開幕。但觀察敏銳的人，一定會對男子偶像團體與核能安全之間的關聯性提出質疑。

然而，重要的是，南韓影視節目也對北韓社會造成具體影響。目前住在首爾的北韓叛逃者張欽來（非其真名）表示，「超過半數的北韓人看過南韓的電視節目。」據他指出，大約在二〇〇二年左右，北韓開始從中國進口廉價的數位光碟播放機，被視為違法的南韓節目光碟也開始流入北韓，讓北韓當局極為不滿。如今這些光碟已經由隨身碟取代，但仍舊存有南韓節目。許多北韓人現在十分清楚，首爾其實與北韓官方宣傳的情況完全相反，它不是一片奴役人民的荒地。藉此揭穿北韓政權控制人民思想的面紗，或許可以助長或是醞釀北韓人民對於改變的渴望。此外，這也可為北韓人民做一些心理準備，如果有一天南、北韓真的統一，他們便不會在首次看到南韓時感到震驚。

韓流的負面效應

二〇一一年十二月，南韓文化部長崔廣植（音譯）向記者們表示，他將會是一位「韓流部長」，並概述他將把在海外推廣韓國流行文化的預算提升三倍的計畫。南韓中央政府近年來一直積極地贊助國際性的韓國流行舞蹈活動，首爾市政府也聘請Rain等藝人擔任文化大使。一位財政部的公務員表示：「每年，我們在推廣傳統文化方面的預算頂多增加二％，但在流行文化方面則增加一二％。」這個比例反映了韓國政府自朴正熙時期以來既有的觀念，政府的責任是選出有潛能的「國家選手」，並給予他們特別多的支持，這是正確的策略，就像朴正熙對三星和現代集團的支持一樣。依目前的情況來看，贏家會是ＳＭ娛樂這類經紀公司。最近甚至連首爾地鐵也邀請男子偶像團體擔任「宣傳模特兒」，雖然首爾地鐵實際上並不需要任何宣傳。這實際上是一種由國有事業負責的財富移轉，將一般地鐵使用者的金錢轉給這些娛樂公司。

但流行文化在受到政府支持以後，是否能夠依然那麼「酷」呢？另外，被看成一個以製造流行音樂和通俗電視節目聞名的國家，對韓國來說是否有好處呢？筆者曾經針對二十位中國人進行一項調查，當他們被問到「想到韓國就想到什麼？」的時候，超過半數的人會提到韓國的流行歌手和演員「都動過整容手術」（這是其中一位受訪者的說法）。韓國這個原本擁有悠久歷史和豐富文化的國家，可能會有以膚淺之邦成名的危險。英國人不會希望自己的國家以「辣妹合唱團」（Spice Girls）而聞名，但韓國政府似乎不介意他們的國家以少女時代或是ＪＹＪ聞名。過度依賴流行文化還有另一個危險，如果有一天人們厭倦了過度炒作的韓國電視劇和流行音樂，韓流就會結束。正如筆者之前提到的，日本、中國等一些國家已經開始出現反韓流的反彈活動。

二〇〇六年，日本漫畫《嫌韓流》（對於韓流的厭惡）在日本銷售了三十萬本，並成為日本亞馬遜網路書店的暢銷書，該漫畫描述一名男孩在與韓國流行文化接觸後，才了解到「韓國醜陋的本質」。二〇一一年七月，日本演員高岡蒼佑在推特發言，表示他已經受夠了富士電視台播放的韓劇，之後引起一些人聯合抵制該電視台。他在文中提到「韓劇似乎會對人洗腦」，高岡蒼佑的經紀公司因為這些言論與他解除了合約，但還是有一些日本人贊同他的看法，並且大約有六千人走上街頭抗議富士電視台播放韓國的節目。據報導，他們當中有些人甚至高喊「日本天皇萬歲」、「把那些蟑螂趕出日本」這類的民族主義口號。這起事件被日本和韓國的媒體大肆報導，但這對日、韓兩國之間的關係一定沒有任何好處。

二〇一二年二月韓國女星金泰希到日本宣傳的計畫被取消，除了日本的反韓流情緒外，另一個原因是金泰希支持主權備受爭議的獨島（日本稱之為竹島）應屬於韓國，這讓日本的右翼團體對她產生了敵意。該年同月，韓國的男子團體「Block B」引起泰國民眾的公憤，他們拿二〇一一年的曼谷水災開玩笑，而在這場水災中有七百八十人喪生。韓國企業泰國法人的一位代表曾經指出，這起事件在泰國可能會「引起對韓國文化的負面影響，並導致一些反韓國的情緒。」

正如本書第21章所提到的，影評人帕克特表示，韓流對韓國電影產業造成負面影響。據他指出，到了二〇〇〇年代中期，韓國電影公司開始「比較重視包裝，而不是故事內容」，因為他們以為只要是「勇樣」或是全智賢拍的戲，日本和中國的觀眾就會想看，所以就沒有真正用心製作好電影。這最終導致韓國電影受歡迎的程度急劇下降，二〇〇五到二〇〇七年間，韓國電影出口收益從七千六百萬美元大幅萎縮到只剩一千兩百萬美元。帕克特說：「對韓國電影業來說，韓流不但已經結束了，而且已經崩潰了。」

此外，韓流也受到了監管規定的壓力。二〇〇六年，中國的中央及地方當局為了保護國內節目，限制了電視台播放韓國節目的時間。二〇一二年，台灣的通訊傳播委員會（National Communication Commission, NCC）也呼籲當地的電視台，為了讓台灣的電視劇有更好的機會，應該少播一些韓國電視節目。台灣主要播放韓劇的八大電視台隨即宣布，為了響應這個呼籲，該電視台會全力配合，不但減少韓國節目的播放時間，並將每天一小時的黃金時段專門用來播放國內節目。這兩個例子顯示韓國電視劇如何成為自我成就的受害者。

要求南韓媒體質疑韓國電視節目和流行音樂在國外創造的價值，幾乎是不可能的事。事實上，現今所有的韓國主流報紙依然不斷地刊登文章，來吹捧這些流行文化產業在海外的成就，有些媒體經常誇大韓國流行文化在歐美的表現有多麼成功。該國媒體不去討論韓流是否有結束的一天，以及韓流是否會引起更大的反彈，但這些情況已經在一些地方發生。當然，這些媒體更不會探討的是，政府對韓流的推廣最終是否會形成反效果。如此的批評或是質疑會被視為不愛國的舉動，但南韓的確可以藉由相關的辯論而受益。

真正的韓流

韓國當局如果以較為廣泛、平衡的方式來推廣韓流，對韓國來說可能會更好，如同筆者在本章一開始所述。南韓建築師黃斗進表示，南韓是「一個既小又完整的世界」。它擁有一個全面性的獨特文化，包括各種具國家特色的服裝、音樂、戲劇、電影、藝術等等。韓國經濟的成就必定會帶來的結果，就是它的文化最終也會隨著經濟的腳步傳向國外，就如同日本文化自一九八〇年代起到目前的情況一樣。

實際上，我們已經看到一些較廣泛的韓流越過了東亞領域的證據。韓國作家申京淑所著的《請照顧我媽媽》是第一部在國際主流社會獲得成功的韓國小說，在全球的銷售量超過一百萬本，並暢銷十九個國家，其中包括美國。如現代、起亞和三星等韓國品牌愈來愈受到肯定，不但被視為所屬領域中的佼佼者，大眾也開始認得它們是韓國的品牌。以前人們總是誤以為它們是日本的品牌，要不然就是不太清楚它們來自哪個國家。二〇一〇年，首爾首次舉辦許多經濟強國參與的G20高峰會議，WPGA女子高爾夫球前十名選手中，超過半數是韓國人，而韓國籍的聯合國秘書長潘基文不但提升了南韓的形象，也顯示該國日益提升的軟實力。

在增進國家聲譽方面，南韓官方其實做了一些非常重要的事，而這些事情實際上與流行文化毫無關係。韓國在一九五〇和六〇年代期間曾經受到國際大量援助，其中主要來自美國。如今，南韓成為一個援助他國的國家。以前菲律賓援助過南韓，現在反過來成了受援國，比如說，二〇一〇年十一月韓國國際合作機構（Korea International Co-operation Agency，KOICA）贈與馬尼拉兩千兩百萬美元的農業計畫經費。韓國政府也在二〇一一年宣布，該國授與非洲國家人道援助的總金額，將從原本每年五百萬美元逐步提升，並在二〇一三年時增加到每年五千萬美元。二〇一一年底，在一些如發展援助委員會等主要的國際人道政策制定論壇中，南韓是唯一的非西方國家。此外，據經合組織統計顯示，二〇〇九到二〇一〇年間（最近期的統計）南韓對他國在發展方面的援助，整體來說增長了三〇・五%。其中最大的受援國即是越南，援助金額高達八千兩百萬美元。

這種援助外交在某些方面類似美國及日本等國所採取的方式，藉由對他國在金錢等方面的援助來建立軟實力，但是南韓還有一個這些國家所沒有的優勢。這個以十分快速的步伐為自己擺脫貧困的小國，可以為其他國家提供它的專業知識——以及一個正面、可達成的例子——這是美國沒有的。因此，當韓國官員帶著支票簿和一些可靠的建議到越南這種與韓國有類似殖民歷史和國家分裂經歷的國家時，該國的人就會聽從他們的話。當然，越南當局是否會如同在經濟方面一樣追隨韓國在民主方面的腳步，這還有待觀察。

南韓現在已經做了一百八十度的轉變，它擺脫了貧窮和內向，也不再單方面接受他國的文化和援助，成為一個富裕和多元文化的國家，並且能夠對世界做出一些回饋。它周邊的亞洲國家的確已經察覺到了，其他國家自然也會開始注意。正如朴貞淑說的，一個國家的形象是「由他人來肯定的，而不是強迫他人去接受的」，現在輪到南韓受到肯定了。

27 同性戀議題

人們認為南韓在同性戀議題上並不是一個寬容的國家。但在高麗王朝時期，不論是在王室或是平民之間，「龍與太陽」（兩個陽性象徵）的結合相當普遍。即使在後來儒家思想價值普及的朝鮮王朝期間，同性戀關係在農民階層中也並非是稀有的事。到二十世紀時，這裡的社會才開始認為絕對不能接受同性戀的觀念。

在當今這個時代，因為同性戀並沒有受到韓國法律禁止，這裡不接受同性戀的態度，一般並不會懷有強烈敵意，也不像許多西方國家有反同性戀暴力這種嚴重的問題。二十世紀的韓國社會，大多採取假裝同性戀並不存在的態度，只有在遇到同性戀者公開坦承自己的性取向時，才會表示反對——通常是透過排斥的方式。即使在今天，韓國大多數的同性戀者會在生活中扮演雙重角色，以免父母與他們斷絕關係、受到朋友離棄，或是在職場上受到歧視。那些參與「同志大遊行」活動的人士，有時會把臉遮起來，以免被人認出來。

二〇〇〇年，正在走紅的演員洪錫天，就是在這樣的環境下，成為首位公開「出櫃」的韓國名人。他迫使韓國人面對這個事實——這個大家都知道存在、但不願面對的事實。大眾最初的反應是憤怒，他說：「那時候，九五%的民眾都憎惡我。」不但電視公司的工作和贊助活動完全停擺，朋友們也開始離棄他。

三年之後，孤獨又貧困的他住在首爾梨泰院附近的一間小屋，並開了一家餐廳。這家餐廳一開始生意不是很好，但如今，他像是掌管一個小型帝國，擁有九家餐廳，每一家都獲利不少，並且極受歡迎。此外，他也重回到影視界。他這種急速逆轉的命運，是這個社會對同性戀的態度有某種程度改變造成的影響。雖然普遍來說，這個社會依然不接受洪錫天的生活方式，但是許多年輕人現在完全能接受同性戀的觀念。

古代的同性戀

同性戀絕對不是一個現代才有的觀念，即使是不熟悉希臘、古羅馬或是日本武士歷史的人，也知道那時有許多國家接受同性戀情。韓國的儒家思想有保守的道德規範，並相當重視結婚生子、傳宗接代的必要性。但儘管儒家思想對韓國有深遠的影響，我們還是可以在韓國悠久的歷史中找到同性戀存在的證據。

這其中最常被人引用的例子，即是高麗王朝的恭愍王（一三五一—一三七四年在位），韓國平澤大學的金永光（音譯）及韓素澤（音譯）等教授指出，恭愍王在妻子去世後，挑選了一群年輕俊美的男子作為「子弟衛」與其相伴。在恭愍王之前的忠宣王（一二九八、一三〇八—一三一三年在位）據信也有一位長期的男性伴侶。

雖然根據一些史料顯示，貴族之間這種同性戀關係在高麗王朝期間十分常見，但朝鮮王朝對於同性戀的接受程度則大幅衰減。世宗大王的大臣甚至曾經勸告他廢了自己的兒媳婦，因為她與王宮裡的女僕發生關係，這個事件被記載於王室文獻中，是很罕見的事。我們可以推測，這些事例在官方的記載中十分稀有，主要是這個時期對於同性戀的排斥和禁忌所致，並不表示這個時期沒有同性戀存在。實際上，那時的同性戀十分普遍，特別是在鄉民之間。

曾經旅居韓國多年的聖公會神父盧大榮，後來在一九六八年成為大田廣域市的主教。他撰寫了許多有關韓國文化和歷史的文獻，並在文獻中指出，雖然朝鮮王朝在官方採取反對同性戀的態度，「這段期間（一三九二—一九一〇年）同性戀在農村社會是人盡皆知的事」，並陳述在京畿道一些年長男士曾經對他表示，一直到二十世紀初期以前，同性戀在農村是相當普遍的現象，而且如此的關係「幾乎不具任何汙名……也不會損害到以後結婚的機會」。如果這一切屬實，這個社會對於同性戀的看法似乎隨著二十世紀的腳步變得愈來愈保守——人們不僅不喜歡同性戀，甚至還否認它的存在。

此外，有些人認為「花郎」這支新羅王朝引以為榮的軍隊（也是韓國尚武精神的象徵）也有某些同性戀的特性。據金永光和韓素澤教授表示，像〈慕竹旨郎歌〉這首讚頌某位花郎的詩詞，描述一名花郎喜好與同性伴侶性交。這或許說得有些過火，但值得一提的是，中國唐朝大臣令狐澄曾經描述：「他們從菁英家族中挑選出英俊的男子，然後為他們塗抹胭脂，並稱他們為花郎。人們崇敬並服侍他們，優秀的將軍和勇敢的士兵就是透過這種方式產生的。

「王的男人」與「花美男」

在朝鮮王朝時期，「男寺黨」——由男藝人組成的表演團體，遊走各鄉鎮，到處進行音樂、戲劇和雜技等表演——儘管他們屬於「賤民」這個最低階級，還是深受一般百姓喜愛。據信，在這種團體中，男妓和一般同性戀的存在相當普遍，尤其是男寺黨中稱作「美童」的這些表演團體。男寺黨的傳統一直持續到一九一〇年代，統治韓國的日本為了剷除韓國文化，禁絕了這種藝術表演。

在近年的電影黃金時代相當受歡迎的一部電影《王的男人》（二〇〇五年），就是將這個主題盡情地發揮。這是一個在現代會被稱作「花美男」的男寺黨藝人的故事。一位名叫孔吉的年輕男子，備受燕山君寵愛，但燕山君可說是朝鮮王朝中最殘暴的君王。在這個四千八百萬人口的國家裡，這部電影的觀影人次高達一千兩百萬。

在這部電影中飾演王的男人的李準基，是因貌美而受到觀眾喜愛的韓國男演員之一。在一九九〇年代初期，韓國娛樂圈的男性主要都是強調男子氣概，但近幾年來則以「花美男」形象為主流。此外，還有一些如「２ＡＭ」這類的男子團體，以濃妝和精心設計的髮型示人，無疑具有雙性的特徵，有些人認為這可能含有一些同性戀色彩。

在此同時，任何公開坦承自己同性戀身分的藝人，都會讓他們的事業陷入危機。有幾位非常有名的韓國藝人，他們的同性戀身分在這個圈子裡是公開的祕密，但如果他們真的公開宣布這個真相，就會失去收入豐厚的廣告和贊助機會。

出櫃藝人洪錫天

最能了解這一點的人，非洪錫天莫屬，直到今天，大眾還會為了他爭論不休。在二〇〇〇年九月的一個綜藝節目中，一位來賓開玩笑地問他比較喜歡女生還是男生。大家在他說出真實的答案後，簡直不敢置信。這個節目的製作人將這段對話剪掉了，但後來一位記者風聞此事，便再次向他提問。對此事已思考多時的洪錫天表示，他「不想繼續過著雙面生活」，所以決定公開坦承他的性取向。

這造成輿論一片譁然。他打破了「在韓國我們不談論同性戀」的禁忌，並且為此付出代價。除了收到死亡威脅以外，即使他是當時最受討論的人，卻「三年都沒有工作」。直到今天，雖然他的事業已經復甦，卻仍舊沒有受邀為韓國公司拍攝過廣告。基於這個原因，他會為其他不願意公開性取向的名人們辯護：「他們知道我失去了一切。」他的演藝事業受到挫敗後，在首爾梨泰院地區開設了一家餐廳（店名為Our Place），開張後的第一年都在賠錢，因為沒有客人上門；但更糟糕的是，許多上門來的人只是為了來向他咆哮謾罵。

過了一段時間之後，「Our Place」的命運有了轉變。在接下來的八年，洪錫天連續開了八家餐廳，並且變得十分富裕。他開店的街道都一定會改頭換面，因為其他餐廳和酒吧的業主都會追隨他的腳步。他那曾經被視為毒藥的個人形象，開始對他有利。那些電視製作人雖然不如二〇〇〇年九月以前那麼地熱烈，卻也開始回頭與他聯絡。

這些製作人對他重新產生興趣，按照洪錫天的說法，是因為這個「發生得很快的巨大變化」。雖然沒有人可以宣稱韓國社會已真正地接受同性戀，但人們的態度已經改變，洪錫天則為這個改變做出最大的貢獻。他的公開聲明「強迫（人們）深思……並開始談論這個議題」。他相信現在同性戀者可以公開承認自己的性取向，而不會在事業方面受到打擊，也不會被朋友離棄。

現在，他經常受邀到大學演講，每次聽眾高達五百人。他說年輕人並不在乎他的性取向，並且贊同他在演講中傳達的訊息：「我們並沒有什麼不同……我們不是從另一個宇宙來的外星人。」他認為演講是他所有公開活動中最重要的項目，因為這些年輕的觀眾「在一、二十年後會成為公司的老闆或主管」。他希望屆時他們能夠記住他演講中的訊息，並且不會因為人們的私人生活而拒絕僱用他們。

在二〇一〇年，一部受到大眾喜愛的電視連續劇《人生很美麗》描述了兩名主角之間的同志情誼。在十年前，即使將一個很小的人物描繪成同性戀者，都是讓人不敢想像的事情。這齣電視劇的編劇金秀賢，多年來不斷嘗試在戲中放入同性戀角色，但一直受到製作人回絕。

大眾的態度

雖然許多人——尤其是二、三十歲的都市人，以及那些具有藝術創作背景的人——將洪錫天視作一名英雄（或者只是喜歡去他的餐廳），並支持同性戀結婚合法化。但人們不應該誤以為社會所有層面都在進行這種改變。根據皮尤研究中心（Pew Research Center）在二〇〇七年進行的一項調查顯示，七七％的韓國人認為「同性戀應該受到抵制」。目前韓國只有少數人對同性戀的態度有所改變，而這些人在年紀漸長之後，是否也還能保有這種包容的心態，並將這種態度傳承給他們的子女，仍有待觀察。

對南韓的女同志來說，她們的生活比男同志更加困難。在儒家傳統思想中，女性有結婚生子的義務，所肩負的責任甚至比男性還重，而現代韓國社會仍縈繞著這種思想。據一些女同志表示，甚至連男同志對她們也不是很友善。洪錫天等人將女同志稱之為「雙少數民族」，她們所承受的痛苦，不僅來自人們對她們性取向的偏見和誤解，還有女性一直在努力扭轉的性別歧視餘孽。

這裡的法律環境對所有的同性戀者來說，是十分艱困的。雖然同性戀在南韓從來不算違法，但同性伴侶關係也從未受到法律的認可，而且可能永遠也不會受到認可。洪錫天認為，儘管有些人對同性戀的觀念正在轉變，但因為自古遺留下來的儒家思想和基督教基要派的影響，這個社會不太可能給他們和異性戀配偶相同的權利。

二〇〇七年，韓國政府提出了一項保護少數族群的法案，其中也包括了性方面的少數族群。但韓國的基督教激進人士和美國一樣，在社會上往往屬於保守派，並在政治上具有強大的勢力，他們進行大規模的遊說以反對這項法案。由於這項壓力，不僅該法案有關同性戀的部分先被刪除掉了，最後整個法案都被撤銷了。二〇〇七年十二月，屬於長老會的李明博當選總統後，意味著在他在位期間不可能會提出任何保護同性戀者的法令，因為他曾經公開主張同性戀是「不正常的」。

韓國第一位基督教殉道者，因為拒絕參加儒家祭祖儀式而被處死。現在儒家思想和基督教似乎融合在一起，針對性取向採取一種讓同性戀者很難克服的保守主義。但韓國有各種不同的哲學和宗教傳統，並設法學習相互包容，那些不是保守的基督徒或擁護儒家道德的人，對同性戀會有愈來愈大的包容性。這個社會可能永遠都不會平等對待同性戀者，但隨著時間推移，同性戀者或許能以更坦誠、更公開的方式生活。

28 女性與職場

直到不久以前，南韓的法律規定女性不能成為家庭的戶長。在韓國採行「戶籍」這種記錄每戶家庭的制度，每個韓國人民都必須登記在所屬的家庭戶口中，但是每個家庭的戶長只能由家中的男性擔任。女性結婚後，就會從她父親所屬的戶籍中移出，並登記到丈夫的戶籍下。他們的子女出生後，也會直接登記在丈夫的戶籍裡，未來夫妻如果離婚，子女也必須留在父親的戶籍內。

雖然戶籍制度是在一八九八年日治的影響下才開始實施的，但這種制度相當適合韓國自十四世紀以來即存在的重男輕女文化。新羅、高麗等更早期的王朝，曾經有過某種程度的性別平等，但女性的地位在朝鮮王朝（一三九二—一九一〇年）這段時期大幅下滑。男性可以任意提出離婚，女性則不可以，還必須完全服從丈夫，不能繼承遺產，通常也被禁止參與公共事務。

二〇〇五年，韓國國會通過表決廢除戶籍制度，婦女團體讚譽為在性別平等上一個重要的里程碑。但在同年聯合國公布的性別權力測度（United Nations' Gender Empowerment Measure，GEM）中，南韓在一百一十六個國家中排名第五十九位。在這項針對各國女性在高階管理階層及專業和政治領域參與程度的調查中，對於南韓這個經濟發達且民主的國家來說，表現非常差。這也很清楚地顯示，朝鮮王朝五個世紀以來形成的影響力，並不是修改幾個法令就能一掃而空的。

但是，時代正在改變。目前韓國這一代的年輕女性正在開創一些她們的母親和祖母輩從未有過的機會，這並不是受到任何大規模女權運動的影響（根據《朝鮮日報》在二〇〇七進行的一項調查顯示，只有一六％的韓國女性自稱為女權主義者）。根據二〇〇八年當選韓國年度最佳女性的韓國第一位太空人李素妍表示，這是因為「人們意識到給予婦女們走出廚房、踏入職場的機會，會帶來更多的效率。」

韓國婦女在社會中所扮演的角色轉變，與南韓日益國際化一樣，顯示這個國家在必要時，能夠將自己放置在正確的軌道上。據估計，到了二〇二六年，南韓將有二三％的人口分布在六十五歲以上。這些人口所需的退休金對納稅人來說，將造成很大的負擔。此外，南韓目前的出生率很低，表示屆時將比較缺乏勞動人口來擔負納稅責任。因此，**政府的當務之急是增加勞動人口規模，讓女性踏入職場**，是勢在必行的解決辦法之一。

男尊女卑

在新羅、高麗以及朝鮮時代初期的夫妻，基本上會遵循一種韓國的入贅傳統，也就是在女方家結婚，然後和女方家人住在一起，直到這對夫妻有了自己的子女為止（在這之後，他們就會與男方父母一起居住）。婦女具有平等的遺產繼承權，離婚以後也可以再婚。韓國教學中心（Korea Academy for Educators）的負責人康諾（Mary E. Connor）在她撰寫的《女性與婚姻》（*Women and Marriage*）中指出，新羅婦女能偶爾自由旅行，而且「比二十世紀之前任何時期的韓國婦女有更多權益」。婦女的待遇是受到宋明理學倫理盛行的影響而陡然惡化的，十五世紀之後更是如此。世宗大王在位期間（一四一八—一四五〇年）頒布了限制婦女參拜廟宇的規定。諷刺的是，因為這些改變，在朝鮮時代受到最大衝擊的是菁英階層的「兩班」婦女。朝鮮成宗在位期間（一四六九—一四九四年）頒行一項全國性規範，規定「任何士族（屬於兩班階級）的婦女如果到山區或河邊參加慶典，或是進行祭典儀式，就必須受鞭打一百下。」此外，這個時期也制定了一些條例，拒絕那些再婚婦女的後裔參加科舉，因而阻礙他們取得兩班地位的途徑。

到了十七世紀，婦女的遺產繼承權被剝奪，並且不能參與祭祖儀式。婦女較為低下的地位在這時已經完全根深柢固，並受到宋明理學支持，出現愈來愈多文獻倡導理想化和謙卑順從的婦女形象。從西元十八世紀開始，在《女四書》等政府印製的刊物中，鼓勵婦女有德並遵循朝鮮時代的禮儀標準，無時無刻服侍她們的丈夫和公婆。她們必須為丈夫生下可延續香火的男孩（沒有生兒子被視為婦女的過錯，並且可作為丈夫要求離婚的理由）。到了這個時期，法律規定女性出門時必須將臉遮蓋起來。

這並不表示她們經常出門。婦女的地位被貶到只適合待在家中，據說「noltt wigi」這種玩跳板的遊戲，就是那些想要看看牆外世界的婦女發明的——因為那時很少有機會看到外面的世界。婦女甚至不能接受基礎教育，而有關政治、商業、知識的事務，以及任何被視為「外在」或是「公眾」的事務都屬男人管轄。此外，當時社會也認為丈夫打妻子是完全可以接受的，很多以前遺留下來的說法，可以顯示那時婦女所處的惡劣環境，其中一種說法是「如果沒有每三天打一次老婆，她就會變成一隻狐狸精」。這裡和其他國家一樣，狐狸也象徵著狡猾、詭計多端的女性。在韓國的民間傳說中，有一種九尾狐狸精能幻化為美女勾引男人，然後吃掉他們的肝臟。

有些婦女受到的約束比較少。在最貧窮的階級中，許多婦女必須工作，例如務農。薩滿教的巫師大多數都是女性，妓生（類似日本的藝妓，穿著優雅的服裝，並以唱歌、聊天，甚至有時提供性服務來娛樂男性）也會出門工作，並透過對官場男人的影響而獲取權勢。

但是不論巫師和妓生有多少能力或賺多少錢，她們依然被視為最低層的族群，並且在公共場合受到排斥。那些在家中忠心服侍丈夫和公婆的婦女，才是理想的女性。朝鮮的社會道德觀念歷經五個世紀而形成，因此深植於韓國男女的思考模式中。即使經歷了日本殖民、國家分裂和戰爭，都沒能糾正這種角色的不平衡。韓國政府從一九五〇年代開始邁向不分男女、提供所有孩童平等教育——但許多家庭不讓女兒接受教育。李素妍表示，她的母親「就是在這種保守風氣下的受害者……我的外祖母對她說：『你要是接受了教育，就不會聽你（未來的）丈夫的話了。』」所以家人連中學都不讓她去讀。

時代的轉變

李素妍的母親一輩子都對受教育懷抱著嚮往，她和許多被迫放棄某些夢想的人一樣，將所有希望寄託在兒女身上。她堅持讓兒子和女兒受相同的待遇，她的丈夫也贊同這一點。「你們對我來說全都一樣重要」，李素妍引述了母親的話，這其中當然包含了許多的感動與驕傲，李素妍又說：「在我拿到博士學位的那一天，她幾乎喜極而泣。」由於這種態度的改變，這裡的女性與男性多年來已擁有同等的受教機會。到了二〇一〇年，南韓的碩士學位有四九・一%授予女性。

然而，女性的工作機會，並沒有跟上在教育方面進步的腳步。聯合國在一九九五年針對一百一十六個國家進行的性別權力測度調查中，南韓排名第九十位，只比阿拉伯國家稍微好一點。在一九九〇年代早期，受聘的女性公務員必須在制式表格中填寫有關她的「妻子」的詳細資料，因為那時的表格中並沒有「先生」或「配偶」這樣的欄位。就那時女性公務員占比不到二%的情況來看，這或許是不足為奇的。一九八〇或是九〇年代早期畢業的女性，受到的期望通常是盡快結婚並放棄任何事業抱負，專心撫養兒女。

這些接受良好教育的女性，卻沒有機會實際施展所學，這是一種很不尋常的現象。不論她們具備什麼資格，那些具有權力職位的男性不但會歧視她們，也一定會在她們結婚後逼迫她們辭職。因此，目前四、五十歲的領導階層中很少有女性。實際上，韓國大型企業的高級主管只有四・七%為女性，這比日本的一%要高出許多，但以國際的標準來看，韓國在這方面的確是落後的。對於晚近的女性，也就是在一九九〇年代後期和二〇〇〇年代畢業的女性來說，這方面的情況已經有顯著改善。工程師出身的李素妍指出，每當她在工作上有優異表現時，年紀較大的主管就會驚訝地說：「雖然你是一位女性……」，他們總是稱她為「女工程師」，而不是「工程師」。但是，她的男同事們都將她視為地位相同的工程師，這反映出在這個世代之間人們態度的轉變。現在許多領域在招聘人力方面比以前更平等，尤其在公家機關更是如此。在二〇一〇年新任命的法官中，有七一％為女性，在新指派的檢察官中，女性占五六・八％。看來不久之後，年輕男性就要開始抱怨受到歧視了。

韓國私人企業在這方面還是比國營企業落後，但是連守舊的財閥也開始大幅增加女職員的人數。譬如說，從二〇〇二到二〇〇六年間，韓國十大商業集團的女性職員人數增長了四七・九％（雖然這些新聘職員中有七成為男性）。這些企業集團比較願意聘用女性，部分原因或許是財閥開始注意到外國公司設在首爾的分支部門，它們的優勢來自於挑選最有才能的女畢業生，這些具高度潛力的人才以前並沒有受到財閥們的重視。韓國女性以這種方式獲得更好的工作機會，似乎與女權或是反歧視運動關係不大，完全是基於效率的緣故，人們開始明白這些人才不應該浪費。

女人並非弱者

在韓國，像李素妍一樣的先驅者們，正在協助人們改變對女性的態度。她回憶太空員的甄選過程：「我所有的朋友都認定我不可能被選上，因為我是女性。」甄選過程一開始從三萬六千名申請者淘汰到兩位候選者。另一位候選者原本獲選，但後來因為違反俄國太空計畫的資料保密規定，被取消了資格。在她證明女性也能獲得成功之後，就經常收到女孩們寄來的信件，感謝她讓她們看到「一個人如果盡己所能，就一定可以達到目標」的典範。最近有些韓國男人認為女性要開始「當家」了，其實他們只要看一下政府內閣或是三星電子的董事會，就知道事實並非如此。但正如三星的一位高級主管趙正元（非真名）半開玩笑地表示，這個國家的男人長久以來就懷疑女性實際上「比我們聰明得多」，如果她們得到機會，就會逆轉趨勢而占上風。

女性具有比較優秀的判斷力，最普遍的證據，就是婦女在尚未加入職場競爭之前，家庭財務通常都由她們負責掌管，因為人們相信如此會有比較好的結果。一般來說，韓國男人會把薪水交給妻子，再由妻子發給他們「零用錢」，購買住房的決定往往也是由婦女做主。此外，根據《朝鮮日報》在二〇〇七年進行的一項調查顯示，六五％的韓國已婚婦女藏有「私房錢」，這些私房錢有很多用途，好壞皆有，但大多都是用來解救緊急狀況，使家庭不致陷入財務危機。一位友人曾經告訴筆者，在他父親生意倒閉時，他母親拿出了多年的存款，那些錢足夠他們開一家餐廳。後來經過他父母辛苦地經營，從一家餐廳擴展到五家，他們現在又富有起來，這都要歸功於他母親明智的「欺騙」。

濟州島的海女

雖然我們很難否認，韓國一直是個具性別歧視的國家，但各地區在這方面有很大的差異，例如全羅道的婦女，總是比保守的尚慶道婦女擁有更多發言權。據建築師黃斗進指出，在朝鮮時代的全羅道，男女都可使用住宅中接待客人的房間，但在慶尚道就只有男人可以使用。對韓國的婦女來說，最美好的理想之地，就是位於朝鮮半島南方海域的濟州島。

濟州島在被高麗王朝納入版圖之前，曾經有個獨立的社會，且至今仍保有一種其他韓國人都很難懂的方言。一位首爾的居民表示，以濟州島上人們的思維和舉止來看，「他們大約只是九〇%的韓國人」。這座島嶼的文化與朝鮮半島最明顯的差異，大概就是它在傳統上的性別角色——濟州島的婦女往往是負責家中生計的人。

所有韓國人都知道，濟州島婦女的經典形象就是「海女」，這些婦女可以潛到六十英呎深的海底，捕撈鮑魚和其他珍貴的海產，並拿到市場上兜售，她們的丈夫按傳統會留在家裡照顧子女。這種文化曾經在馬羅島（Mara，離濟州島南部海岸大約五英哩）這個小島上特別活躍，因為以前這裡的經濟幾乎完全依靠海女。雖然我們不能說濟州島上女性的權力超過男性——比方說，男性還是支配政治方面的事務——但擔負家計的責任，讓她們在社會中扮演著極為重要的角色，也因此受到尊敬。

矛盾的是，近年來侵入濟州島的現代化，卻削減了島上婦女的經濟地位。這海島對人們來說已不再偏遠，實際上，它已經成了首爾居民的旅遊景點，他們從金浦國際機場到這裡只須一小時。旅遊業的成長，使島上形成了更多如酒店這類在傳統上由男性主導的商業發展，這些酒店通常都是由朝鮮半島上的大型企業經營，一般給予婦女的工作機會，都只是打掃房間或是坐在櫃檯保持微笑。除此以外，島上傳統的海女現在全都已經超過五十歲，但她們的女兒並沒有打算繼續傳承衣缽。

兩性平權與高齡化危機

雖然在南韓性別歧視的確很普遍，但這也不是很絕對的，比如說，由女性支配家庭財務以及濟州婦女的經濟權力，都是很好的證明。正如我們所看到的，時代正在改變，至少對年輕人來說是如此。如李素姸這類的女性已經從這種改變中受益，但她們的下一代在未來進入職場時，那時的社會是否會更加平等？如果兩性平權的情況正在改善，這種改善的速度可能比任何事都來得重要，理由如前所述：這個國家正面臨人口方面的危機。

到二〇二六年，南韓預計會成為一個「超高齡社會」，並有二三%的人口超過六十五歲。這有兩個因素，第一個因素是正面的——南韓現在的預期壽命已經超過八十歲，而且正在持續增長。因此，我們可以期待在一九五〇年代後期以及六〇年代出世的韓國嬰兒潮世代非常長壽。第二個因素是目前韓國女性平均只生一．二個孩子，在一九五〇年代後期，平均數量曾經超過六個孩子。

預計到了二〇二〇年代後期以及二〇三〇年代，按年齡顯示人口數字的圖表，形狀會像是個倒置的金字塔，頂端有大量的老年人，底層有較少的年輕人。工作並納稅的年輕人人數較多，社會必須扶養的老年人人數較少，經濟學家將這種現象稱作「人口紅利」。但如果這個情況顛倒過來，就會形成一個經濟噩夢。當一個社會中大約有四分之一的人口已屆退休年齡，並且需要退休金和醫療開支時，有收入的納稅人（到時候會比以前少）負擔將會變得很沉重。到了二〇三〇年，韓國的ＧＤＰ增長率每年最高只達一．七%，南韓擁有超過三千億美元的國家退休基金，目前在全球國家退休基金中排名第四高，但據估計到了二〇四〇年將會完全耗盡。

政府如果要增加稅收來支付愈來愈龐大的老年人開銷，就必須吸引（至少三九%）受過大學教育、但沒有工作的婦女回到職場。她們當中有些人可能會受到保守的丈夫勸阻她們工作，但主要問題還是來自於社會缺乏對職業婦女的援助，以及男女薪資的差距，目前這個差距為三五％，算是經合組織中最高的國家。這些都是造成阻礙的原因，並且形成一種M型曲線模式，在這種模式中，年輕女性畢業後開始工作，有了孩子後離職，等孩子們長大後又回到職場，但卻是做低收入、低附加價值的工作。

正確的政策應該是要促進女性的勞動參與率，實際上這也可以提高生育率。南韓低生育率的主要原因，在於養育子女的費用高得令人吃驚，據韓國健康與社會事務機構（Korea Institute of Health and Social Affairs）表示，在韓國養育一個孩子的平均總費用為二・六億韓圜（大約二十三萬美元），這是保守估計的數字，韓國勞動研究院（Korea Labor Institute）認為這筆費用實際上超過四億韓圜。除了富人以外，單薪家庭負擔不起這筆費用。如果一對夫婦想養育兩個孩子，他們兩人都必須工作。以英國及瑞典為例，證明在一個有充分產假和陪產假的體系中，女性勞動參與率和生育率就會更高（在英國每名女性平均擁有兩個小孩，瑞典為一・九個小孩）。韓國的產假太短，工作壓力造成婦女無法休完全部的產假。五天的陪產假是法定權利，但很少有男性會真的向上司提出這個要求。經合組織在二〇〇五年的一份報告中主張，有較好的育兒照顧政策（並且確實地執行），南韓就能將生育率提高〇・四，也就是提升到每名女性大約生一・六個孩子。

自二〇〇一年第一個有關產假的法案被提出後，歷屆政府都非常了解上述的道理，並進行了一些改善；比方說，現在低收入家庭可以拿到育兒優惠券。自二〇〇五年開始，政府針對促進性別平等所修改的法律總共超過三百條。

消除M型曲線

目前這一代的年輕女性，是南韓未來經濟前途的關鍵，她們在接受教育和工作機會方面與男性幾乎平等。那些僅大她們十歲的婦女只能待在家裡，或是做一些低薪的兼職工作，作為M型曲線的囚犯。問題是，對於職業婦女愈來愈正面的社會態度，以及支持她們的政策，是否足以對目前的大學畢業女性在十年後考慮生小孩時有幫助？南韓的M型曲線是否會消退到某個程度，讓社會能夠為老年人提供支援，並同時提升生育率？

有兩個理由讓我們看到希望。第一個理由是，大多數的決策者和一般民眾都很清楚，解決韓國高齡化社會問題是一件刻不容緩的事。根據韓國衛生部在二〇一二年進行的調查顯示，九一％的韓國人認為國內的低生育率是很嚴重的問題。由於韓國男性已不再反對給予女性更多的機會，性別歧視似乎不再是一項對於改變的阻礙。根據皮尤研究中心的調查顯示，目前只有八％的韓國男性反對性別平等。

第二個理由即是李素妍博士所指出的市場效率。人類社會中有五〇％的人才為女性，而人們現在終於了解到這一點。韓國四家最大的金融公司，長期以來被視為性別歧視最嚴重的金融四巨頭，它們在二〇〇七年的管理階層職缺中有五二％選用了女性。這些公司目前擔任主管級的女性只占少數，但在未來十年將會逐漸增加。

那些經常將南韓描繪成一個性別歧視國家的文化評論家，實際上是有根據的。韓國媒體呈現的女性形象的確特別倒退，不是讓她們看起來無助，就是塑造成性感尤物。但是，韓國人在真正有需求時，就會彈性地展現他們的意願和能力，如此的社會特性有可能解決這些問題。我們從韓國為女性創造新機會這一點就可以看出，韓國人在面臨壓力時具備改變的能力。這也是傳統的排外心理正在消失的原因之一，**這個國家需要愈來愈多的外籍和女性勞動人口，來戰勝超高齡社會所造成的人口負擔。**

後記

喝杯香檳慶祝吧！

南韓這個現代國家是在相當惡劣的環境中誕生的，它曾經十分貧窮，幾十年的殖民耗盡了它的精力，不僅經歷了戰爭蹂躪，也缺乏自然資源，而且從一個歷史悠久的國家，變成只剩下一半國土的國家。但它不但存活了下來，而且創造了一個令人意想不到的成功故事。在這短短的五十年內，南韓人民將他們的國家轉變成世界最先進的國家之一。

南韓的成功不僅是在經濟方面的成果、顯現在ＧＤＰ上的數字而已，另外也包括在社會和政治方面的成就。民主已經在這裡扎了根，藝術家已經在電影等文化領域找到了發聲處，南韓社會也正在迎接一個開放的新時代。然而，這些發展最令人興奮之處，就是它們還在成長階段。這個國家最輝煌的日子還在未來的前景中。

南韓社會雖然有許多衝突和分裂，它還是達到了這些成就。這些衝突和分裂包括：左右派之間的政治理念差距很大、全羅道和慶尚道之間歷經千年的地域性對立、佛教和基督教相互衝突的宗教傳統。此外，還有儒學中每個人事物都必須適得其所的心態，以及為了追求經濟成長而顛覆傳統的驅使，這兩者之間存有很大的矛盾。如今又有新衝突湧現：由於人民的收入愈來愈不平等，貧富之間的差距愈來愈大；老一輩和年輕一代之間愈來愈缺乏對於彼此的了解。

南韓人民及社會具有彈性這個特質，讓這些衝突和差異共存，並且成為邁向前進之路的動力，而不是絆腳石。**這種天生以現實為重的特性，讓這個社會在了解改變是必要的時候，能夠接受改變**。韓國人民也具有其他特性，例如能專注於目標並努力不懈，以驚人的速度在某些領域進行轉變。

但是這個國家的成就也付出一些不幸的代價，南韓人如此勤奮的部分原因，在於他們的競爭精神幾乎滲透了生活各面向，這種超越他人的壓力，與他們渴望被視為佼佼者的需求連結。造成的結果是，雖然韓國人有許多值得驕傲的地方，他們還是很不快樂。儘管「興」（純粹的喜悅）已經深植於韓國傳統文化中，在現代的南韓社會，呈現這種喜悅的機會卻愈來愈有限。工作漫長又累人，假期也很短，而人們為了追求成功，讓娛樂和放鬆的時間變得相當少。

雖然這個國家的財富已經積累到一定程度，人民或許自然會開始給自己一些空閒時間，韓國民眾依舊是經合組織國家中工作時間最長的。他們在教育方面的投資過多，並且為了取得最好的成績和學位而競爭。離開學校之後，他們為了在最有名氣的公司就業而競爭。等他們得到這些職位後——受到他們本身的競爭心態和公司「精神」的激勵——會繼續晝夜不停地工作，並累積壓力。這種作法對公司本身其實會造成反效果，因為壓力反而會降低員工的生產力。

一名二、三十歲的韓國年輕人——尤其是社會地位很高的年輕人，所擁有的嗜好比其他工業化國家條件類似的年輕人來得少，他的假期只有幾天，而不是幾個星期。由於他力求競爭和卓越成就，因此投注大量時間加強學業成績或工作資格；如果得到的結果不夠好，或是只有一般的程度，就可能會否定自己的能力。

這也難怪，根據一些統計顯示，南韓民眾罹患憂鬱症的比例已經達到危急的地步。自殺是韓國年輕人的頭號殺手，並且在該國人口死因中排名第四，平均每年每十萬人口中，有三十一人自殺。這個比例僅低於立陶宛，該國平均每年每十萬人口中，有三十一・五人自殺。據韓國保健福祉部（Ministry of Health and Welfare）所進行的調查顯示，二〇一一年南韓成年人中有一六％受精神疾病困擾，但很遺憾的是，這裡的民眾不願尋求協助。韓國的精神病學家表示，由於韓國民眾必須維護面子和尊嚴，他們不敢承認自己感到沮喪，或是不能面對現實。

南韓在「生活滿意度指數」中排名第一百零二位，與發展遠落後於南韓的哈薩克斯坦（Kazakhstan）和馬達加斯加並列，極為弱勢的剛果共和國排名只比南韓低三位。據易普索（Ipsos）調查研究公司在二〇一二年二月針對二十四個國家中的一萬八千名成年人進行的一項調查顯示，南韓人民在幸福感方面的排名是倒數第二名，僅高於匈牙利這個也受到高自殺率困擾的國家。在這項調查中，只有七％的南韓人自認「很快樂」。

除了北韓這種南韓無法掌控的明顯問題外，其他讓這個國家困擾的問題大多是可以解決的。正如我們所看到的，南韓社會和政府似乎已經採取行動，預防該國在未來成為「高齡化」國家時可能遭遇的問題。緩和該國人民競爭的精神將會比較困難，尤其在教育和事業方面更是如此。韓國社會是具有彈性的，但是否能夠約束原本讓這個國家起飛的特性呢？

從一九六〇到八〇年代這段期間，激烈的競爭對南韓整體而言帶來了很大的益處，但在個人層面上卻遭到扭曲並造成反效果，雖然有人提出質疑，卻沒有引起任何反對運動。人們花在家教和課後輔導上的費用還是逐年增加，追求為數有限的良好就業機會的畢業生人數也逐年上升。此外，韓國民眾在化妝品、名牌精品及整形手術的花費——這些都是讓消費者覺得可以提升社會地位的消費——是世界上最高的國家之一。這些人用盡了最大的努力向全世界呈現他們最好的一面，卻仍被不幸福的感覺籠罩著。

李素妍表示，她對自己的國家感到無比的光榮，這麼小的一個國家能夠在克服一連串的災難之後，在許多方面成為其他國家優秀的榜樣。她說：「韓國人民的確是不可思議的，但很可惜的是，他們自己不知道這一點。韓國人民很容易對自己不滿意，有時候我們應該放鬆一下，喝點香檳來讓自己開心一點。」

這個國家不但克服了內戰和饑荒，並且僅靠著決心和奮鬥精神，就從一個戰敗的殖民地轉變成一個先進、穩定和民主的國家，韓國人民比任何人都應該坐下來享受一杯香檳。但現在仍然有一個矛盾：這個不可能的國家在克服了那麼多的困難之後，可能會發現對自己滿意是很難達成的挑戰。但是，讓我們期待奇蹟會再次出現。

謝詞

獻給我親愛的父母

以下是我要在此致謝的人士，包括曾接受我的採訪、在過去一年內給予我許多協助，以及一些我希望藉此表達謝意的友人們。此外，還有幾位我很想提及的人士，但我必須對他們協助的部分有所保留：

他們的姓名按英文字母順序排列如下：Ahn Seong-hee, Alex Travelli, Andrew Barbour, Angela Yoon, Andrew Salmon, Antti Hellgren, 'Ask the Korean', Bae Yeong-jin, Cal Barksdale, Chang Ha-joon 教授, Choi Min-sik, Chris Kelly, Chung Duk-ae 教授, Chun Su-jin, Cynthia Yoo, Darcy Paquet, Darren Long, David Maltby, Dominic Ziegler, Don O'Brien, Eric Oey, Gady Epstein, Han Sun-Kyung, Han Young-yong 及 Lee Jun-ho, Henry Tricks, Hong Joo-hee, Hong Myung-bo, Hong Seok-chon, Hwang Doo-jin, 'Hyun-ju', Jang Hoon 教授, Jason Lee, Ji Bae 及其家人, Jin Y. Park 教授, Jooch Nam, Jung Eun-sung, Jung Yoon-sun, Jung Young-sun, Kang Hye-ran, Kang Jeong-im, Kang Se-ree, Kang Ye-won, Kate English, Kim Bo-yeon, Kim Oujoon, Kim Hye-jeong, Kim Kkobbi, Kim Ui-cheol 教授, Ko Un 及 Lee Sang-hwa, Krys Lee, Kwon Yong-ho, Kwon Young-se, Lee Hye-ryeong, Lee Ji-eun, Lee Seong-hee, Lee Seul, Lee Yoo-jin 和其家人, Lee Yun-hee, Lin Lin,

Marcus Haggers, Marisa Muscari, Mary Jane Liddicoat, Michael Breen, Michael Freeman, Michael Shin 教授, Moon Jung-hee 及 Lee Youngjoon, Nam Sang-ah 以及 Third Line Butterfly, Naomi Rovnick, Nick Watney, Oh Kwan-soo, Park So-young 和其家人, Park Jung-sook 教授, Park Won-soon, Patrick Lee, Peter Underwood, Pyo Chul-min, Rob Dickinson, Rob York, Seo Ji-hye, Shin Joong-hyun, Simon Long, Song Ji-hye, Song Yae-ri, TBS eFM（Ahn Jung-hyun, Ahn Jung-mi, Mike Weisbart 以及友人們）, The LFG Family, Will Ennett , Yang Ik-jun, Yi Soyeon, Yoo Jae-hoon, Yoon Sun-oo, Zachi Schor 和 Zander Lanfried 等。

說明：在筆者撰寫本書期間，許多人慷慨地與我分享了他們的知識和見識，但是書中所有的見解以及錯誤，都由我自行負責。書中提到了一些受訪者，但這並不一定表示他們贊同我做的結論，或是我所寫的內容。倘若有些人感到筆者對他們的國家或文化有不公允的描述或看法，我必須向他們致歉，本人絕對無冒犯之意。我懷抱著對這個國家真誠的愛來撰寫這本書，希望我的筆墨能夠吐露出這些情感。

全球視野64

韓國：撼動世界的嗆泡菜

2013年12月初版　　定價：新臺幣350元

2014年3月初版第五刷

著　者	Daniel Tudor
譯　者	胡苑如
發行人	林載爵

出版者	聯經出版事業股份有限公司	叢書主編	鄒恆月
地址	台北市基隆路一段180號4樓	編輯	王盈婷
編輯部地址	台北市基隆路一段180號4樓	封面設計	黃聖文
叢書主編電話	(02)87876242轉223	內文排版	林婕瀅
台北聯經書房	台北市新生南路三段94號		
電話	(02)23620308		
台中分公司	台中市北區崇德路一段198號		
暨門市電話	(04)22312023		
郵政劃撥	帳戶第0100559-3號		
郵撥電話	(02)23620308		
印刷者	文聯彩色製版印刷有限公司		
總經銷	聯合發行股份有限公司		
發行所	新北市新店區寶橋路235巷6弄6號2F		
電話	(02)29178022		

行政院新聞局出版事業登記證局版臺業字第0130號

本書如有缺頁，破損，倒裝請寄回台北聯經書房更換。　ISBN 978-957-08-4311-8 (平裝)

聯經網址 http://www.linkingbooks.com.tw

電子信箱 e-mail:linking@udngroup.com

國家圖書館出版品預行編目資料

韓國：撼動世界的嗆泡菜/ Daniel Tudor著．
胡菀如譯．初版．臺北市．聯經．2013年12月
（民102年）．352面．14.8×21公分(全球視野：64)
ISBN 978-957-08-4311-8（平裝）
[2014年3月初版第五刷]

1.文化史 2.韓國

732.3 102023992